MÉTHODE DE FRANÇAIS
CAHIER D'EXERCICES

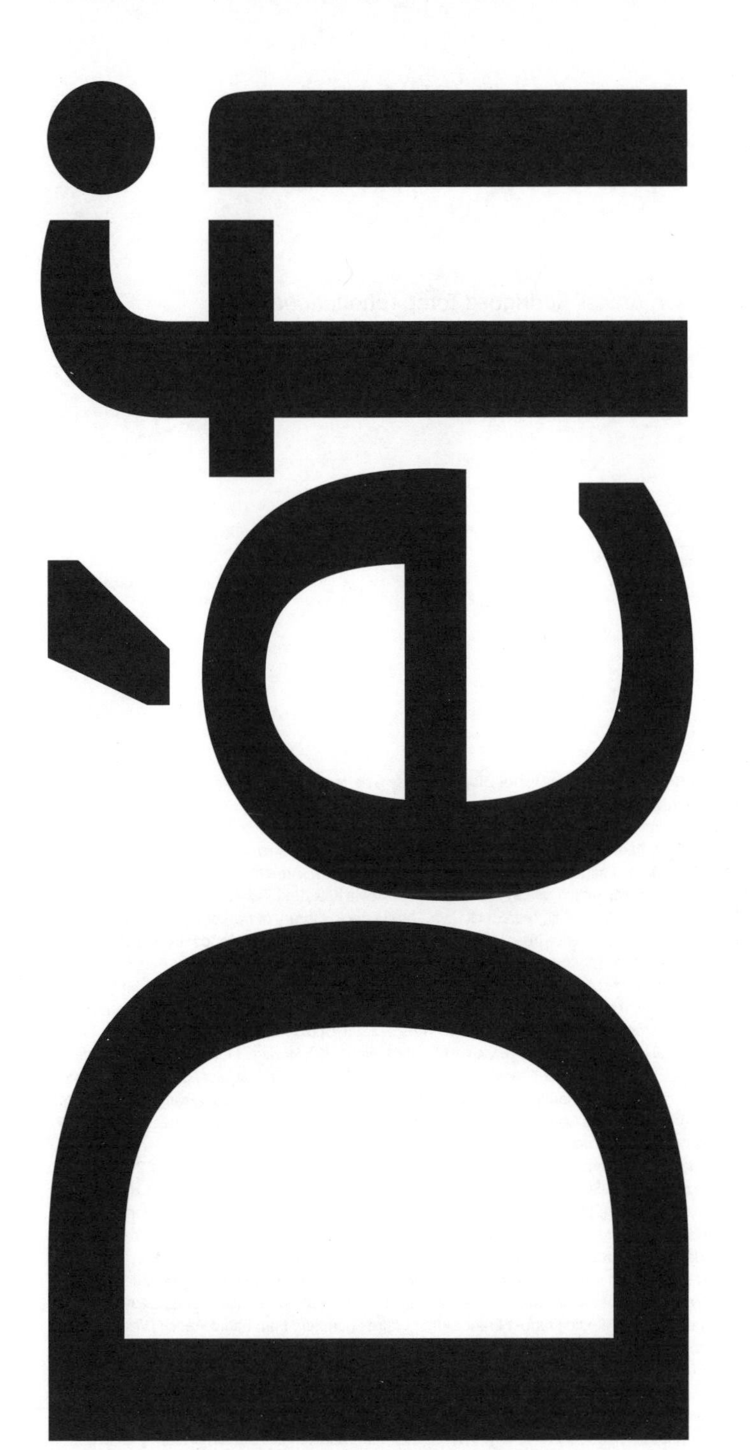

Auteurs :
Pascal Biras
Frankie Fauritte
Alexandra Horquin
Charlotte Jade
Stéphanie Witta

Araceli Rodríguez Tomp (phonétique)
Charlotte Jade (DALF)

www.emdl.fr/fle

DÉFI 5 - CAHIER D'EXERCICES - Niveau C1

AUTEURS

Pascal Biras *(unités 4 et 12)*
Frankie Fauritte *(unités 2 et 9)*
Alexandra Horquin *(unités 1, 6, 7, 10 et 11)*
Charlotte Jade *(unités 3 et 8)*
Stéphanie Witta *(unité 5)*
Araceli Rodríguez Tomp *(phonétique)*
Charlotte Jade *(DALF)*

ÉDITION ET RÉVISION PÉDAGOGIQUE

Gema Ballesteros Pretel

CORRECTION

Béatrice Lafont

CONCEPTION GRAPHIQUE ET COUVERTURE

Miguel Gonçalves, Pablo Garrido *(couverture)*

MISE EN PAGE

Ana Varela García

DOCUMENTATION

Simon Malesan-Jordaney

©Photographies, images, documents audio et textes Couverture : Omar Victor Diop, Courtesy Galerie MAGNIN-A, Paris **Unité 1** : conceptualmotion/iStock ; Stígur Már Karlsson /Heimsmyndir/iStock ; Hombrey/Wikimedia ; FG Trade/iStock ; Hombrey/Wikimedia ; Yves Gellie/odiledecq.com ; thehague/iStock ; Pixattitude/Dreamstime ; AlizadaStudios/iStock ;Richard George/Wikimedia ; Joop van Bilsen et Anefo/Wikimedia ; adamkaz/iStock. Documents audio : Radio France / France Info / La Rédaction; Radio France / France Culture / Olivia Gesbert; Radio France / France Inter / Olivier Marin; Radio France / France Inter / Olivier Marin. Textes : Léa le Foll (Silence) pour Reporterre. net **Unité 2** : Burak Sür/iStock ; Urupong/iStock ; Image Source/iStock ; GeorgeManga/iStock ; Aquir/iStock ; Wingz ; CherriesJD/iStock ; archivector/iStock ; Eskemar/iStock. Documents audio : www.jeanmarcmorandini.com; Radio France / France Culture / Sonia Kronlund. Textes : Gurvan Kristanadjaja pour liberation.fr **Unité 3** : erhui1979/iStock ; DNY59/iStock ; mihtiander/iStock ; CasarsaGuru/iStock ; allgord/iStock ; Lya_Cattel/iStock ; Library of the London School of Economics and Political Science/Wikimedia ; TheArtist/iStock. Documents audio : Radio France / France Inter / Laëtitia Bernard; Sylvie Chayette/Le Monde (15 avril 2018); Radio France / France Inter / Bruno Duvic / Thibaut Cavaillès. Textes : Alice Develey pour lefigaro.fr **Unité 4** : Neustockimages/iStock ; marrio31/iStock ; Hector Pertuz/iStock ; AleksandarNakic/iStock ; Phique Studio/iStock ; Fertnig/iStock ; Starstock/Dreamstime. Documents audio : Radio France / France Culture / Caroline Broué; RTS Radio Télévision Suisse. Textes : Françoise Thelamon pour cyrano.net (15 juillet 2019) ; Myriam Levain pour cheekmagazine.fr ; sportweek.fr; Yves Boisvert pour lapresse.ca **Unité 5** : Khosrork/iStock ; PeopleImages/iStock ; FG Trade/iStock ; Visual Generation/iStock ; calvindexter/iStock ; Actes Sud ; AntonioGuillem/iStock ; jackscoldsweat/iStock ; globalmoments/iStock ; fizkes/iStock. Documents audio : Radio France International - interview de Pascal Blanchard par Jean-Baptiste Marot (11 juin 2020); Librairie Mollat/Lola Lafon. Textes : Ludovic Vigogn pour lopinion.fr ; Lisa Vignoli pour liberation.fr **Unité 6** : PeopleImages/iStock ; appleuzr/iStock ; nadia_bormotova/iStock ; BrianAJackson/iStock ; République française - Ministère des Affaires sociales, de la Santé et des Droits des femmes. Documents audio : Radio France / France Culture / Maylis Besserie; Radio France / France Inter / Ali Rebeihi. Textes : Ariane Griessel pour Radio France / France Inter; Collectif La Ronce ; Poutchie Gonzales et Vanessa Descouraux pour Radio France / France Inter **Unité 7** : Thomas_EyeDesign/iStock ; JacekWoo/iStock ; Image Source/iStock ; hasan kurt/iStock ; mattjeacock/iStock. Documents audio : Radio France / France Culture / Anastasia Colosimo; « Coronavirus : le retour en grâce de l'expression "prenez soin de vous" dans le programme *L'Humeur de Linda*, présentée par Linda Giguère du 1er mai 2020. Textes : Bruno Lavillatte pour marianne.net; Muriel Gilbert pour rtl.fr **Unité 8** : sololos/iStock ; themacx/iStock ; GeorgePeters/iStock ; Daniel/Adobe Stock ; oonal/iStock ; CHUNYIP WONG/iStock. Documents audio : Radio France / France Culture / Nicolas Martin. Textes : Claude Touzet pour theconversation.com (13 février 2018); *Le Jeu de l'amour et du hasard*, par Marivaux ; Nicolas Truong pour lemonde.fr (13 mars 2017) **Unité 9** : sdominick/iStock ; cokada/iStock ; inhauscreative/iStock ; santoelia/iStock ; Carmelo Forte/iStock ; pressmaster/Adobe Stock ; PeopleImages/iStock ; Tempura/iStock ; ikonoklast_hh/Adobe Stock. Documents audio : Radio France / France Inter / Ali Rebeihi ; Nova Productions. Textes : Joséphine Christiaens pour parismatch.be ; Pauline Grand d'Esnon pour neonmag.fr) **Unité 10** : martinedoucet/iStock ; HJBC/iStock ; gremlin/iStock ; Banque de France/Wikimedia. Documents audio : Radio France / France Culture / Marie Viennot; Radio France / France Culture / Sonia Kronlund. Textes : Sophie Fay pour Radio France / France Inter ; Lettre de Françoise Giroud à Jean-Paul Sartre ; Caroline Gillet pour Radio France / France Inter; Claire Chaudière pour Radio France / France Inter; Sonia Kronlund pour Radio France / France Culture **Unité 11** : Csondy/iStock ; Onfokus/iStock ; Smileus/iStock ; nadia_bormotova/iStock ; ilbusca/iStock ; yul38885 yul38885/iStock. Documents audio : Chaîne YouTube « HugoDécrypte ». Textes : Chloé Leprince pour Radio France / France Culture ; Christian Ruby pour nonfiction.fr ; Jérôme Viala-Gaudefroy et Dana Lindaman pour theconversation.com ; Marie Perez pour *Science&Vie Junior* n° 365 **Unité 12** : Rawpixel/iStock ; Jackbluee/Dreamstime ; Blankstock/iStock ; deuxiemepage.fr ; Éditions Grasset & Fasquelle ; Eskemar/iStock ; Eva Blanco/iStock ; LeventKonuk/iStock ; freemixer/iStock ; Éditions Grasset & Fasquelle ; archivector/iStock ; erhui1979/iStock ; AnnaFrajtova/iStock ; oticki/iStock ; www.boudoirbyya.com/iStock ; marieclaudelemay/iStock. Documents audio : « Les Noirs n'existent pas : la romancière Tania de Montaigne décrypte le racisme ordinaire », émission L'Entretien du 27 mai 2018, présentée par Xavier Lambrechts et produite par TV5MONDE ; Radio France / France Culture / Anaïs Kien ; France 24. Textes : Ingrid Baswamina pour deuxiemepage.fr ; Éditions Grasset & Fasquelle; Yves Sciama pour *Science et vie*, le 12/10/2018 **DALF** : Documents audio : Radio France / France Culture / Olivia Gesbert; Ohdio - Radio-Canada : Animation : Maxime Coutié, Collaboration : Émilie Hamon (information), Assistance à la réalisation : Marie-Michèle Coulombe-Boulet, Réalisation : David Savoie ; Radio France / France Inter / Camille Crosnier. Textes : Milan Kundera, *Les Testaments trahis*, Collection Folio (n° 2703), © Éditions Gallimard; lexpress.fr avec AFP, le 12 octobre 2020 ; Joséphine Maunier pour ouest-france.fr, le 2 juillet 2020 ; Marion Dupont pour lemonde.fr (24 juin 2018); Consuelo Vásquez, Professeure Département de communication sociale et publique, Chercheure principale Bénévolat en Mouvement/Volunteering on the move, Université du Québec à Montréal et Samuel Lamoureux, Doctorant en communication, Université du Québec à Montréal (UQAM) pour lesoleil.com; Tiphaine Honnet pour madame.lefigaro.fr, le 25 septembre 2020; Guillemette Jeannot pour francetvinfo.fr, France Télévisions.

ISBN édition internationale : 978-84-18224-42-3
Imprimé dans l'UE

www.emdl.fr/fle

SOMMAIRE

L'harmonie

01

Le yoga

1. Écoutez le document audio et répondez aux questions.

1

a. À qui s'adresse le yoga ? ....

b. Quelles sont les valeurs véhiculées par le yoga ? ....

c. Quels sont les bienfaits du yoga ? ....

d. Que permettent...
- les asanas ? ....
- le pranayama ? ....
- la méditation ? ....

e. Qu'est-ce qui différencie le Hatha yoga, l'Ashtanga et le yoga Nidra ? ....

....

f. Notez trois autres formes de yoga. ....

....

g. Quelles sont les différentes manières de respirer en yoga et qu'apportent-elles ? ....

....

h. En quoi le yoga est-il une philosophie ? ....

....

L'équilibre personnel et la voix passive

2. Complétez le témoignage à l'aide des étiquettes. Faites les transformations nécessaires.

se recentrer sur soi | prendre soin de soi | se laisser happer par | arrêter de courir | évacuer le stress

Je m'appelle Hugo. Depuis quelques années, je travaillais dans la finance et je .... par le rythme métro-boulot-dodo (avec très peu de repos). Au cœur de ce tumulte, je m'oubliais et ne .... L'année dernière, à 40 ans, j'ai eu un accident vasculaire cérébral. J'ai failli y rester. Depuis, j'ai changé mon rapport à la vie. Aujourd'hui, j' .... et je prends le temps nécessaire pour .... Comment ? J' .... en faisant du sport deux fois par semaine et en m'accordant 15 minutes par jour de méditation.

3. Imaginez la vie d'avant d'Hugo et écrivez trois phrases avec des structures passives.

....

....

....

....

4. Écoutez cet extrait d'émission et répondez aux questions.

2

a. Qui sont les marchands de bonheur dont parle la journaliste ? ....

b. Selon l'auteure du livre *Happycratie* :
- qu'est-ce que la psychologie positive propose ? ....
- à qui sert-elle ? ....
- que promet-elle ? ....

c. Faites un résumé des conséquences problématiques de la psychologie positive soulevées par l'auteure.

5. Transformez ces phrases à la forme active ou passive.

a. Interviewée par la journaliste, la sociologue donne son avis sur ce qu'elle appelle « l'happycratie. »

....

b. Une certaine idée du bonheur a été développée par les psychologues cliniques et cognitifs.

....

c. Trouver le bonheur en nous nous est enjoint par certains psychothérapeutes.

....

d. Les défenseurs du culte du bonheur «pathologisent» ceux qui râlent, sont déprimés ou en colère.

....

e. Selon cette femme, les individus peuvent se laisser manipuler par les marchands de bonheur.

....

f. L'industrie du bonheur veut contrôler nos vies et nos émotions.

....

La vie en collectivité et exprimer la condition

6. Lisez ce document et répondez aux questions.

« C'EST GÉNIAL DE VIVRE LÀ ! » Le Village vertical, précurseur des coopératives d'habitants

La coopérative — Village vertical — porte un nom trompeur, car c'est un immeuble aux pratiques horizontales que nous avons découvert en cette fin 2019, dans la banlieue lyonnaise. Le projet a vu le jour fin 2005. Olivier et Jérémie, deux habitants, jouent les guides de leur lieu d'habitation et reviennent avec enthousiasme sur les origines du projet villeurbannais. (...)

La fédération Habicoop avait rapidement rencontré le groupe porteur du projet du Village vertical et fait en sorte qu'il soit leur initiative pilote dès 2006. Cela a permis aux « villageoises et villageois » de bénéficier de fonds européens. Le groupe et la fédération ont élaboré ensemble l'ossature juridique et financière du Village ainsi que sa charte. Leur exemple a permis de faire reconnaître les coopératives d'habitat et l'habitat non spéculatif dans la loi Alur (loi pour l'accès au logement et un urbanisme rénové), en 2014.

Le choix des matériaux de construction et des dispositifs énergétiques s'est fait de concert avec l'architecte. L'optique était de miser au maximum sur des matériaux et un fonctionnement écologique. (...) L'immeuble comprend des lieux communs dont une salle avec cuisine, un potager, une cabane à outils, un garage à vélos, un grenier pour l'entrepôt de matériaux ou l'étendage du linge en hiver. Quatre chambres d'amis sont aménagées au rez de chaussée. Parfois, lorsqu'elles sont trop longtemps inoccupées, elles permettent de loger des étudiantes et étudiants sur du court terme.

À présent, vivent dix foyers de toutes compositions (...) et quatre jeunes en insertion dans les quatorze appartements. Les habitantes et habitants sont propriétaires de la coopérative mais locataires de leur appartement. Leur insertion dans le Village nécessite un apport personnel de 30 à 50 000 euros, ce qui correspond à 25% du coût du logement (...). Chaque mois, ils versent un loyer ainsi qu'une redevance permettant d'épargner, de rembourser les charges ainsi que le prêt souscrit pour la construction de l'immeuble. (...)

Une fois installés, les villageoises et villageois fonctionnent sur le principe : un coopérateur, une voix. Les décisions se construisent au travers de réunions mensuelles (...) auxquelles s'ajoutent deux réunions hebdomadaires (...). On y évoque les projets d'investissement (cuisine, travaux), l'organisation interne, les chantiers collectifs, les organisations d'événements dans la salle commune... Ensuite, tout le monde se rassemble en plus petits groupes ou commissions (cuisine, conciergerie, comptabilité). « L'avantage c'est d'expérimenter des compétences qui ne nous sont pas forcément familières et de pouvoir les transmettre aux autres par la suite », indique Jérémie. (...)

Olivier a grandi dans ce quartier. Il réside dans cette coopérative depuis cinq ans maintenant. Jérémie, lui, a toujours vécu en communauté. (...) « Le vrai atout du Village, c'est de connaître rapidement ses voisins. En été, on peut organiser des moments festifs, passer d'un apéro à l'autre, d'un étage à l'autre », indique Jérémie. La rencontre est d'ailleurs favorisée par l'architecture de l'immeuble avec ses coursives caractéristiques. (...)

Outre la buanderie et les salles communes, les familles ont optimisé les mises en commun pour éviter les doublons, une consommation excessive et favoriser la convivialité. (...)

Vivre au Village requiert beaucoup d'implication et cela peut avoir des conséquences sur la vie privée, notamment pour ceux qui veulent s'investir, en plus, dans d'autres structures associatives. « On assiste à un départ par an quasiment, il y beaucoup de turnover », explique Jérémie. « Ce n'est pas donné à tout le monde de pouvoir s'impliquer autant, je pense notamment à des personnes qui n'ont pas les moyens financiers et qui doivent consacrer leur temps à leur travail pour vivre. » Au fil des années, le temps d'implication s'est assoupli pour faciliter la tâche des familles lors de naissances ou pendant des périodes de formation.

Les deux villageois sont conscients que ce type d'habitat nécessite également d'appartenir à une catégorie sociale plutôt favorisée. En effet, l'apport financier pour la coopérative n'est pas insignifiant même s'il reste beaucoup plus bas que dans le marché immobilier classique. Les revenus ne doivent tout de même pas dépasser un certain seuil car les appartements relèvent du logement social.

« Ce qui nous a guidé vers la coopérative d'habitants, ce sont des raisons politiques. On voulait dire stop à la spéculation », assure Jérémie lorsqu'on lui pose la question du choix de ce logement. « C'est aussi un partage de valeurs communes, solidarité, partage, convivialité, l'émulsion collective, que l'on peut ensuite transmettre à nos enfants. C'est génial de vivre là, j'aimerais que toute la société fonctionne comme cela ! » (...)

S reporterre.net, par Léa Le Foll

a. Comment comprenez-vous la phrase « c'est un immeuble aux pratiques horizontales » ? ....

....

b. Grâce à qui le Village vertical a-t-il vu le jour ? ....

c. Qu'a entraîné la naissance de ce village ? ....

....

d. Qui a choisi les matériaux de construction ? ....

e. Quelles sont les motivations d'Olivier et Jérémie à vivre ainsi ? ....

....

f. Ce type d'habitation et ce style de vie vous plairaient-ils ? Justifiez votre réponse. ....

....

7. À l'aide du texte de l'activité précédente, créez trois phrases dans lesquelles vous exprimez une condition.

Quatre chambres d'amis aménagées au rez-de-chaussée peuvent servir à des étudiants sur du court terme pourvu qu'elles soient inoccupées trop longtemps.

....

....

....

8. Complétez ce texte en conjuguant, si nécessaire, les verbes entre parenthèses.

Offices publics de l'Habitat

http://www.officespublicsdelhabitat.defi

Comment bien vivre en communauté ?

Pour peu que vous .... (choisir) de vivre en communauté, voici quelques règles pour bien vivre ensemble. D'abord, si tant est que vous .... (vouloir) vous assurer de partager votre habitat avec des personnes aux mêmes envies et objectifs que vous, n'hésitez pas à mettre en place une charte dans laquelle vous spécifiez les valeurs de la communauté, les idées directrices et la philosophie du projet.

Ensuite, vous aurez peut-être à gérer des désaccords plus ou moins importants sur différents sujets, mais pourvu que vous .... (savoir) bien communiquer sur vos besoins, et à moins de .... (être) fermé au dialogue et aux compromis ou complètement intolérant, vous surmonterez ces situations difficiles.

Enfin, lancez-vous dans l'aventure si et seulement si vous .... (avoir) bien pesé le pour et le contre, car c'est un choix qui, incontestablement, vous demandera un fort investissement humain et financier.

L'architecture et exprimer la nécessité

9. Lisez cet éditorial puis répondez aux questions.

Selon cet architecte, il est indispensable de repenser les structures où habitent les malades. Cela implique parfois d'en faire table rase pour concevoir des établissements de santé où il fait bon vivre, en osmose avec les besoins des patients et des soignants. À l'heure actuelle, les différents lieux de vie sont organisés de façon austère et surtout incohérente, et il est temps de mettre fin à ces aberrations ! Pour lui, il existe des solutions. Par exemple, les couloirs doivent desservir des pièces lumineuses et spacieuses. Pour évoquer la sérénité, il est nécessaire d'incorporer des courbes. Pour ravir l'esprit, il faut aménager les espaces avec des objets et une décoration qui suscitent quelque chose chez les patients. Bien sûr, l'architecture ne guérira pas les malades, mais elle pourrait faciliter les thérapies et égayer les quotidiens moroses.

a. Retrouvez dans le texte les verbes synonymes de :
- élaborer, créer, faire : ....
- relier, connecter : ....
- mélanger, rattacher : ....
- arranger, agencer, organiser : ....

b. Soulignez les mots ou les expressions qui indiquent une nécessité.

c. Comment imaginez-vous l'architecture et l'aménagement d'un établissement scolaire ? Écrivez au moins trois phrases qui expriment la nécessité.

....

....

....

....

....

10. Complétez les phrases à l'aide des étiquettes.

vrai/e/s | véritable | véridique

a. La modélisation en 3D de cet espace urbain est plus .... que nature.

b. Cette publication, souvent passée inaperçue, est pourtant une .... «bible» pour les architectes.

c. Pour moi, cet architecte est un .... génie.

d. Dans un de ses livres, l'architecte Jacques Pompey dévoile des histoires insolites et absolument .... qu'il a connues dans sa profession.

11. Lisez ces phrases et faites des hypothèses sur la signification des expressions en gras, puis vérifiez vos réponses sur Internet.

a. Toutes ses actions sont utiles à la communauté. Tu devrais **en prendre de la graine**.
b. Cela fait plusieurs mois que tu te laisses aller, il est indispensable que tu **te reprennes en main** !
c. À 40 ans, il voudrait arrêter de travailler et **prendre du bon temps**. Cela implique qu'il ait assez d'économies et qu'il réduise ses dépenses au strict nécessaire.
d. Immanquablement, dès qu'on le critique, il **prend la mouche**. Qu'il est susceptible !
e. À cause de la Covid-19, cette période est difficile. Il est primordial que nous **prenions notre courage à deux mains** pour la traverser, ensemble et unis.
f. Vous voulez modifier votre regard sur un événement ou sur une personne ? Cela nécessite de **prendre de la hauteur**.

12. Réécrivez les phrases de l'activité précédente avec une expression de la nécessité différente.

....

....

....

....

....

....

13. Faites des recherches sur ces architectes et répondez aux questions.

1 J. Nouvel · 2 Z. Hadid · 3 R. Piano · 4 D. Scott Brown · 5 O. Niemeyer · 6 O. Decq

a. Associez-les à leurs œuvres.

Gratte-ciel La Marseillaise

Maison Bernard

Centre Georges Pompidou

Cathédrale de Brasilia

Centre culturel Heydar-Aliyev

Extension de la National Gallery à Londres

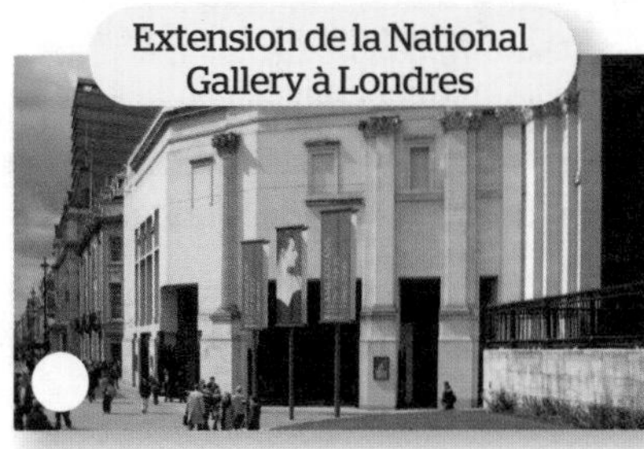

b. Selon vous, quelle œuvre...
- est la plus mal venue ?

....
- fait le plus l'unanimité ?

....
- fait le plus table rase du passé ?

....
- est du jamais-vu ?

....

c. Choisissez l'œuvre que vous avez le plus aimée ou détestée et écrivez votre critique. Vous pouvez vous aider de la boîte à outils.

....

....

....

....

....

....

....

BOÎTE À OUTILS
visionnaire, exubérant/e, révolutionnaire, utopiste, innovateur/trice, génie, exigeant/e, atypique, audacieux/se, pionnier/ère, incohérent/e, mercenaire, provocant/e, polémique, élitiste, arrogant/e

Le futur d'anticipation

14. Réécrivez le texte en utilisant le futur d'anticipation.

Pourtant sans diplôme, Le Corbusier a bâti sa légende dans les années 20 en révolutionnant l'habitat urbain, qu'il souhaitait humaniste. Il a imaginé des maisons sur pilotis, des appartements sans murs porteurs et dotés de larges fenêtres pour laisser entrer le soleil, des toits terrasses, et tous ses principes, il les a appliqués au sortir de la guerre pour proposer des logements aux sinistrés. Ainsi, il a marqué de son empreinte l'architecture du XXe siècle à l'instar de la Cité radieuse à Marseille, la villa Savoye à Poissy ou la chapelle Notre-Dame du Haut à Ronchamp. Des sites aujourd'hui tous placés au patrimoine mondial de l'UNESCO.

15. En utilisant le futur d'anticipation, écrivez une petite biographie pour présenter un/e architecte que vous aimez bien. Vous pouvez vous inspirer du texte de l'activité précédente.

Le succès

16. Cochez les phrases qui sont correctes et corrigez celles qui ne le sont pas.

a. (✓) Il a connu un succès sans précédent.

b. ◯ De son vivant, il n'a pas connu du succès.

c. ◯ Cette création architecturale à couper le souffle a été couronnée d'un succès.

d. ◯ Sa présentation a eu du succès immense auprès de ses collaborateurs.

e. ◯ Sa présentation a eu du succès auprès de ses collaborateurs.

f. ◯ Ce style a le vent en poupe.

g. ◯ Il a tiré son épingle de l'affiche avec ce projet original.

h. ◯ Cueillir des roses est devenu une habitude pour cette talentueuse architecte.

Les expressions liées à la nature

17. Par quel/s verbe/s de la boîte à outils peut-on remplacer les verbes en gras.

a. La tendance au développement personnel à tout prix est de plus en plus critiquée. D'ailleurs, on voit **fleurir** davantage de guides d'anti-développement qui incitent au lâcher-prise et à la déculpabilisation.

b. Dans les médecines traditionnelles telles que le yoga, on parle de **s'enraciner**. Cela veut dire qu'on travaille son ancrage dans le moment présent pour se reconnecter à soi et à la nature.

c. Faire appel à un coach ou à un psychothérapeute peut permettre de faire **éclore** nos envies, nos besoins et parfois des solutions concrètes à nos problèmes.

d. La bonne humeur et la joie de vivre sont contagieuses. En ces temps maussades, il est donc important de les **cultiver**.

BOÎTE À OUTILS
se développer, apparaître, travailler, s'implanter, s'étendre, sortir de l'œuf, progresser, pousser, exploiter, germer, se multiplier, entretenir, se fixer, semer, naître, élever, s'épanouir, s'établir, produire

Parler d'urbanisme

18. Lisez cet article puis répondez aux questions.

Selon une publication des Échos Études en décembre 2019, le marché de l'habitat modulaire est passé « d'un marché de niche à un marché de masse » puisqu'il s'élève aujourd'hui à 1,6 milliard d'euros, et que d'ici 2030, il représentera près d'un quart des nouvelles constructions.

Comment expliquer cette déferlante de cabanes, conteneurs aménagés et autres constructions démontables ? Pour Pablo, qui depuis longtemps ressentait ce besoin de se confronter au réel, à l'indispensable et à ce qui fait sens, la construction de sa *tiny house* dans la campagne nantaise marque la fin d'une vie chaotique et consumériste qu'il ne supportait plus.

Emil, parisien depuis 40 ans, est animé par cette volonté de s'octroyer une parenthèse pour vivre son rêve d'adolescent, à l'image de Thoreau dans *Walden ou la Vie dans les bois*, et se retrouver en tête-à-tête avec lui-même, pour faire le point et reprendre son souffle.

Enfin, Alexia désire offrir à ses enfants l'opportunité de vivre à différents endroits, dans une certaine sobriété heureuse, en mettant la dimension écologique au cœur des préoccupations familiales.

a. Reformulez les motivations énoncées qui peuvent pousser à choisir un habitat modulaire.

....

b. Quelles peuvent être, selon vous, les autres raisons d'un point de vue sociologique, urbanistique et économique ?

....

c. Cela vous plairait-il de vivre dans un habitat modulaire ? Justifiez votre réponse.

....

d. Faites des combinaisons de mots qui incluent le mot *marché*.

Marché de masse

....

19. Écoutez cet extrait d'émission et répondez aux questions.

3

a. Qu'est-ce-qui attire dans la ville moyenne ? ....

b. Quel est le facteur décisif pour vivre dans une ville moyenne ? ....

c. Vrai ou Faux ? Justifiez : Les logements au cœur des villes moyennes sont très plébiscités par les nouveaux arrivants.

....

d. Quels sont les éléments qui permettent de faire rester et d'attirer les jeunes ? ....

20. Écoutez puis répondez aux questions.

4 **a.** Complétez ces extraits de la transcription.

L'urbanisme circulaire, c'est l'idée de .... la ville sur elle-même. En partant du constat que depuis des années, l'étalement urbain a montré ses limites. Le fait de s'éloigner de la ville avec la voiture, le fait de construire des logements neufs en périphérie des grandes villes. C'est la prise de conscience de la fin d'un système.

L'urbanisme circulaire, ce n'est pas un concept théorique mais une alternative à l'étalement urbain. C'est ...., ..., reconstruire en permanence la ville sur elle-même. C'est se demander si l'on a besoin de construire à tel ou tel endroit. Si l'on ne peut pas déjà .... l'existant. Éviter de .... des bâtiments. On peut .... des bureaux en logements. On peut construire des bâtiments qui seraient évolutifs dans le temps, ... des espaces de stationnements qui soient démontables. Et puis, c'est le recyclage du foncier, des sols avec des espaces inutilisés. L'urbanisme circulaire, c'est le fait de dire qu'il y a énormément de ressources dans la ville qui ne sont pas exploitées. (...)

Il y a des temps morts dans la vie d'un bâtiment. C'est une ou deux années pendant lesquelles un bâtiment attend d'être .... ou ... Plutôt que de rester vide et inoccupé, de laisser des mètres carrés inutilisés, le bâtiment peut être occupé légalement et temporairement par des associations par exemple. Ça se développe dans des quartiers à Paris, Marseille ou Lyon. (...)

L'urbanisme circulaire, c'est une somme de bonnes pratiques. Il s'agit d'en finir avec la construction de bâtiments monousages, monofonctionnels. On ne compte plus les bâtiments vides, les bureaux qui ne servent à rien. On peut .... les usages, ... les espaces. Il y a bien sûr des freins : la peur du changement, avec une seule façon de faire la ville. (...)

La pandémie et le confinement accélèrent la prise de conscience, notamment de nos fragilités. Ça nous impose de .... et .... la ville. Une ville plus proche, plus mixte. Une ville qui doit .... en continu à tous les bouleversements : sanitaires, économiques, démographiques, mais aussi tenir compte du vieillissement de la population... L'urbanisme circulaire passe par une volonté politique, des élus locaux, des professionnels, mais aussi des habitants, des citoyens qui s'engagent pour leur quartier. Avec pour enjeux de rendre la ville plus ouverte, où la ville de demain serait prête au changement, plus flexible. Et faire une ville pour tous. S'adapter aux changements climatiques et à nos usages. Une ville plus attrayante et plus agréable. »

b. À quel champ lexical correspondent les mots et les expressions avec lesquels vous avez complété la transcription ?

....

c. Notez toutes les combinaisons de mots entendues qui incluent le mot *espace*. En connaissez-vous d'autres ?

Dans le document	D'autres
espaces...	
espaces...	
espace...	
espace...	
... les espaces	

d. À votre avis, le concept d'urbanisme circulaire pourrait-il s'appliquer dans votre ville ? Justifiez votre réponse.

....

....

e. Écrivez un petit texte dans lequel vous décrivez un quartier d'une ville « plus proche, plus mixte et plus flexible ». Environ 150 mots.

MÉTHODOLOGIE - Prendre des notes

21. **Traduisez ces symboles et abréviations.**

tjs		**pls**		**§**	
càd		**obj**		**x**	
pdt		**svt**		**W**	
qq		**≈**		**ø**	
sf		**≠**		**/**	
cf		**OQP**		**HT**	
pr		**qqX**			

22. **Déchiffrez cette prise de notes. Ensuite, écoutez l'extrait original pour vérifier si votre déchiffrage est bon.**

5

pte mais → nom., mob. mont. en 5 jrs X 3 pers + fab en bois

1) Idée / Qui : W de 2 archi Frédérique Barchelard & Flavien Menu ; rés. villa Médicis à Rome + pls ans à Ldn

2) Idée / Quoi : Proto-habitat < réflexion mod de vie, asp environmt, juri, éco, sur l'us du logemnt & la not° d'habiter < foncier ≠ bâti + Créer des logmnts +/- grand de 30 m^2 → + 90 m^2 en fonct° des bes et budg avc esp mod pr vivre & Wer

23. **Écoutez ce document et prenez des notes. Puis résumez-le et comparez votre résumé avec celui d'un/e camarade.**

6

24. **Choisissez un texte de l'unité 1 du *Livre de l'élève* et résumez-le sous forme d'abréviations, symboles et/ou schémas au tableau devant le reste de la classe et sans parler. La classe doit retrouver de quel texte il s'agit.**

PHONÉTIQUE - L'accent marsellais

25. Écoutez et cochez les caractéristiques de l'accent marseillais.

7

	On prononce le *r* plus roulé qu'en français standard.
	On prononce tous les *e*.
	Le rythme est un peu différent de celui du français standard.
	Les nasales sont prononcées *ing* ou *ang*.
	Le français marsellais est plus chanté que le français standard.
	Les voyelles sont plus fermées que celles du français standard.

26. Écoutez et cochez quand vous entendez l'accent marsellais.

8

a	b	c	d	e	f	g	h	i	j

PHONÉTIQUE - Le rythme du français (I)

En français on ne prononce pas de mots isolés, mais de groupes de deux, trois ou quatre mots qui se prononcent d'un coup. Ce sont les groupes rythmiques composés d'une à six syllabes. Par exemple, *main* n'est pas un groupe rythmique, on ne prononce jamais le mot seul. Le groupe rythmique serait : *une main, ma main, cette main,* etc.

27. Complétez avec des groupes rythmiques :

a. d'une syllabe :

Moi... *Oui*... *Zut !*. ....

b. de deux syllabes :

D'accord..... *C'est moi*..... *Dis donc*...... ....

c. de trois syllabes :

C'est facile..... *Dis-moi tout*..... *Je ne sais pas**..... ....

d. de quatre syllabes :

Ils sont partis..... *Je n'en veux pas*..... *Ne t'en fais pas*..... ....

e. de cinq syllabes :

C'est mon préféré..... *Ils sont tous partis*..... *Elles ne sont pas là*..... ....

* *Je ne sais pas* peut se prononcer en trois ou quatre syllabes.

La notation

02

Le ton polémique et les systèmes de notation

1. Lisez ce tract puis répondez aux questions.

STOP À LA NOTATION DES TRAVAILLEURS PAR LES CLIENTS !

Uber, Darty, Free, Orange, Apple... Les vampires du capitalisme, non contents de se faire des milliards et des milliards sur le dos des travailleurs, font de leur vie un enfer. Tous ont mis en place un système perfide de notation par les clients et ce système est d'une opacité totale pour ceux-là mêmes qui donnent les notes :

- ➔ Quel client sait qu'en notant un service, il note le travailleur et non pas l'entreprise ou le produit ?
- ➔ Quel client sait qu'un 4/5 ou un 8/10 est considéré comme une mauvaise note alors que dans le système scolaire français, c'est une excellente note ?
- ➔ Quel client sait qu'en attribuant une «faible» note, il participe à la baisse de rémunération, voire au licenciement de la personne concernée ?

Nous disons non à la notation des salariés par les clients !

Des notes, subjectives au possible, qui justifient pourtant des humiliations, qui justifient des stages de «bonne» conduite, qui justifient des pertes de rémunérations, qui justifient même des licenciements sans indemnités !

Mettre les salariés à la merci de la mauvaise humeur des clients, c'est une torture au quotidien pour des millions d'entre eux. Ce système injuste plonge les salariés dans l'angoisse permanente de voir leur note baisser et d'en subir les terribles conséquences. Comment peut-on être performant quand on travaille dans des conditions aussi stressantes ?

Nous disons non à la mise sous pression permanente des salariés !

Cette arme braquée sur les salariés en permanence les contraint, malgré l'angoisse qui les ronge, à afficher un sourire permanent et à être corvéables à merci. En condamnant les salariés à la servitude la plus totale, ces systèmes de notation par les clients lissent les comportements et créent un monde aseptisé qui nie l'individu dans ce qu'il est. Et plus les années passent, plus ce système s'étend : maintenant c'est vous qui êtes notés quand vous prenez un Uber ! Les goliaths du capitalisme sont en train de créer un monde digne des pires dystopies et dont personne ne veut !

Nous disons non au formatage des individus !

Que vous travailliez ou non, vous êtes concernés ! Si ce n'est pas aujourd'hui, ce sera demain.

Il est temps que ça cesse !!

- ➔ Dès à présent, boycottez ce système abject en accordant toujours la note maximale aux travailleurs !
- ➔ Et tous ensemble, exigeons l'abandon de cette pratique inutile et scandaleuse ! Rejoignez-nous et signez notre pétition sur les réseaux sociaux : **#StopNotation**

Collectif citoyen contre l'évaluation généralisée

a. Quelle situation dénonce le tract ? ....

b. Qui est responsable de cette situation ? ....

c. Quels sont les arguments avancés ? ....

....

d. Quels sont les objectifs de ce tract ? ....

....

e. Soulignez les marques du ton polémique et classez-les dans le tableau.

La dévalorisation	
L'implication du lecteur	
La provocation	
L'insistance	

2. Écoutez cette interview de la cheffe Babette de Rozières puis répondez aux questions.

9

a. De quel type d'évaluation parle-t-elle ? ....

b. Que dit-elle concernant :

- les évaluateurs ? ....
- les méthodes d'évaluation ? ....
- les conséquences de l'évaluation sur les évalués ? ....

c. Êtes-vous d'accord avec ses arguments ? ....

....

d. La cheffe utilise plusieurs procédés du ton polémique. Lesquels identifiez-vous ?

Procédés	Justifications
L'insistance	*Répétition de « de quel droit ».*

3. Observez ce dessin puis répondez aux questions.

a. Qui sont les personnages ? Où et pourquoi se rencontrent-ils ?

....

b. Selon vous, que représentent les documents affichés au mur ?

....

c. Quel est le point de vue du dessinateur sur la notation des salariés ? Quel argument met-il en scène ?

....

d. Qu'en pensez-vous ?

....

e. En quoi ce dessin peut-il être considéré comme un pamphlet ? Aidez-vous de la carte mentale de la page 39 du *Livre de l'élève*.

....

4. Écoutez cet extrait d'émission et répondez aux questions.

10

a. Dans quelles circonstances la journaliste découvre-t-elle la note de son médecin ?

....

b. Quels reproches les internautes font-ils à son médecin ?

....

c. Quel est le point de vue de la journaliste sur ces commentaires ? Et celui de son médecin ?

....

d. Quelle note a le docteur Jérôme Marty sur Google ? Comment l'explique-t-il ?

....

e. Que reproche-t-il à ce système de notation ?

....

f. Comment la journaliste considérait la notation en ligne jusqu'à présent ? Partagez-vous son point de vue ?

....

g. Quel lien la journaliste fait-elle avec la notation scolaire ? Qu'est-ce qui différencie selon elle les deux systèmes de notation ?

....

h. En quoi la Finlande peut-elle être considérée comme un exemple à suivre ?

....

La mise en relief

5. Lisez le texte puis répondez aux questions.

Les serial-noteurs de Tripadvisor

Certains usagers de la plateforme de conseils touristiques ont parfois émis des milliers d'avis sur leurs hôtels et restaurants visités. Une course à la notation qui frise l'obsession et interroge sur les rétributions que les entreprises peuvent mettre en place.

Dans son dernier avis publié sur Tripadvisor en date du 10 décembre, Laurence juge un Hippopotamus à Bordeaux. Elle lui attribue une note de 3 sur 5, considérant le service «calamiteux» et « très long ». Ce commentaire, elle l'a posté, comme 1 143 autres, sur la plateforme tout de suite après avoir quitté le lieu. [...] Sur son profil sont fièrement exposés les titres de « contributeur utile » et d'« auteur chevronné ». Au départ, Laurence découvre la plateforme en 2009 en cherchant un hôtel à Lille. Elle lui attribue une note, parce que ça « l'amuse ». Puis un autre hôtel dans le sud de la France, duquel elle prend des photos. L'utilisatrice y prend goût et décide d'inscrire un commentaire et une note dans chaque lieu qu'elle visite, comme une obsession : « Parfois, c'est dans ma région. Mais je le fais aussi pendant mes voyages. Quand je suis partie en Birmanie récemment, j'ai mis des commentaires. En général je suis obligée d'aller dans la réception de l'hôtel avec ma tablette parce qu'il n'y a pas de wi-fi dans les chambres », explique-t-elle. Elle prend aussi des photos des lieux ou des plats quand elle le peut, pour affiner son opinion et prouver sa présence sur place. Jusqu'à incommoder ses proches, comme son mari qui trouve que « c'est du temps perdu ».

« Un peu coupable » »»»»»»»»»»»»»»»»»»»»»»»»»»»»»»»»»»

Dans la communauté de Tripadvisor, Laurence n'est pas la seule à passer son temps à noter tous les endroits dans lesquels elle se rend. Le contributeur numéro 1 sur le site, Brad Reynolds, totalise plus de 5 800 avis. Avec sa femme, à Hongkong où ils vivent, ou au cours de leurs voyages, ils se sont mis à tout noter scrupuleusement. [...]

Brad Reynolds justifie leur activité prolifique sur la plateforme par un sentiment de «culpabilité» initial : « J'ai commencé à me sentir un peu coupable parce que nous avons beaucoup profité de Tripadvisor, mais nous n'avions rien donné à la communauté. Donc, après un voyage à Saint-Pétersbourg [...] en 2009, j'ai commencé à écrire des critiques sur les endroits que nous avons visités lors de ce voyage. Et j'ai continué à le faire pour chaque destination que nous avons visitée depuis. » Pour lui, poster un avis offre aussi à une entreprise l'opportunité de « rester vigilante » : « Ils savent que les voyageurs les examinent et que n'importe qui pourrait être un examinateur de Tripadvisor. Je crois que cela encourage les entreprises de l'industrie du voyage à améliorer leur service, car elles ne savent jamais qui va les analyser. »

Se mettre en valeur »»»»»»»»»»»»»»»»»»»»»»»»»»»»»»»»»»»»

Contrairement à ce que l'on pourrait penser, Brad comme Laurence notent les lieux qu'ils visitent d'abord dans leur propre intérêt. Le premier explique : « Écrire des critiques et soumettre des photos est un bon moyen de me souvenir de mes expériences personnelles de voyage. » [...] Pour Vanessa Lalo, psychologue spécialisée dans le numérique, ce comportement correspond à la volonté d'avoir une mémoire «externalisée» : « Ils agissent comme si les choses allaient disparaître. Le fait de tout écrire et de tout noter leur permet de retrouver leurs voyages en une simple recherche. Auparavant, on entraînait notre cerveau à retenir des choses. Aujourd'hui, on ne retient plus les contenus, mais les chemins d'accès. » C'est aussi un moyen de se mettre en valeur aux yeux des autres : « Tripadvisor ou Amazon ont mis en place des systèmes de gratification qui sont de plus en plus présents. Plus vous notez, plus vous obtenez de badges et de notes. Le système va donc vous solliciter pour que vous vous dépassiez afin d'atteindre une reconnaissance. » Vanessa Lalo voit aussi ce comportement comme pouvant ressembler à celui des collectionneurs : « Ils veulent tout voir, avoir tout noté, obtenir tous les badges. »

Sur toutes les plateformes commerciales ou de tourisme, des centaines de personnes partagent cette marotte de la note. Parfois, certains y trouvent un moyen de s'extraire de leur quotidien. [...] Ces internautes sont aussi l'un des maillons essentiels du système : ils permettent aux entreprises d'obtenir un plus grand nombre d'avis chaque jour. Pourtant, tous se défendent d'être payés directement par les plateformes. Certains sont invités tout de même par des restaurants ou hôtels, d'autres profitent de leur influence sur les plateformes pour ouvrir un blog et y réaliser de la publicité.

Laurence, elle, reconnaît s'être vue offrir une fois un iPad par Tripadvisor. Depuis, plus rien. Cette médecin de profession l'assure : elle continuera de noter son quotidien tant que ça continuera « à l'amuser ». Même si, en tant que professionnelle de la santé, elle ne voit pas d'un très bon œil la notation des internautes la concernant. « C'est sûr que moi, je n'aimerais pas vraiment que l'on me note, mais pour la santé, ce n'est pas tout à fait la même chose que pour le tourisme », se justifie-t-elle. Qu'elle se rassure, après vérification, Laurence n'a qu'une note sur son activité sur Google, et elle est de cinq étoiles.

liberation.fr, par Gurvan Kristanadjaja

a. Expliquez le titre de l'article.

b. Comment et pourquoi Laurence et Brad Reynolds ont-ils commencé à poster des avis sur Tripadvisor ?

c. Quelle est la position de leur conjoint/e par rapport à cette activité ?

d. Selon Vanessa Lalo, qu'est-ce qui peut expliquer ce type de comportement ?

e. Êtes-vous d'accord avec ce que dit Laurence : « Pour la santé, ce n'est pas tout à fait la même chose que pour le tourisme » ? Développez votre point de vue en un ou deux paragraphes.

f. Cherchez dans le texte des exemples de mise en relief, complétez le tableau et soulignez les éléments mis en évidence.

Exemples de mise en relief	Procédé
Une course à la notation qui frise l'obsession et interroge sur les rétributions que les entreprises peuvent mettre en place.	*Phrase sans verbe principal conjugué*

6. Réécrivez ce texte en mettant en relief les éléments soulignés. Utilisez différents procédés.

NOTER, POUR QUOI FAIRE ?

132 vues | 3 réponses

Mia7766 - 28 min

J'ai commencé à publier des avis quand j'étais étudiante en Erasmus à Berlin. J'ai écrit mon premier commentaire sur Tripadvisor parce que j'avais vécu une mauvaise expérience dans un restaurant. Le serveur avait été très désagréable avec moi et je ne parlais pas encore assez bien la langue pour me défendre. J'avais besoin d'exprimer ma colère et écrire un commentaire m'a permis de me défouler. Mais j'ai très vite pris goût à ça. J'écrivais deux ou trois avis par jour sur Tripadvisor, sur Google, et partout où je pouvais mettre une note et commenter mon expérience. Je crois que je cherchais une manière de m'exprimer à un moment où j'avais du mal à communiquer. D'ailleurs, j'ai arrêté quand j'ai commencé à me faire des amis.

Le registre familier

7. Écoutez le dialogue et associez ces mots familiers à leur signification.

11

déchirer •	
trop •	• exceller
saucé •	• content
se planter •	• vraiment, très, beaucoup
avoir le seum •	• un idiot
se déchirer •	• s'inquiéter, stresser
bader •	• déprimer
un bolosse •	• échouer, faire une erreur
grave •	

8. Lisez ces listes de mots familiers et barrez l'intrus. Justifiez votre réponse. Utilisez un dictionnaire si nécessaire.

a. un resto - un plouc - un prof - un ciné - la fac ....
b. cimer - chanmé - zarbi - bidon -ouf ....
c. un pote - un mec - un keum - un gadjo - un gars ....
d. kiffer - liker - spoiler - booster -squeezer ....
e. des radis - une teuf - un savon - des salades - une tuerie ....
f. du flouze - du fric - des thunes - du pèze - du calendos ....

9. Lisez ce témoignage d'une étudiante et identifiez le sens des expressions familières en gras à l'aide des étiquettes.

donc | en définitive | à cause de | au cas où | en réalité | néanmoins | par ailleurs | afin de | de surcroît

Mardi, j'avais un devoir sur table en éco **sauf que** j'ai pas du tout eu le temps de bosser ce week-end. **Du coup**, je suis allée voir la prof, **histoire de** lui demander si elle ne pouvait pas repousser le devoir, **des fois que** ça marche, on sait jamais... J'avais pas grand chose à perdre de toute façon...
Mais elle a eu une réaction de ouf. Elle s'est énervée et m'a répondu en gueulant que j'étais super gonflée de lui demander ça alors que je ne viens jamais en cours. C'est pas vrai que je suis toujours absente, j'y vais à son cours. Bon, **après**, j'y vais pas à chaque fois non plus, **la faute à** ma voiture qui veut jamais démarrer le matin quand il fait froid. Mais j'y peux quoi, moi ? **N'empêche qu**'elle a grave exagéré et elle a pas été sympa **avec ça**. Elle avait pas besoin de hurler comme ça, devant tout le monde en plus. Bon évidemment, **au finish**, on a fait le devoir. Et j'ai eu zéro.

10. Donnez plus d'authenticité à ce dialogue en le réécrivant au registre familier. Puis faites des binômes et jouez le dialogue devant la classe.

• Bonjour cher ami ! Comment vas-tu ?
○ Je vais très bien, je te remercie. Et toi, est-ce que tu vas bien ?
• Je vais magnifiquement bien ! Je viens de la faculté où mon professeur m'a annoncé le résultat de mon examen. Et... j'ai eu un excellent résultat ! Je suis très contente.
○ C'est merveilleux ! Je te félicite. Que fais-tu maintenant ?
• Je ne fais rien de spécial. J'allais rentrer chez moi.
○ Et si nous allions fêter cela en buvant une bière quelque part ?
• C'est une excellente idée. Mais je suis très pressée d'annoncer la bonne nouvelle à ma mère, donc je préfère rentrer. Néanmoins j'aimerais énormément fêter cela avec toi. Voudrais-tu manger au restaurant avec moi ce soir ?
○ Non, je suis désolée. Je ne peux pas ce soir. Il faut que je travaille car pour ma part, je n'ai pas fini mes examens !
• Oh zut ! Alors, pourrais-tu venir chez moi samedi soir afin de fêter cela ? Il y aura mon amie Lise. T'en souviens-tu ?
○ Oui, je m'en souviens parfaitement. Elle est très sympathique. Je l'avais beaucoup appréciée lorsque je l'ai rencontrée.
• Donc, es-tu d'accord pour venir chez moi samedi soir ?

Les expressions avec le mot *coup*

11. Complétez avec des expressions qui contiennent le mot *coup*. Faites les transformations nécessaires.

a. • Et si on allait se promener à Enval ce week-end ?
○ Oui bonne idée ! Comme ça, on pourra passer dire bonjour à Aline .... Elle habite tout près.
b. Martina est enceinte. C'est une excellente nouvelle et je suis ravie pour elle, mais ...., nous ne pourrons pas profiter de ses services pendant quelques mois et nous devrons trouver quelqu'un pour la remplacer.
c. J'ai eu quatre mauvaises notes .... Alors mes parents m'ont interdit de sortir ce week-end.
d. Les policiers lui ont fait des appels de phare pour qu'il se gare, mais ...., il n'a pas compris que c'était pour lui. Il a quand même fini par s'arrêter quand ils ont mis la sirène.
e. • Tu vas chez le dentiste à 17 h 30 ? Ca va être juste pour toi, non ?
○ Non, non, ça ira. J'ai rendez-vous avec mon dernier client à 16 h 30. J'espère qu'il ne sera pas en retard parce que je devrais courir vite .... !
f. J'allais tranquillement en voiture au travail quand ...., un chat a traversé la route. J'ai freiné brusquement et la voiture qui était derrière moi m'a percuté.
g. Whaouh ! Tu es doué ! Tu as réussi .... Moi, j'ai dû essayer des centaines de fois avant d'y arriver !
h. Marc a quitté son poste de consultant l'année dernière. Ce n'est que .... qu'il a réalisé que c'était une erreur et aujourd'hui il regrette profondément.

12. Cochez la bonne réponse selon le sens de l'expression avec *coup* puis écoutez les dialogues pour vérifier.

12

a. À coup sûr :
☐ seulement
☐ sans aucun doute
☐ par hasard

b. Un coup de fil :
☐ un appel téléphonique
☐ un courrier recommandé
☐ une visite

c. Sous le coup de :
☐ sous le nom de
☐ sous le contrôle de
☐ sous l'effet de

d. Rattraper le coup :
☐ réparer une erreur
☐ limiter un retard
☐ saisir une opportunité

e. Un coup de mou :
☐ une baisse d'énergie
☐ une anecdote insignifiante
☐ une attaque timide

f. Un coup bas :
☐ un pas de danse
☐ une chute
☐ un acte déloyal

g. Tenir le coup :
☐ garder la même direction
☐ résister moralement ou physiquement
☐ rester concret

h. Au coup par coup :
☐ selon les circonstances
☐ selon la météo
☐ selon une même direction

i. À coup de :
☐ au moyen de
☐ de crainte de
☐ à l'occasion de

j. D'un coup :
☐ en une seule fois
☐ lentement
☐ violemment

k. Un coup de gueule :
☐ un mouvement de la bouche
☐ une protestation vive
☐ une morsure

l. Un coup monté :
☐ un complot
☐ une frappe au visage
☐ une promotion hiérarchique

13. Rédigez un petit texte ou une anecdote en réutilisant le maximum d'expressions avec *coup*.

....
....
....
....
....
....

La polysémie du mot *note*

14. Écoutez et associez chaque phrase à la définition qui correspond du mot *note*.

13

	Résultat chiffré d'une évaluation.
	Facture, somme à régler.
	Phrases courtes écrites pour ne pas oublier les informations importantes (au pluriel).
	Courte communication écrite qui transmet une information (contexte administratif ou professionnel).
	Son musical représenté par un signe graphique.
	Caractéristique apportée par un détail à un ensemble.

Les expressions pour évaluer et apprécier

15. Complétez la grille de mots croisés à l'aide des définitions.

1. Synonyme familier d'*exceller.*
2. Contraire de délicieux ou propre.
3. Plat de viande ou quelque chose de mauvaise qualité.
4. Synonyme de *propre* ou d'*irréprochable.*
5. Synonyme de *lamentable* ou d'*indigent.*
6. Contraire de *payant* ou de *justifié.*
7. Nourriture abondante mais de mauvaise qualité.
8. Contraire de *sucré, doux* ou *agréable.*
9. Synonyme d'*iodée* ou d'*élevée.*
10. Synonyme de *copieux, excessif* ou *gigantesque.*
11. Ni chaud, ni froid et c'est regrettable.
12. Contraire de *délicieux* ou d'*agréable.*
13. Synonyme familier de *merveille.*

16. Lisez ces avis et répondez aux questions.

●○○○○

Passez votre chemin !

Les plats ne sont pas dignes d'être servis dans un restaurant. Le plat de Saint-Jacques était fadasse et d'une texture proche du carton (probablement réchauffé au four à micro-ondes). Vu le prix, c'est abusé ! Quant à la spécialité du chef (une daube provençale), c'est une catastrophe sans nom. Il faudrait conseiller au chef une reconversion professionnelle. Et peut-être aussi à la serveuse : non seulement elle n'est pas pro du tout (elle amène les assiettes deux par deux !) mais en plus elle est aimable comme une porte de prison : Une adresse à éviter absolument !

●●●●●

Un restaurant à recommander

Les plats sont simples mais délicieux et d'un bon rapport qualité-prix. Certes le service était un peu long, mais nous avions réservé le matin même et la salle était pleine. D'évidence, la serveuse a fait son maximum. Même débordée, elle était très accueillante et souriante. J'y retournerai avec plaisir pour goûter la spécialité du chef (la daube de boeuf à la provençale) qui n'était pas disponible ce jour-là.

●●●○○

Bof...

Les plats sont très inégaux : les viandes sont excellentes et parfaitement cuites mais les accompagnements ne sont vraiment pas terribles. Par contre, les assiettes sont énormes et on n'a pas faim en sortant. Le rapport qualité-prix reste très correct. L'accueil est un peu rustique et le service a été vraiment trop long, mais la serveuse est très agréable. Quant au cadre, on ne peut pas dire qu'il est de mauvais goût mais la décoration gagnerait à être un peu plus sobre.

a. Choisissez deux adjectifs de la page 37 du *Livre de l'élève* pour caractériser chaque critique.
- Passez votre chemin ! : ....
- Un restaurant à recommander : ....
- Bof... : ....

b. Imaginez la réponse du restaurateur à la critique de votre choix.

....
....
....

17. Rédigez une autocritique sévère. Vous pouvez évoquer un repas que vous avez préparé, un service que vous avez rendu, un devoir que vous avez fait, un défaut que vous n'arrivez pas à corriger...

....
....
....
....

MÉTHODOLOGIE - Faire une carte mentale

18. Complétez cette carte mentale en suivant les conseils des pages 38-40 du *Livre de l'élève.*

a. Tracez les ramifications manquantes.
b. Notez les mots-clés et illustrez-les quand c'est possible.
c. Éventuellement, connectez les idées entre elles à l'aide de flèches ou de couleurs.

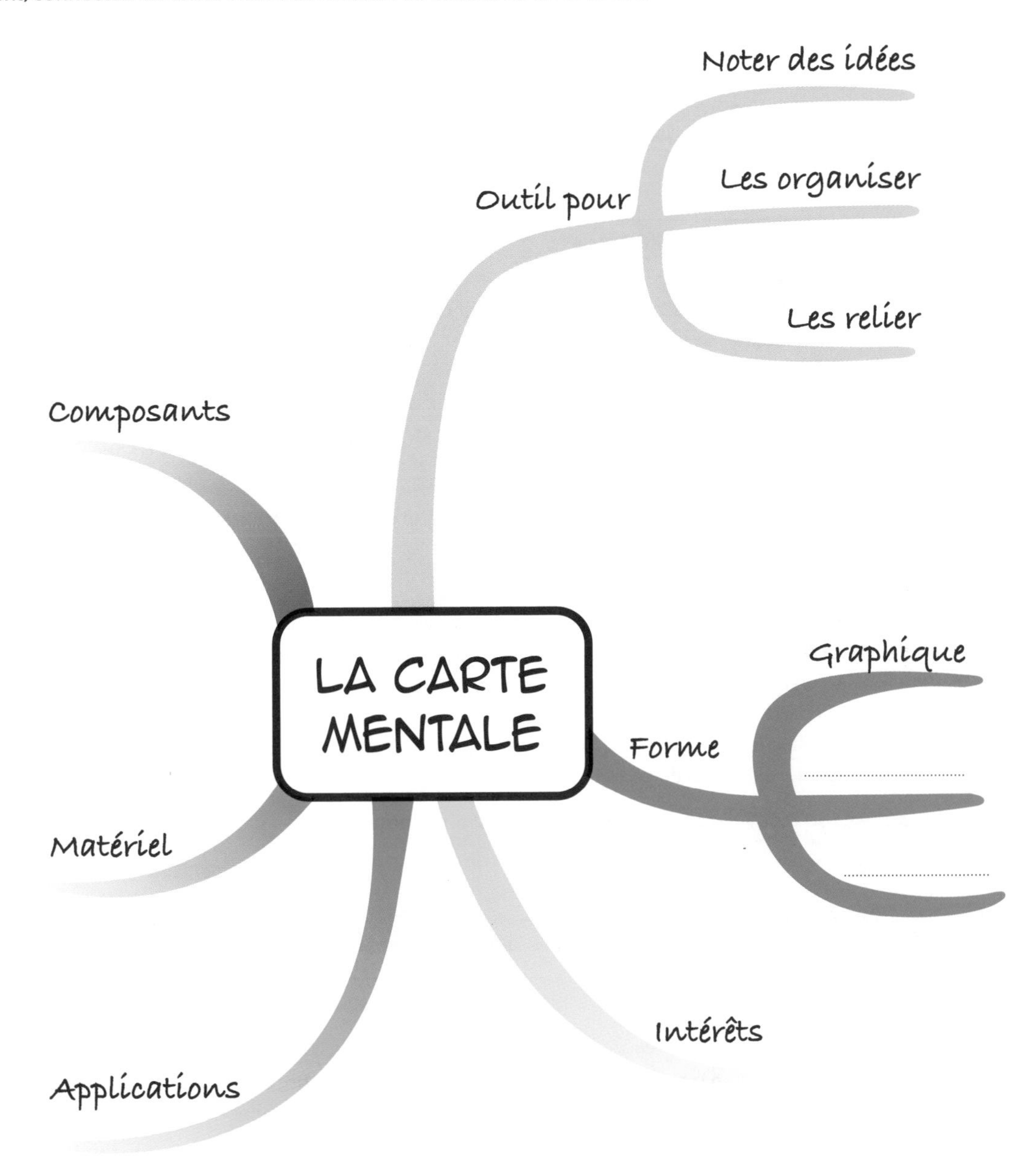

19. Entraînez-vous à élaborer une carte mentale. Vous pouvez, au choix :

- vous présenter (personnellement ou professionnellement) ;
- planifier vos activités (liste de choses à faire, de courses...) ;
- organiser un projet (fête, vacances...) ;
- représenter l'organisation d'un établissement (école, entreprise...) ou d'un site internet ;
- synthétiser vos connaissances en français (les connecteurs logiques, les temps des verbes en français, le vocabulaire des animaux, vos expressions préférées...) ;
- représenter votre réseau de relations (amis, collègues, famille...) ;
- lister des livres et / ou des films que vous voulez lire ou regarder ou conseiller.

PHONÉTIQUE - Le registre familier

20. **Écoutez les dialogues suivants et barrez les lettres que vous n'entendez pas et qui se prononcent habituellement.**

14

a. • Qu'est-ce que tu fais tout de suite ? Tu as un petit moment ?
○ Non, je suis désolé. Je dois absolument rappeler le client qui a téléphoné ce matin.

b. • Je peux venir chez toi ce soir ?
○ Non. Mes parents, ils seront jamais d'accord. Mais demain si tu veux. Ils ont un dîner de prévu.

c. • Je sais bien que tu es occupé, mais tu voudrais pas venir me donner un coup de main quand tu auras fini ?
○ Attends. Je finis ça si je peux, mais je crois que je vais pas y arriver.

d. • Il fait quoi dans la vie ton frère ?
○ Médecin. C'est le seul qui a réussi dans la famille !

21. **Entourez la bonne réponse.**

Dans la prononciation relâchée du registre familier :
- Certaines lettres sont parfois muettes :
  - le [ə] de *je, me, te, se, de, ce, le, que* et *ne* ainsi qu'à l'intérieur de certains mots comme *petit*,
  - le [y] de *tu* devant **consonne / voyelle**,
  - le [i] de *qui* devant **consonne / voyelle**,
  - le [l] de *il* devant **consonne / voyelle** et de *ils* devant consonne ou voyelle,
  - le [kə] de *qu'est-ce que* devant **consonne / voyelle**.
- *Je* se prononce [ʃ] devant *p, f, k, s* et *t*.

22. **Prononcez ces phrases à la manière relâchée du registre familier et, si vous pouvez, enregistrez-vous.**

a. Mais, qu'est-ce que tu fais.
b. L'homme qui habite à côté de chez moi, il sort de prison.
c. Je sais bien que tu es très occupé, mais j'ai vraiment besoin de toi !
d. Les Français, ils croient qu'ils font la meilleure cuisine sauf qu'ils ont pas goûté la nôtre !
e. Tu es triste ? Allez, viens, on va prendre un petit café. Je t'invite.
f. Je crois que je dois partir. Il se fait tard.
g. Tu as vu le docu sur le crime parfait ? Non ! Ben, il repasse ce soir si tu veux le voir.
h. C'est mon médecin qui est de garde ce soir.

23. **Écoutez les phrases de l'activité précédente et vérifiez votre prononciation.**

15

PHONÉTIQUE - Le rythme du français familier

Certaines lettres ne se prononcent pas en français familier. Les groupes rythmiques ont donc moins de syllabes qu'en français standard.

24. **Écoutez les phrases suivantes en français standard, séparez les groupes rythmiques au moyen d'une barre (/) et indiquez le nombre de syllabes de chaque groupe rythmique. Puis prononcez-les en français familier et notez le nombre de syllabes.**

16

	nombre de syllabes en français standard	nombre de syllabes en français familier
a. Vous serez là ce soir ?		
b. Je voudrais bien vous parler.		
c. Le type qui est là-bas, il s'appelle comment ?		
d. Ils font grève à l'école lundi.		
e. C'est quand que tu arrêtes la cigarette ?		
f. Je peux venir ce soir mais avant, je dîne avec mes parents.		
g. C'est bien là que tu es tombé et que tu t'es cassé la jambe ?		
h. Qu'est-ce que tu as dans la tête ?		
i. Tu as vu le film qui est sorti sur la vie de Simone Veil ?		

Limites et transgression

03

La performance et la contre-performance

1. Soulignez les termes donnant des informations sur la contre-performance des athlètes. Puis exprimez le contraire à l'aide du lexique de la performance présent dans l'unité 3 du *Livre de l'élève*.

a. Le basketteur sortant d'une blessure à l'épaule, il s'est ménagé lors du match : aucune offensive, aucune prise de risque, seulement quelques bonnes passes nécessaires à la victoire de son équipe.

Le basketteur s'est donné à fond lors du match : il a enchaîné les bonnes passes et les offensives et n'a pas arrêté de prendre des risques.

b. Le Bikingman en Corse, c'était un gros défi pour moi : 850 kilomètres de vélo et 15 000 mètres de dénivelé, c'est pas rien ! Je n'avais pas d'objectif temps, je voulais juste le finir. Je n'ai pas forcé, je me suis écoutée, et après 5 jours très intenses... but atteint ! J'étais fière !

....

c. On attendait le nageur belge sur le podium... mais hélas, il y est allé tranquille, et c'est à son rythme qu'il a fini... bon dernier.

....

d. La sprinteuse ivoirienne menait ce 200 mètres olympique... Mais dès qu'elle a vu la Sud-Africaine prendre la tête, c'en était fini. Elle a pris la dernière place, et c'est avec son pire chrono qu'elle s'est traînée jusqu'à la ligne d'arrivée.

....

e. Alyssa Monteiro, la championne en titre du Adrenalina Skateboard Marathon, a déjà l'habitude de faire des dizaines de kilomètres sur sa planche chaque semaine. C'est donc sans trop transpirer qu'elle a réussi à finir la course le jour J.

....

Les sports et les épreuves extrêmes

2. Écoutez cet extrait d'émission et répondez aux questions.

17

a. Remplissez la fiche d'informations de cet événement.

Nom de l'événement : ....
Sport représenté : ....
Nombre d'étapes : ....
Kilomètres parcourus : ....
Dénivelé positif : ....

Lieux traversés : ....
Informations complémentaires : ....

b. Que recherchent ces coureurs cyclistes ? ....
c. Qui a créé cette épreuve ? ....
d. Relevez deux synonymes de *passionné*. ....

3. Notez un maximum d'activités ou de défis sportifs qu'on peut réaliser dans ces deux lieux.

Sur la piste du stade, on peut repousser ses limites et tenter un 400 mètres ultra-rapide.

4. Imaginez une épreuve extrême à partir d'une de vos passions sans lien avec le sport. Puis présentez votre épreuve à la classe : laquelle vous paraît la plus extrême ?

Je suis un fondu de Baudelaire, alors le principe de mon épreuve est de déclamer tous ses poèmes, sans interruption...

La transgression

5. **Choisissez une de ces citations et exprimez votre opinion dans un court texte illustré d'exemples personnels ou tirés d'œuvres culturelles.**

> **« L'amour n'a pas de limites, sinon ce n'est pas de l'amour ! »**
> Édith Piaf

> **« Il y a une limite à toute chose, et il faut toujours la dépasser. »**
> Georges Guynemer

> **« Minuit : limite du bonheur et des plaisirs honnêtes. Tout ce qui se fait au-delà est immoral.»**
> Gustave Flaubert

> **« La seule limite à la caricature est celle que je me fixe, par rapport à ma propre morale, avec un grand ou un petit "m", je ne sais pas. »**
> Tignous (Charlie Hebdo)

....

....

....

....

....

....

6. **Relevez dans l'unité tout le lexique de la transgression, de la limite et du dépassement, et organisez-le dans une carte mentale.**

7. **En petits groupes, jouez à Tabou ! Scindez votre groupe en deux équipes. Avec votre équipe, assurez-vous que tous les mots des cartes mentales de l'activité précédente sont bien compris. Puis, choisissez chacun deux mots ou expressions. Écrivez chaque mot sur une carte différente, puis, sous chaque mot, un mot tabou, que l'autre équipe n'aura pas le droit de prononcer quand elle essaiera de faire deviner votre mot. Chaque joueur échange ses deux cartes avec celles d'un joueur de l'autre équipe, puis fait deviner ses deux mots à ses coéquipiers. S'il y parvient en moins d'une minute, son équipe gagne un point. S'il prononce le mot *tabou*, elle perd un point.**

POUSSER LE BOUCHON UN PEU LOIN	Mots tabous : ▪ bouteille ▪ limites

LA DÉSOBÉISSANCE	Mots tabous : ▪ rébellion ▪ se soumettre

8. **Associez les éléments dans les étiquettes aux sports auxquels ils appartiennent.**

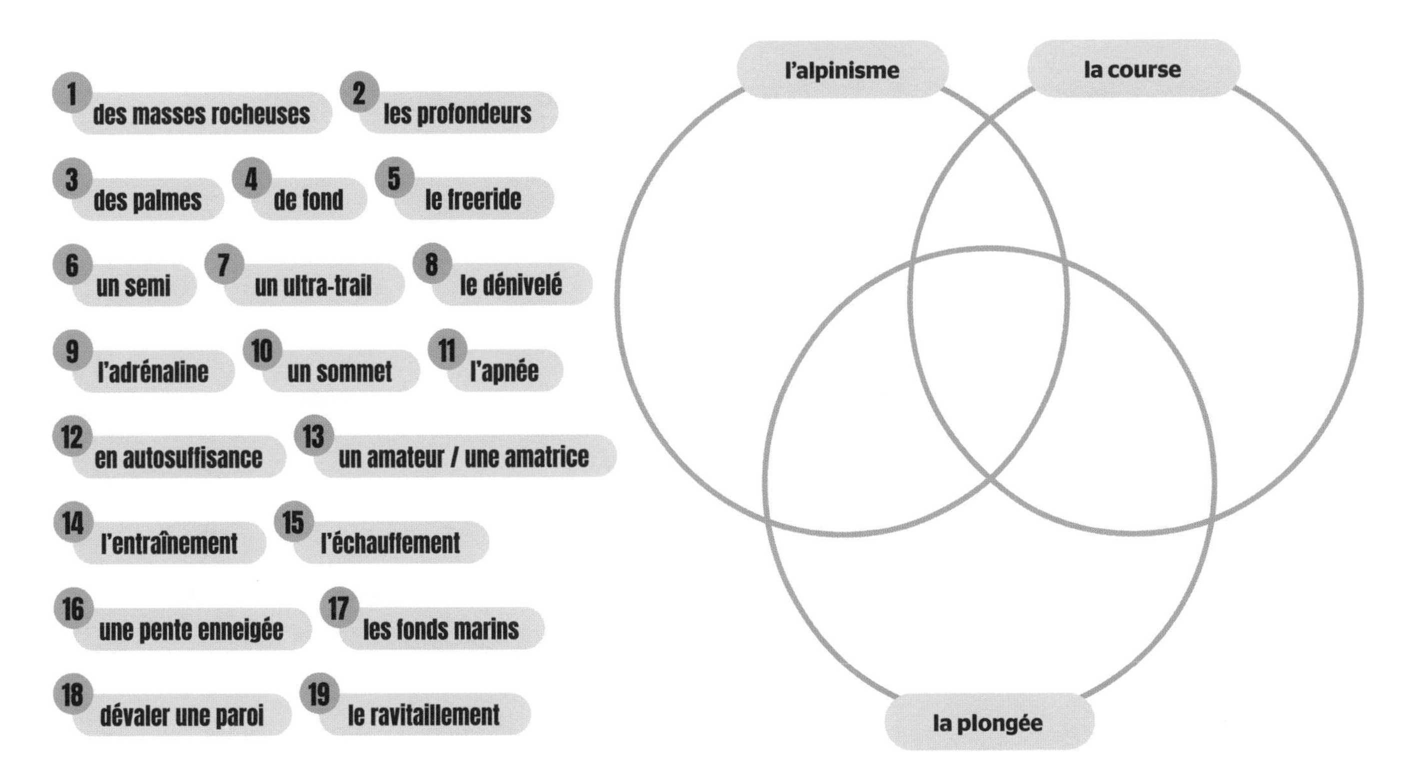

Exprimer l'hypothèse avec *que* + subjonctif

9. Reformulez chaque hypothèse en utilisant la structure *que* + subjonctif.

a. Avec ou sans raison valable, c'est vraiment lâche de troller sur les forums.
Que ce soit pour une raison valable ou non, c'est vraiment lâche de troller sur les forums.

b. Même si les lanceurs d'alertes défendent des idéaux nobles, ils sont systématiquement poursuivis en justice.

c. Quand bien même un hacker serait talentueux, il est toujours considéré comme un hors-la-loi.

d. Avec ou sans mauvaises intentions, pirater une chanson ou un film sur Internet demeure un vol de propriété intellectuelle.

e. Même si les éco-pirates parviennent à protéger des espèces marines, leurs attaques d'autres navires devraient rester pacifiques et ne faire aucune victime.

10. Reliez le début et la fin de chaque phrase, puis imaginez une autre hypothèse pour la fin.

a. Que les coutures de mon pantalon craquent ou non, •	• **1.** je le suivrai.
b. Que l'amour de ma vie déménage au Pérou ou en Australie, •	• **2.** je continuerai de manger un dessert à chaque repas !
c. Que ce soit en français, en gallois ou en anglais, •	• **3.** j'inviterai qui bon me semble.
d. Qu'il neige ou qu'il vente, •	• **4.** je resterai bras nus, question de style !
e. Que ça vous plaise ou non, •	• **5.** je trouverai un moyen de communiquer avec ma belle-famille.

11. Créez deux devinettes avec la structure *que* + subjonctif. Puis, en groupes, posez vos devinettes.

• *Qu'ils soient derrière un ordinateur ou sur un bateau, on tremble si ces bandits nous menacent.*
○ *Les pirates !*

Les propositions relatives à l'indicatif ou au subjonctif

12. Écoutez ces phrases et cochez ce qu'exprime la proposition relative. Indiquez aussi si le verbe est conjugué à l'indicatif (I) ou au subjonctif (S). 18

La proposition exprime...	a	b	c	d	e
... la rareté.					
... le souhait.	*X (S)*				
... une action concrète.					

13. Transformez les phrases suivantes en utilisant une proposition relative.

a. Je cherche des colocataires. Ces colocataires doivent pouvoir tolérer ma mauvaise humeur du matin.

b. Il connaît beaucoup d'étudiants. Vous êtes vraiment le plus talentueux d'entre eux.

c. Maria a proposé de nous donner un coup de main. C'était la seule.

d. Y aurait-il un menuisier dans votre équipe ? Un menuisier capable de rénover la vieille table basse de mon oncle ?

e. J'ai envie d'un nouvel ami... un ami pas prise de tête et avec qui on rigolerait bien !

14. Complétez ces phrases en utilisant une proposition relative au subjonctif.

a. Ce weekend, je préfèrerais une activité qui...
b. Cet été, je cherche...
c. Après le cours de français, j'ai envie de...
d. Il n'y a pas beaucoup d'endroits au monde où...
e. Je connais peu de personnes qui...

Les préfixes de la limite (*sur-*, *sous-*, *tra...*)

15. Pour chaque série de mots, barrez l'intrus.

a. surimi -surdose - sursaut - survol
b. travestir - transmettre - traîner - transplanter
c. surdoué - surfé - surtitré - surgelé
d. soupir - soumission - souk - soutien-gorge
e. sûreté - surligné - suraigu - survécu

16. Lisez ces définitions et entourez le mot qui correspond. Puis, faites une phrase avec le mot entouré.

a. Qui comporte peu de calories : hypocalorique / hypercalorique / ultra-calorique

b. Aller au-delà de ce qui est possible ou permis : surpasser / trépasser / outrepasser

c. Les parties inférieures d'une construction : infrastructure / superstructure / ultrastructure

d. Qui est soumis à une autorité : subordonné / désordonné / coordonné

e. Faire passer d'un point ou d'un lieu à un autre : supporter / transporter / réimporter

La désobéissance civile

17. Observez ces deux photos et répondez aux questions à l'aide de la boîte à outils.

Grands-mères de la place de Mai à Buenos Aires (Argentine)

Nelson Mandela

BOÎTE À OUTILS
bloquer (les rues, les carrefours), les convictions, mettre la pression, une marche, une pétition, un/e militant/e, la violence physique, expulser, légal, illégal, légitime, illégitime, un rassemblement, un happening, revendiquer.

a. En quoi ces images symbolisent-elles la désobéissance civile ? Faites des recherches si nécessaires.

b. Quel/le autre mouvement ou figure de la désobéissance civile connaissez-vous ? Décrivez-le/la en quelques lignes.

Les expressions avec *pression*

18. Écoutez les dialogues, puis continuez les phrases à l'aide d'une expression contenant le mot *pression*.

19

a. La nageuse...
b. Le PDG...
c. Jeanne...
d. Les manifestants veulent...

Les gros mots

19. Lisez cette interview et répondez aux questions.

À quoi servent les gros mots ?

Ils sont toujours «gros». Aussi grands que «grossiers». Les gros mots ont le chic, lorsqu'on les prononce, de produire à chaque coup leur petit effet. Prenons par exemple cette phrase que lança un jour de 1809 Napoléon à son ministre Talleyrand : « Vous êtes un voleur, un lâche, un homme sans foi [...] Tenez, Monsieur, vous n'êtes que de la merde dans un bas de soie. » Le terme eut le don de combiner le profane au scatologique. Renvoyant de fait une image pour le moins explicite à son destinataire... Mais d'où vient le mot grossier ? Pourquoi le devient-il ? À quoi sert-il ? Claudine Moïse, sociolinguiste et professeure à l'université Grenoble Alpes, revient pour* Le Figaro *sur ces questions et interroge l'utilité du politiquement correct.

▸ Qu'est-ce qu'un mot grossier ?

▸ Des distinctions doivent être faites entre le mot grossier, le juron et l'insulte. Le mot «merde», par exemple a trois fonctions. Il peut être un mot grossier, c'est-à-dire un terme qui transgresse les tabous de la langue, comme la religion et le sexuel. On dit par exemple : « J'ai marché dans une merde. » Ici, il s'agit du tabou scatologique. Le juron quant à lui est un mot que l'on s'adresse à soi-même. Lorsque l'on casse quelque chose, on lance souvent « Merde ! ». L'insulte, enfin, est adressée à quelqu'un. Exemple : « Tu es une merde ». Elle blesse l'autre dans une forme d'attaque. Mais on peut insulter sans employer de mots grossiers. Par exemple : « Espèce de cornichon ! ». Le gros mot est transgressif mais pas nécessairement violent. Trop souvent ses distinctions sont confondues.

▸ À quel moment un mot devient-il grossier ?

▸ Il y a des mots qui ne sont pas grossiers mais qui peuvent devenir des insultes. C'est le cas des termes qui ont trait au handicap. Parfois, dans les cours de récréation, les enfants peuvent se lancer des: « espèce d'autiste », « sale chômeur »...

Inversement, des mots qui étaient jusque-là grossiers peuvent perdre leur connotation négative. Le terme «bâtard», autrefois grossier car il transgressait un tabou social, peut aujourd'hui revêtir un sens amical. Tant que les mots cristallisent une tension sociale, ils revêtent un sens péjoratif. Le mot «race» est compliqué en Europe mais ce n'est pas le cas aux États-Unis. En cause, l'histoire et la loi. En France, il n'y a pas, dans la conception de la République française, de différences raciales.

▸ Les mots peuvent-ils davantage choquer que la réalité ?

▸ Tant que les réalités sociales sont acceptées par la société, il n'y a rien de choquant dans un mot. Ainsi quand on employait le mot «noir» au temps de la colonisation, il n'y avait rien d'inconvenant puisque c'était porté par les idéologies colonisatrices dominantes. Il était dans une norme. À partir du moment où la libération de l'individu et l'égalité humaine sont devenues les mots-clés de la société, le terme «noir» est devenu tabou parce qu'il renvoie aux inégalités de traitement.

Mais jusqu'où peut-on aller ? La réalité sociale existe. Ne plus dire «noir» alors qu'il y a une discrimination sociale, c'est faire du politiquement correct. Il y a certes des mots qui sont inacceptables, mais il ne faut pas non plus adoucir la réalité. Au risque de se censurer, il est important d'expliquer pourquoi on emploie un mot plutôt qu'un autre.

En France, nous ne sommes pas du tout dans le politiquement correct. Les gens peuvent s'exprimer très librement. Son usage est à la marge. Mais ce n'est pas le cas au Canada. Un jour, une amie canadienne, qui a vu *Qu'est-ce qu'on a fait au bon dieu*, m'a expliqué que ce genre de film serait impossible dans son pays. Ce dernier joue sur les différences ethniques. Or, les blagues ethniques, même si elles sont faites par les premiers intéressés, sont difficilement acceptables ou, en tout cas, risquées.

▸ Faut-il le regretter ?

▸ Je pense qu'il faut être dans une forme d'équilibre. Il faut faire attention à la personne à qui l'on s'adresse, au moment où on le fait et dans quel espace on le fait. Dans la parole publique, c'est très compliqué parce qu'on touche à la question des conditions sociales d'existence, les différences de traitement et au-delà de la reconnaissance, les inégalités sociales. En situation interpersonnelle, il faut tester le terrain. Faire du «métalangage», c'est-à-dire expliquer pourquoi on emploie tel ou tel mot afin d'éviter les malentendus et les implicites.

▸ Le mot «nègre» est devenu tabou. Mais Léopold Sédar Senghor se l'était réapproprié pour créer le courant de la négritude.

▸ Il s'agit ici de ce que l'on nomme le « retournement du stigmate ». Cela signifie que seuls les premiers visés par une insulte peuvent se la réapproprier à des fins d'émancipation. Si je suis handicapé, je peux parler comme je le souhaite de mon handicap. Mais l'autre, qui ne l'est pas, doit respecter la différence. Tout l'humour repose sur ce fil tendu. (...)

▸ Pourquoi est-il agréable de jurer ?

(...)

>>>>>>>>>>>>>>>>>>>> lefigaro.fr, par Alice Develey

a. Quelle est la différence entre un mot grossier, un juron et une insulte ? Donnez des exemples autres que ceux présentés dans le texte.

b. Pourquoi certains mots nous choquent-ils ?
- ☐ Ils sont linguistiquement erronés.
- ☐ Ils réfèrent à une injustice passée.
- ☐ Ils ont pour origine des obscénités.
- ☐ Ils nous obligent à taire la vérité.

c. En quoi l'humour des films français se distingue de celui des films québécois ?

d. De quelle culture cinématographique votre culture est-elle la plus proche ?

e. Qu'est-ce que le « retournement du stigmate » ? En avez-vous déjà usé ?

f. Que répondriez-vous à la dernière question de l'interview ? Rédigez votre réponse en quelques lignes.

20. Écoutez ce podcast et répondez aux questions.

20

a. Connaissez-vous l'origine des gros mots de votre langue ? Lesquels employez-vous le plus souvent ? Dans quelles situations ?

b. Quelles fonctions des jurons connaissiez-vous déjà ? Lesquelles avez-vous découvertes ?

c. Résumez avec vos mots les deux expériences scientifiques conduites. Êtes-vous surpris par les résultats ? Avez-vous déjà fait l'expérience de ces phénomènes ?

d. Selon la journaliste, pourquoi les jurons doivent-ils rester des transgressions ? Que répondrait la journaliste à la dernière question de l'interview de l'activité 19 ?

e. Quels jurons francophones avez-vous découverts ?

MÉTHODOLOGIE - Structurer un texte écrit ou un discours oral

21. Complétez ces séries d'expressions.

a. d'abord - ensuite - puis - ....

b. premièrement - .... - troisièmement

c. .... - dans un second temps - dans un dernier temps

d. Nous commencerons par - .... - avant de terminer par

22. Classez les expressions ci-dessous dans la bonne colonne.

Passons à la question de | En fin de compte | Il faut souligner que | On peut citer | Non seulement..., mais aussi | En quelques mots | Prenons le cas de | Il s'agit notamment de | D'une part..., d'autre part | Nous retiendrons que | Nous avons montré..., examinons maintenant | Comme en témoigne

Pour introduire une idée ou un argument	Pour introduire un exemple	Pour faire des transitions	Pour récapituler

23. Rédigez un texte structuré pour répondre à la question : « Faut-il supprimer les frontières ? » en suivant les consignes.

a. Lisez les arguments et idées ci-dessous et classez-les dans les trois plans possibles.

- Supprimer les frontières permettrait aux migrants de commencer une nouvelle vie, à l'abri des guerres et des violences.
- Les frontières modernes sont le résultat d'accords entre les nations pour éviter les conflits territoriaux, et ce depuis le Moyen-Âge.
- Les frontières préservent la diversité et la richesse des cultures.
- « Chaque ensemble humain, peuple ou famille, a besoin de son propre espace. » Odon Vallet, historien.
- Le maintien des frontières permettrait d'éviter l'érection arbitraire de murs.
- Les frontières sont une des causes principales des guerres et des conflits internationaux.

Problématique : Faut-il supprimer les frontières ?		
Plan dialectique	**Plan analytique**	**Plan thématique**

b. Ajoutez quelques idées aux plans précédents pour les compléter.

c. Choisissez le plan qui vous inspire le plus puis détaillez-le.
- Reformulez la problématique : vous devez vous l'approprier et elle doit faire sens avec votre plan.
- Puis, formulez les idées principales, les idées secondaires et ajoutez des exemples.
- Enfin, rédigez une phrase de transition entre chaque partie.

d. Rédigez la conclusion en deux temps : répondez à la problématique, puis élargissez le sujet.

e. Rédigez l'introduction en trois temps : proposez une amorce, présentez la problématique, puis annoncez votre plan.

f. À partir des éléments précédents, rédigez votre texte en développant vos idées et en ajoutant des connecteurs logiques afin d'aider à comprendre votre raisonnement. Attention à la présentation : n'oubliez pas de sauter des lignes et d'insérer des alinéas.

PHONÉTIQUE - L'accent québécois

24. Écoutez et cochez les caractéristiques de l'accent québécois.

21

	On prononce des diphtongues (voyelles relâchées).
	On dénasalise les voyelles nasales.
	Le son [ʒ] de *je* devient [ʃ] comme *chou*.
	Les voyelles sont plus longues qu'en français standard.
	Le son [a] final est prononcé proche du son [o].
	Le son [wa] *oi* est prononcé [we].
	Le son [e] est plus fermé et devient presque un [i].
	Le *d* et le *t* suivis de *i* ou *u* se prononcent [dzi] ou [tsi].
	Quand il y a une terminaison *-iste* ou *-isme* on prononce [is].
	On articule moins qu'en français standard.

25. Écoutez et cochez quand vous entendez l'accent québécois.

22

a	b	c	d	e	f	g	h	i	j	k

PHONÉTIQUE - Le rythme du français (II)

26. Trouvez au moins une phrase pour chaque patron rythmique proposé.

a. Da daaa / da da daaa /da da daaa
Demain, nous irons à Paris.

b. Da da daaa / da da da daaa / da da da daaa

....

c. Da da da daaa / da da daaa / da da da daaa

....

d. Da da daaa / da da daaa / da da daaa

....

e. Da da da da / da da da daaa

....

f. Da da daaa / da daaa / da daaa / da da daaa

....

g. Da daaa / da daaa / da da daaa / da da daaa

....

h. Da da da daaa / da da daaa / da da da daaa / da da da da daaa

....

i. Da da daaa / da da daaa / da da da daaa / da daaa

....

j. Da da da da daaa / da da daaa / da daaa/ da da da daaa

....

27. Lisez le texte suivant et marquez les groupes rythmiques en les séparant par des barres (/). Puis, écoutez l'enregistrement et vérifiez. Finalement, lisez de nouveau le texte en marquant bien les groupes rythmiques.

23

C'est vrai qu'en tant que juriste, je pense qu'agir en violant le droit risque de produire l'effet inverse de celui qui est recherché. Je pense que le fait de se saisir du droit comme d'une arme, de l'opposer à l'État, par exemple, est beaucoup plus pragmatique que de faire des manifestations, dont, objectivement, je ne vois pas les débouchés à très court terme. Aujourd'hui, je pense que le principal problème, ce n'est pas d'avoir de nouvelles lois, d'avoir de nouvelles normes. Le principal problème, c'est d'appliquer l'ensemble des textes existants, c'est d'avoir des moyens humains et matériels, des fonctionnaires, des policiers, des juges, qui puissent appliquer ce droit de l'environnement, c'est ça notre priorité aujourd'hui. Lorsqu'on est militant, on peut aller rencontrer son député, son maire, pour lui faire part de ses préoccupations environnementales, en restant dans le cadre du droit. Si je regarde l'histoire : qui a fait progresser la protection de l'environnement ? Je pense que ce sont des associations qui ont saisi le juge, grâce à cette saisie du juge et à toutes les décisions de justice qu'ils ont obtenues, ils ont fait progresser la loi, ils ont fait progresser l'application du droit, ils ont eu des résultats extrêmement concrets et surtout ils n'ont pas clivé, ils n'ont pas créé de polémique, ça s'est fait de manière beaucoup plus consensuelle et beaucoup plus pragmatique.

Le plaisir

Parler des repas

1. Complétez le texte à l'aide des étiquettes.

manger | compagnie | en commun | savourer | fête | festif | convives | convivialité | collectives | ensemble | chaleureuse | sociabilité | se nourrir

À table !!!!!!! Le partage du plaisir en bonne compagnie

Si .... répond à un besoin pour entretenir sa vie, son corps, préserver sa santé, lutter contre la mort, ... est aussi – doit être aussi – un plaisir. Le repas .... dans la plupart des cultures, est une pratique sociale et culturelle qui permet de .... le plaisir de manger et de boire en bonne .... C'est un moment festif et réciproquement, pas de .... sans repas ou consommation de boisson euphorisante ou rafraîchissante. Autour de la table, à la même table se vit une .... que l'on veut ...., réconfortante, qui apporte du plaisir, un certain bonheur. Manger .... crée ou conforte les liens entre les .... (...)
Dans des sociétés où, pour la majorité de la population, la pénurie alimentaire – famines, disette – est un risque plus ou moins endémique, avec parfois des moments d'abondance, la frugalité quotidienne est agréablement coupée par des ripailles .... moment essentiel de .... Le temps du banquet vient rompre le temps quotidien, dont il est qualitativement différent. Le repas .... de l'Antiquité à nos jours, joue le rôle d'opérateur de cohésion sociale.

cyrano.net, par Françoise Thelamon

2. Écoutez cette chronique et répondez aux questions. 24

a. Que permet l'épidémie de Coronavirus selon la chroniqueuse ? ....

b. Comment le dictionnaire définit-il la commensalité ? ....

c. Que suppose la commensalité selon la chroniqueuse ? ....

d. Quelle est la double fonction du repas pris ensemble selon la chroniqueuse ? ....

e. Que pense Claude Fisher du rapport entre confinement et commensalité ? ....

f. Quelle distinction Claude Fisher établit-il entre manger et cuisiner ? ....

g. Qu'est-ce que le « grand synchronisateur de la société » ? ....

h. Pourquoi peut-on parler de valeurs éducatives dans un repas pris à plusieurs ? ....

Le pronom relatif *dont*

3. Reliez les archétypes à leur définition. Puis expliquez de quel type vous vous sentez le plus proche en un paragraphe de 150 mots.

A Une bonne fourchette	○ une personne qui recherche les plaisirs raffinés d'une existence passée dans le luxe.
B Un viveur / jouisseur	○ une personne dont les actions sont guidées par la recherche de jouissances sensuelles et matérielles.
C Un sybarite	○ une personne dont on dit qu'il ou elle a très grand appétit.
D Un hédoniste	○ une personne dont les plaisirs sont naturels et nécessaires dans le but d'atteindre l'ataraxie.
E Un épicurien	○ une personne d'humeur chagrine dont les comportements ou les commentaires troublent le plaisir des autres.
F Un peine-à-jouir	○ une personne qui a des difficultés à éprouver du plaisir, qui râle tout le temps.
G Un rabat-joie	○ une personne dont la philosophie fait du plaisir le principal but de la vie.

4. Cochez les phrases qui sont des contresens flagrants et corrigez-les pour proposer des affirmations crédibles.

a. ☐ Les six lièvres tués ce dimanche, dont deux étaient des faisans, seront cuisinés pour les fêtes de fin d'année.

....

b. ☐ Très tôt dans la forêt, ils ont vu passer quatre cerfs dont deux n'avaient pas encore de bois.

....

c. ☐ La première fois qu'il est allé à la chasse, il a réussi à prélever pas moins de trois canards, dont deux avaient les cornes cassées.

....

d. ☐ D'après mon père qui s'y connaît, les poissons d'eau douce, dont la morue et la daurade, sont moins goûteux que les poissons d'eau de mer.

....

e. ☐ Il nous a fait manger une omelette avec des champignons qu'il avait ramassés, dont certains étaient légèrement vénéneux, il me semble.

....

Faire + infinitif

5. Remplacez les verbes en gras par une construction avec le verbe *faire* + infinitif.

a. Il m'a montré une vidéo d'une chasseresse en train d'**extraire** le sang d'un chevreuil qu'elle venait de **tuer**, mais je peux pas voir ça, **ça m'écœure** !

....

b. J'aimerais vous **présenter** une jeune comédienne qui est capable de vous **émouvoir** comme de vous **divertir** ! Même si parfois, sa façon de parler de sexe pourrait vous **embarrasser**.

....

c. Pour nous **expliquer** la différence d'accents entre Marseille et Toulouse, **il nous a diffusé** des chansons d'IAM et de Zebda !

....

6. Écoutez et cochez la bonne case, selon si le sens de l'expression *faire* + infinitif est propre ou figuré.

25

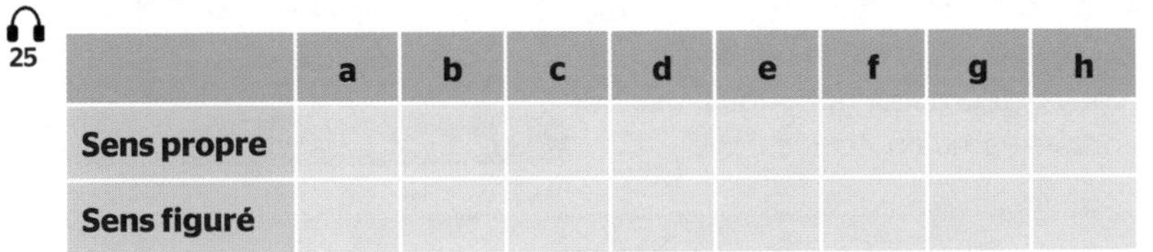

	a	b	c	d	e	f	g	h
Sens propre								
Sens figuré								

7. Corrigez les erreurs d'orthographe dans les phrases suivantes.

a. Ils sont un peu durs tes champignons, non ? Tu les as faits trempés avant de les faire grillés ?
b. Il y avait de très beaux lapins dans le jardins, mais mon père les as fait fuir avec du poison.
c. Comme il adore la devise « Nec plus ultra » je la lui ai faite graver sur une petite plaque en or en pendentif.
d. Tu sais, la belle maison qu'ils avaient faites construit dans le sud de la France. Et bien ils se la sont fait cambriolés figure toi !
e. Tu te souviens du slogan de la SNCF ? « Nous allons vous faire aimer le train », Moi, c'est surtout les avions qu'ils m'ont fait aimer, avec toutes leurs grèves !

8. Écrivez un commentaire en expliquant la manière dont vous interprétez cette citation et ce qu'elle vous inspire. (250 mots)

« Jouis et fais jouir, sans faire de mal ni à toi, ni à personne, voilà je crois, toute la morale. » Nicolas de Chamfort (1741 - 1794)

Faire en sorte de / que

9. Complétez ces micro-dialogues en utilisant l'expression *faire en sorte de / que* de façon à proposer un personnage plutôt enthousiaste et un rabat-joie.

A
• Quand je reçois des invités, je fais en sorte que chaque invité puisse manger de chaque plat.
○ Super, mais s'il faut .... tout en respectant les régimes de chaque convive, on n'en sort plus !

B
• Ce serait bien que les chasseurs commencent à faire en sorte que les promeneurs n'aient pas peur de se prendre une balle dans la peau quand ils vont en forêt.
○ Ce qu'il faut surtout, c'est .... pas les mêmes jours.

C
• Quand mon mari va à la pêche, il fait en sorte que notre fils ne voie pas les poissons suffoquer sur le sol.
○ C'est bien mignon, mais il faudrait surtout .... l'agonie des poissons, non ?

D
• Quand sa mère fait un dessert, elle fait toujours en sorte qu'il y en ait trop et qu'on puisse tous repartir avec une part pour le lendemain.
○ Elle ferait mieux de .... moins grasse !

Des expressions avec *faire*

10. **Lisez cet article et répondez aux questions.**

Évacuons d'emblée la critique qui va surgir dans les trois secondes : bien sûr qu'on ne peut rien kiffer du confinement quand on n'a plus de quoi manger, qu'on dort dans la rue, ou qu'on vit sous le même toit que son bourreau. (...) Mais il est un murmure qu'on n'entend pas - et pour cause, il est inavouable -, celui des personnes qui sont en train de prendre goût au confinement, ou en tout cas à certains de ses aspects... (...)

Mais venons-en au fait : le vrai plaisir de confinement, quand il y en a un, c'est celui de lâcher prise. Sur tout. Et de s'adonner à certains plaisirs qu'on ne s'autorisait pas, sans se soucier du jugement des autres qu'on ne croise plus ni à la machine à café, ni au cours de gym, ni nulle part. Passer un week-end à «binger» des séries, ne se nourrir que de chips, ne se nourrir que de légumes bio, se coucher plus tôt, se coucher plus tard, ne plus compter le temps d'écran des enfants, rester en pyjama toute la journée, mettre sa robe de soirée préférée juste pour le plaisir, passer des heures au téléphone, jouer à la PS4 toute la nuit, ne plus porter de soutien-gorge, ne plus faire de sport, faire tout le temps du sport, passer son temps à cuisiner, prendre tous ses repas au lit, éviter ses collègues insupportables, repeindre son salon, ne plus repasser (ou refiler la corvée à l'autre et mieux répartir les tâches), écouter 200 fois la même chanson d'Ariana Grande, revoir tous ses films préférés qu'on connaît par cœur, écrire le Coronasutra, ne plus se faire les ongles, se faire tout le temps les ongles, brancher tous les jours, passer trois heures sur Tik Tok, arrêter de zoner sur Tinder, faire la sieste, regarder les plantes pousser, ne plus être dispo pour les gens qu'on a moyennement envie de voir, enchaîner les Zoom avec ceux qu'on a tout le temps envie de voir, faire du vélo dans des villes sans voitures, lire sans s'arrêter tout un week-end, boire l'apéro tous les soirs, renouer avec les jeux de société ou les dominos, ne plus se coiffer, ranger tous ses placards, se promener la nuit quand il fait doux. La liste est aussi longue que le nombre de confiné/e/s qui arrivent à trouver dans notre situation actuelle compliquée des petits plaisirs simples dont ils et elles avaient oublié l'existence. La question est : que nous restera-t-il de cette étrange « slow life » une fois sorti/e/s du tunnel?

cheekmagazine.fr, par Myriam Levain

a. Soulignez les « kifs de confinement » que vous considérez comme des plaisirs coupables.

b. Complétez le tableau pour reconstituer des actions à l'aide du texte et de la boîte à outils. Il y a parfois plusieurs solutions.

faire un	
faire de la	
faire du	...vélo......
faire le	
faire la	
faire des	
faire ø	
faire les	
faire une	
faire son	
faire ses	
faire à	
faire l'	
se faire	...les ongles......

BOÎTE À OUTILS
rangement, tour, lit, devoirs, promenade, innocent, attention, avec, plus jeune, séjour, beurre, manger, 1,60 m, ski, chaud, fête, possible, erreur, 40, grasse matinée, valises, ménage, beau, 60 kilos, études, sa guise, confiance, bateau, la hâte, achats, dépression, courses, voile, bien, peine, exprès, tabac, la place des autres, fixette sur, mal, lecture, cadeaux, demi-tour, piano, présentations, musique, marché, la belle, gaffe, laïus, natation, gringue, connaissance, plein, semblant, poches, queue, bruit, malin, date, économies, sourde oreille, cadeau, cent pas, pitié, avoir, tête, jour, effet, ombrage à quelqu'un, route, soldes, randonnées, bête, peau neuve, besoins, nuit, bise, comptes, cuisine, chanter, lessive, boutiques, morte, vaisselle.

c. Répondez à la question de fin d'article dans un texte de 350 mots.

Le fait de, le fait que

11. Écoutez l'interview et répondez aux questions.

26

a. Qu'est-ce qui est hypocrite pour Patrick ?
- ☐ Le fait de ne pas tuer les poissons qu'on pêche.
- ☐ Le fait de refuser de manger un poisson une fois qu'il a été pêché.

b. Qu'est-ce que Patrick apprécie particulièrement quand il pêche ?
- ☐ Le fait d'être seul au bord de l'eau.
- ☐ Le fait de se détacher du rythme quotidien.

c. Pour Patrick, qu'est-ce qui permet aux humains de tuer d'autres espèces ?
- ☐ Le fait d'appartenir à une espèce dominante.
- ☐ Le fait que les autres espèces ne soient pas dotées de conscience.

d. Qu'est-ce qui fait de la pêche un loisir coupable, selon Patrick ?
- ☐ Le fait qu'elle soit considérée comme une forme égoïste de prendre du plaisir.
- ☐ Le fait d'être une manifestation concrète de la domination de l'homme sur les autres animaux.

e. Pour Patrick, qu'est-ce qui le différencie des poissons qu'il pêche ?
- ☐ Le fait que les animaux ne soient pas sujets au sentiment de culpabilité.
- ☐ Le fait d'éprouver des émotions ou des sensations telles que la joie ou la douleur.

f. Qu'est-ce qu'on peut reprocher, selon Patrick, aux adeptes de la pêche sans tuer ?
- ☐ Le fait qu'ils tuent d'autres animaux indépendamment des poissons.
- ☐ Le fait d'assouvir un désir que l'absence de consommation alimentaire rend artificiel.

12. Reformulez les expressions en gras de ce courrier d'un lecteur adressé à un journal en utilisant *le fait de* ou *le fait que*.

« Le plaisir de la quête et non de la performance »

Joseph, Loire-Athlantique

Suite à votre article du dimanche dernier, je tenais à vous rappeler qu'il ne faut pas réduire la chasse **à la mort donnée**. La chasse, celle qui nous fait vibrer, c'est avant tout le plaisir de la quête ! **L'état d'immersion** dans la nature, de se confronter à l'animal sauvage sur son propre terrain, de tenter de s'en emparer, c'est tout ça, la chasse.
Une journée de chasse finit souvent par le prélèvement d'un animal, cela ne doit pas cacher tout le plaisir convivial de ce loisir. Nos détracteurs veulent nous faire passer pour des pervers prenant un plaisir sadique à tuer.
La chasse a toujours existé. Cela devrait nous interroger quant à sa légitimité. La chasse n'est pas cruelle, sa mauvaise image actuelle est simplement due **à une chose : notre société est devenue trop sensible !**

....

....

....

Les expressions avec *sans*

13. Écoutez la chronique et répondez aux questions.

27

a. En quoi Johanna Clermont déconstruit-elle le cliché du « vieux viandard rougeaud qui déglingue des galinettes cendrées dans les sous-bois » ?

....

b. Qu'est-ce que Johanna Clermont trouve dans la chasse ?

....

c. Cochez les périphrases utilisées pour qualifier Johanna Clermont dans la chronique. Puis notez qui les a utilisées.
- ☐ La plus influente des militantes pro-chasse ....
- ☐ Défenseure de la cause animale, jeune cool et connectée ....
- ☐ French entrepreneur et fière chasseresse ....
- ☐ La Diane à la crinière blonde ....
- ☐ La chasseuse de préjugés ....
- ☐ La grande marchande d'armes ....
- ☐ L'ambassadrice de l'art de la chasse ....
- ☐ Chasseuse 2.0 totalement décomplexée ....

d. Relevez deux éléments qui montrent que Johanna Clermont ne fait pas l'unanimité :

....

....

e. Qu'est-ce qui justifie le résumé de l'activité de Johanna Clermont à ce binôme « le fard à paupières et la poudre à canon » ? Rédigez une réponse de 180 mots à partir des éléments de la chronique. Utilisez au moins trois expressions avec *sans*.

14. Lisez l'article et répondez aux questions.

PÊCHER SPORTIVE SANS TUER LE POISSON : C'EST POSSIBLE !

Vous avez certainement déjà entendu parler du « no kill » ? Il s'agit d'une méthode de pêche révolutionnaire adoptée par les pêcheurs nouvelle génération. Le « no kill » est donc la meilleure solution pour permettre au pêcheur de profiter d'un instant de détente, **sans pour autant faire du mal aux poissons.** Lors des compétitions de pêche sportive, de plus en plus de fédérations optent pour cette technique.

LE PLAISIR DU SPORT SANS VIOLENCE ANIMALE

Si l'amour de la pêche a toujours su combler les plus grands amateurs de ce sport, le fait de devoir tuer des poissons ne plait pas forcément à tous. C'est là que le « no kill » entre en scène : il s'agit de relâcher le poisson vivant une fois attrapé **après lui avoir prodigué quelques soins.** Cela est faisable en choisissant les bons leurres de pêche et **en modifiant un peu sa technique de pêcheur.**

Les saumons ont été les tout premiers bénéficiaires de cette technique innovante. Le passionné peut ainsi s'adonner librement au plaisir du sport, **sans avoir l'impression de se montrer violent ou cruel.** Cette pratique fait aujourd'hui de plus en plus d'adeptes dans le monde entier. Le « street-fishing », qui allie la marche à pied au cœur de la ville et la pêche, est traditionnellement fait en « no killing ».

PRÉSERVER LA BEAUTÉ DE LA NATURE

Il est important de noter que la pratique du « no kill » s'instaure également dans le désir de protéger la nature ainsi que l'environnement. Les poissons migrateurs, notamment les saumons, commencent leur exode au printemps.

Ces derniers sont particulièrement difficiles à pêcher, ce qui rend ce sport bien plus attrayant et il attire les passionnés à travers le monde. Malheureusement, ils disparaissent par milliers chaque année. Si ces spécimens sont de nouveau en augmentation depuis peu, c'est bien grâce à la méthode du « no kill » qui a permis de les préserver. Néanmoins, la ressource est toujours et toujours en danger.

UNE LOI QUI COMMENCE À S'ASSOUPLIR

La loi suisse interdit la pratique du « no kill », car cela reviendrait à de la torture animale gratuite. Elle considère que le poisson repart **avec des blessures**, au lieu d'être tué afin d'abréger ses souffrances, et consommé en tant que produit. Malgré cela, bon nombre de pêcheurs suisses passionnés se cachent pour pêcher tranquillement **sans tuer leurs poissons.** Interdire **en ayant peur** que le poisson souffre et autoriser qu'il soit tué est assez paradoxal.

En France, il n'y a pas d'interdiction et les arrêtés préfectoraux réglementent même la pratique. Des études réalisées aux États-Unis ont démontré que le taux de survie était de l'ordre de 80 % quand le pêcheur sportif veillait à ce que le poisson ne sorte pas ou peu de l'eau.

sportweek.fr>>>>>>>>>>>>>>>>>>>>>>>>>>>>

a. Reformulez les expressions en gras en disant leur contraire.

....

....

....

....

....

....

....

b. Entre l'opinion du pêcheur de l'activité 11 et les idées développées dans cet article, où vous situez-vous ? Rédigez votre opinion dans un texte de 300 mots.

L'expression *être censé/e*

15. Lisez l'article et répondez aux questions.

PEUT-ON DIRE QU'ON N'AIME PAS CÉLINE ?

Mon collègue Mario Girard demandait hier dans le cahier des arts : « Peut-on dire qu'on aime Céline ? » Sérieux ?

C'est vrai, il existe un snobisme culturel occidental qui fait regarder de haut toute la culture pop, surtout quand elle atteint une dimension planétaire qui rend impossible d'y échapper. Céline Dion est une cible parfaite. Mario résume bien le procès assez méchant qu'on lui fait généralement : trop de voix, trop de bons sentiments, trop de toutes sortes de choses qui donnent le diabète de type 2.

Mais ce n'est pas pour rien que l'auteur du livre est canadien anglais. Au Québec, ces choses-là ne sont jamais dites à heure de grande écoute ou imprimées. Céline Dion est une intouchable. Elle a atteint un statut mythique qui dépasse de loin la chanson. (...)

Pour un intellectuel new-yorkais, parisien ou torontois, aimer une chanson de Céline Dion peut en effet entrer dans la stupide catégorie des « plaisirs coupables » (expression que j'exècre aussi). Au Québec ? Jamais de la vie ! On l'imite peu, ou alors jamais méchamment. Elle est entourée d'une aura de bienveillance. Ceux qui la critiquent le font à leurs risques et périls. On vit en fait dans un environnement de déplaisir coupable : mieux vaut se taire si on n'aime pas. C'est la patrie qu'on attaque. On risque de vous accuser de trahison et, pire, d'élitisme, un crime culturel capital. (...)

Soyons sérieux. Céline Dion jouit d'une immunité critique relative au Québec. Pour toutes les bonnes raisons : un talent exceptionnel, un succès sans pareil qui dure, une personnalité archisympathique, un parcours sans fautes, des bonnes causes, des bons mots, un lien indéfectible avec ses origines, le Québec tatoué sur le cœur, enfin bref : c'est beaucoup plus qu'une chanteuse. C'est un symbole improbable de succès. Une astronaute de la chanson. Y en a pas beaucoup, en fait, y en a pas du tout. Il est normal qu'on la vénère comme un trésor national.

Le problème n'est donc vraiment pas de déclarer qu'on « aime Céline ». Au contraire, ça règle tous les ennuis, ça évite les chicanes de famille ou de bureau, personne n'ira vous contredire tout haut. Le vrai problème, c'est quand on n'a absolument rien contre, qu'on l'admire même, qu'on ne voit pas pourquoi on déchaînerait son mépris sur une artiste qui ne l'a pas mérité... mais... que sa production nous laisse généralement indifférents. On n'a nulle place où aller le dire... En fait, ça ne se dit pas.

Céline Dion, c'est comme la chasse. Je suis absolument pour. C'est juste que j'aime mieux que quelqu'un d'autre s'en occupe. Ça ne m'intéresse pas. Je n'en tire aucune fierté. Je ne le revendique pas. Je ne change pas de poste quand j'entends une de ses tounes à la radio. Il y en a de vraiment bonnes. Je lui souhaite un immense succès jusqu'à 90 ans. Mais il ne me viendrait jamais à l'idée d'aller voir un show ou d'acheter un disque d'elle. Est-ce qu'on peut dire ça sans que ce soit une « posture » ? Sans mépris, en tout respect même ? Juste parce qu'on le voit ainsi ? Pas sûr.

Ⓢ lapresse.ca, par Yves Boisvert

a. À partir de l'article, reliez le début et la fin de chaque phrase.

D'après l'article, un « snob culturel » est censé... •	• se taire.
Au Québec, on n'est pas censé.... •	• le dire.
Un intellectuel parisien ou torontois n'est pas censé... •	• critiquer Céline Dion.
Au Québec, les détracteurs de Céline Dion sont censés... •	• aimer les chansons de Céline Dion.
Au Québec, quand on est indifférent à Céline, on n'est pas censé... •	• mépriser toute la culture populaire.

b. Reformulez ces expressions utilisées dans le texte :
- Un succès sans pareil : ....
- Un parcours sans fautes : ....

16. Écoutez et dites si le locuteur exprime un regret ou un reproche.

28

	a	b	c	d
Regret				
Reproche				

Les constructions verbales avec *plaisir*

17. Reformulez ces phrases en remplaçant les verbes *avoir*, *donner* et *prendre* par des synonymes.

a. Lorsqu'**on prend du plaisir**, notre cerveau sécrète de la dopamine, un neurotransmetteur agissant dans le circuit de la récompense. D'autres circuits cérébraux sont aussi concernés par le plaisir, comme la motivation, la mémoire et l'apprentissage. En effet, on apprend mieux les choses qui **nous donnent du plaisir**.

....

....

b. Donner du plaisir aux autres est euphorisant. L'imagerie médicale a en effet prouvé que la générosité avait des effets sur le striatum ventral, une zone cérébrale liée au bien-être.

....

....

c. Il est possible d'**avoir du plaisir** grâce à l'ensemble de son corps, et même de son cerveau, car le plaisir se déroule en trois étapes : l'anticipation, l'expérience même du plaisir, puis sa mémorisation.

....

....

d. Quel plaisir ont les gens qui ont des animaux ? Pour les psychologues, il y a deux explications. L'explication égoïste : on a un animal seulement pour **le plaisir qu'il nous donne**. Et l'explication naturaliste : **on a du plaisir** dans le fait d'observer comment un animal se comporte.

....

....

e. Chercher la décharge d'adrénaline ou l'orgasme absolu est le meilleur moyen de ne jamais **avoir de plaisir**. Le bonheur, c'est avant tout savoir trouver le plaisir en toutes choses.

....

....

f. Pour certains, le plaisir réside dans le fait de s'arracher les poils de nez en cachette. Voilà le genre de petits plaisirs qui nous font honte, mais qui **donnent** pourtant un peu de bonheur.

....

....

g. Il semblerait que 99 % des jeunes occidentaux de la même classe sociale partagent les mêmes instincts et envies : sortir, manger, flirter, dépenser, faire l'amour, et ne surtout pas se sentir coupable d'**avoir des plaisirs**.

....

....

18. Traduisez dans votre langue les phrases de l'activité précédente.

MÉTHODOLOGIE - Argumenter

19. Complétez les phrases extraites d'un débat sur la pêche à l'aide des étiquettes.

je le reconnais sans problème | ils ont entièrement raison | j'adhère totalement | sans parler de | je veux bien admettre que | sans parler de | comment pouvez-vous penser

a. La pêche est bonne pour se calmer, déconnecter. .... stimulation cognitive que représente l'étude du milieu et des espèces que l'on pêche.

b. Je connais par cœur le discours des anti-pêche. Je ne le nie pas, et je dirais même que sur certains points, ...

c. .... les animaux souffrent ou aient du plaisir, mais les humains, eux, sont seuls à sentir de la culpabilité.

d. La notion de culpabilité est intrinsèque à la notion de plaisir, ...

e. .... qu'un poisson à qui on plante un hameçon dans la bouche ne souffre pas ?

f. Pêcher est un acte égoïste, un plaisir de solitaire. ...., étant moi-même un pêcheur qui aime la solitude.

g. .... au propos de ce monsieur quand il dit que la dégustation d'un poisson qu'on a pêché fait partie du plaisir de la pêche.

20. **Cochez la bonne case selon la stratégie argumentative utilisée.**

Commentaires extraits d'un forum consacré à la pêche électrique	Convaincre	Persuader
Si les pays de l'Union européenne n'interdisent pas la pêche électrique, ils seraient quasiment les seuls au monde. Elle est en effet interdite dans de nombreux pays : aux États-Unis, au Brésil, en Australie, en Russie, au Kenya, entres autres. Selon l'ONG Bloom, les Chinois ont été obligés d'arrêter cette pêche face aux dégâts qu'elle occasionnait.		
Nos artisans pêcheurs sont en train de mourir à petit feu face à cette concurrence déloyale qui vide les océans en électrocutant les poissons. Imaginez tous les muscles de votre corps paralysés par une décharge électrique. Pris de convulsion, vous agonisez, impuissant. C'est exactement ce qui arrive aux poissons !		
La pêche électrique ne permet pas de sélectionner les poissons pêchés. Pour 100 kg pêchés par les chaluts électriques, 50 à 70 kg sont rejetés en mer. Un rapport publié par le Marine Stewardship Council indique que 62 % des poissons pêchés ne sont pas commercialisables. Est-ce bien écologiquement responsable ?		
Les défenseurs de cette barbarie en parlent comme d'une simple technique consistant à effrayer les poissons plats par de faibles impulsions de rien du tout, afin qu'ils décollent du fond marin et nagent vers le filet des pêcheurs. Quelle bande de crétins hypocrites ! Ils nous prennent pour des débiles ou quoi ? Ce n'est pas en appelant « simple jeu » la torture qu'on la rend plus acceptable !		

21. **Associez les arguments à leur typologie dans ces extraits d'un débat intitulé : « Cuisine, culture, y a-t-il des plaisirs plus nobles que d'autres ? ».**

1. L'argument d'autorité •

2. L'argument d'expérience •

3. L'argument logique •

4. Le procès d'intention •

5. Le recours aux faits •

6. La règle de justice •

7. L'argument par généralisation •

8. L'argument par le silence •

• **a.** Épicure, quand il parle de hiérarchie des plaisirs, fait la distinction entre ceux qui engendrent des conséquences négatives (à éviter) et ceux qui sont inoffensifs, (à rechercher). Partant de ce principe, on ne peut pas considérer qu'un roman de gare soit inférieur, ou moins noble qu'un grand classique de la littérature, car aucun des deux n'a de conséquence négative. C'est l'échelle des conséquences négatives qu'il faut appliquer aux plaisirs, pas celle de la soi-disant noblesse.

• **b.** Chacun de nous a sa propre perception de ce qui lui est plus ou moins agréable. C'est donc une question strictement personnelle, et l'éventuelle noblesse d'un plaisir dépend de critères qui nous sont propres.

• **c.** Je suis pour une certaine hiérarchie des plaisirs, car tout ne se vaut pas. Le philosophe John Stuart Mill parlait déjà au XIXe siècle de plaisirs inférieurs (faciles, immédiats, physiques) et de plaisirs supérieurs (intellectuels esthétiques et éthiques) !

• **d.** Vouloir hiérarchiser les plaisirs de consommation, culturelle ou gastronomique, revient tôt ou tard à sous-entendre qu'il y aurait des gens dignes d'apprécier certaines choses, et des gens indignes parce qu'ils n'auraient pas le niveau d'éducation nécessaire, et c'est là la porte ouverte à une forme de retour à l'aristocratie.

• **e.** Il faut bien qu'il y ait des plaisirs plus forts que d'autres pour que les produits aient un prix. Comment voulez-vous expliquer que le foie gras soit plus cher que le pâté si vous ne savez pas faire la différence entre les deux ?

• **f.** La question des plaisirs nobles ou ignobles est idiote à mon sens, sans parler des dangers d'élitisme culturel et de mépris social qu'elle comporte.

• **g.** Il est de indéniable qu'il y a des films qui nous plaisent, et d'autres qui nous apportent un peu plus qu'un plaisir immédiat. On ne peut pas nier que la qualité d'un scénario, la beauté des dialogues ou des images procurent un plaisir plus fort, car plus profond et plus durable.

• **h.** Alors moi, je ne vois pas de différence d'intensité dans le plaisir que je ressens à lire un auteur médiocre ou un grand écrivain. Quand ça me plaît, ça me plaît, c'est tout ! Il ne faut pas bouder ses plaisirs.

22. **Rédigez une contribution au débat de l'activité précédente où vous développez votre opinion, en ayant recours à différents types d'arguments.**

PHONÉTIQUE - La prononciation des consonnes finales (I)

23. Écoutez et barrez les consonnes finales qui ne se prononcent pas.

29

un parc	un truc	C'est blanc.	mon sac	à l'estomac	C'est du porc.	Va au tabac.
un œuf	Il est sportif.	Il est actif.	C'est mon chef.	Il a du nerf.	du bœuf	Voilà la clef.
Il va dormir.	Tu dois parler.	Je vais monter.	C'est du fer.	le boulanger	du thé amer	Tu vas chanter.
Voilà mon chat.	C'est à l'ouest.	du champagne brut	un seul pot	en août	près du désert	J'aime ce dessert.
Prends le bus.	au mois de mars	Voilà son fils.	Il fait du tennis.	C'est un ours.	J'ai du temps.	Tu pars ?

24. Complétez le cadre avec des mots de l'activité précédente.

En général, les consonnes finales ne se prononcent pas mais les consonnes *c, f, r, t* et *s* en position finale se prononcent parfois.

- On prononce le *c* dans certains mots courts comme ...., *bec*, ... On ne le prononce pas dans de nombreux mots comme : ...., ..., ..., etc.
- On prononce la consonne *f* dans les adjectifs qui se terminent par *if*, comme .... Mais aussi pour d'autres mots : ...., ... Dans d'autres mots, comme .... ou ...., on ne la prononce pas.Attention : dans les mots .... et ...., on prononce le *f* au singulier, mais on ne prononce pas au pluriel.
- La consonne *r* se prononce parfois en position finale. Par exemple, pour les mots : *ver*, ... ou .... Parfois elle ne se prononce pas, comme dans .... ou *boucher*. Dans le cas des verbes, si la terminaison est *-ir* ou *-oir* elle se prononce, si la terminaison est *er* elle ne se prononce pas.
- C'est aussi le cas du *s*, qui se prononce dans des mots comme .... ou ...., mais ne se prononce pas dans le cas du pluriel ou dans des mots comme .... ou *sans*.

PHONÉTIQUE - Travailler l'articulation

Pour travailler l'articulation :

- Respirez profondément par le nez et expulsez l'air par la bouche lentement. Essayez de faire de la respiration abdominale : respirez profondément par le nez en gonflant la paroi abdominale. Puis expirez par la bouche en dégonflant petit à petit le ventre. Prononcez le son [a] en expirant.
- Mettez-vous devant un miroir et faites travailler votre mâchoire : ouvrez grande la bouche comme pour prononcer un grand *a*, puis fermez-la et arrondissez les lèvres pour prononcer *ou*. Puis écartez les lèvres comme pour prononcer *i* et *ainsi* de suite.
- Variez la modulation de la voix.

25. Prenez une sucette sphérique de deux centimètres de diamètre environ. Mettez-la au milieu de votre bouche et prononcez les virelangues suivants.

a. Ces cerises sont si sûres qu'on ne sait pas si c'en sont.
b. Gros gras grand grain d'orge, tout gros-gras-grand-grain-d'orgerisé, quand te dé-gros-gras-grand-grain-d'orgeriseras-tu? Je me dé-gros-gras-grand-grain-d'orgeriserai quand tous les gros gras grands grains d'orge se seront dé-gros-gras-grand-grain-d'orgerisés.
c. Dans la gendarmerie, quand un gendarme rit, tous les gendarmes rient dans la gendarmerie.

26. Prononcez les phrases ci-dessous avec un ton très aigu. Puis, répétez-les avec un ton très grave. Puis de nouveau en criant et puis en chuchotant.

a. Cette taxe fixe excessive est fixée exprès à Aix par le fisc.
b. Tu t'entêtes à tout tenter, tu t'uses et tu te tues à tant t'entêter.
c. Suis-je bien chez ce cher Serge ?
d. Trois tortues trottaient sur un trottoir très étroit.

Le pardon

05

Le pardon

1. Lisez l'article et répondez aux questions.

POLITIQUE : Les excuses se ramassent à la pelle

Longtemps, demander pardon a été vu comme un signe de faiblesse dans la classe politique française. Aujourd'hui, battre sa coulpe est devenu un gage de sincérité. Au point que les actes de contrition se multiplient comme jamais.

De Marlène Schiappa en passant par Gilles Le Gendre, Christian Estrosi ou François-Xavier Bellamy, ils sont nombreux à avoir battu leur coulpe ces derniers mois. Sincère, avec les mots bien choisis, un tel acte de repentance peut permettre de clore une polémique. [...]

« Vous êtes nombreux à me dire avoir été blessés par le raccourci emprunté dans ces propos. Mon but en politique n'est jamais de blesser qui que ce soit, mais de débattre des idées. Je présente donc mes excuses à toutes les personnes qui auraient pu se sentir sincèrement blessées. J'en assume la responsabilité. » Ce communiqué de presse date du 22 février. Il est signé Marlène Schiappa. La secrétaire d'État en charge de l'Égalité entre les femmes et les hommes fait acte de contrition après des propos [...] « soulignait l'existence d'une convergence idéologique » entre la Manif pour tous et les terroristes islamistes.

Le 3 mai, c'est un autre ministre qui se pliait, à son tour, au *mea culpa*. « J'entends le reproche qui m'est fait d'avoir utilisé le mot "attaque". Je souhaite qu'aucune polémique n'existe sur le sujet. En la voyant naître, je me dis que je n'aurais pas dû l'employer », déclarait solennellement Christophe Castaner, lors d'une conférence de presse. Le ministre de l'Intérieur voulait ainsi clore la polémique née du terme qu'il avait retenu pour qualifier les incidents violents survenus à l'hôpital de la Pitié Salpêtrière, en marge des manifestations du 1er mai, à Paris.

En Macronie, battre sa coulpe devient un exercice banal. [...] En la matière, leur patron a ouvert la voie. Dès ses premiers jours sur le devant de la scène, Emmanuel Macron avait demandé pardon. « Mes excuses les plus plates sont à l'égard des salariées que j'ai blessées à travers ces propos. Je ne m'en excuserai jamais assez », avait dit [...] le 17 septembre 2014, le tout nouveau ministre de l'Économie. Le matin même sur Europe 1, interrogé sur la mise en liquidation judiciaire des abattoirs Gad, il avait déclaré que beaucoup de ses employées étaient «illettrées» et avait été vivement critiqué. [...]

Si le « nouveau monde » n'a aucun mal à faire amende honorable, une telle démarche est longtemps restée exceptionnelle dans la classe politique française. « Pendant longtemps, on n'a pas eu cette culture en politique, comme en entreprise, car cela venait percuter le mythe de l'infaillibilité du chef », décrypte Bernard Sananès, le président de l'institut Elabe. [...]

Dorénavant, [...] les leaders politiques n'hésitent plus à s'excuser. [...] « La technique "n'avoue jamais" ne tient plus dans le système médiatique actuel », avance Jérôme Batout, l'ex-conseiller spécial de Jean-Marc Ayrault à Matignon [...]. Ce n'est également plus vu comme une faiblesse. « Aujourd'hui, les valeurs prêtées au chef ne sont plus les mêmes, argue Bernard Sananès. À l'autorité se sont ajoutées l'esprit d'équipe, l'écoute, l'empathie. Reconnaître ses erreurs est désormais un indice de sincérité et la sincérité est devenue une valeur clé. Quand il reconnaît ses erreurs, le chef redevient humain, proche. Il est vu comme quelqu'un qui apprend de celles-ci plutôt que comme quelqu'un qui a échoué. »

« Les citoyens s'identifient aux politiques quand ceux-ci reconnaissent leurs erreurs car chacun en fait dans sa vie », abonde Gaspard Gantzer. Celui-ci a toujours conseillé à ses patrons de battre leur coulpe en cas de faux pas : « Une fois que la faute est reconnue, c'est plus difficile de critiquer. On ne critique pas quelqu'un qui se fait humble. ». [...] Pour autant, contrition ne vaut pas absolution. Il y a des conditions pour qu'elle aboutisse au résultat escompté (éteindre la polémique). La forme est essentielle. « Les mots doivent être justes, permettre de sentir votre bonne foi. Ce qu'avait fait Manuel Valls, lors de la controverse déclenchée par l'utilisation d'un avion de l'État pour aller assister à Berlin à un match de foot avec son fils alors qu'il était Premier ministre, est un modèle du genre. Plus personne n'en a parlé ensuite », estime Gaspard Gantzer. « Ce fut une erreur, une bourde [...] Je le regrette [...]. Je suis Premier ministre, je dois être irréprochable. Je comprends que les Français qui n'arrivent pas à boucler leurs fins de mois puissent avoir été choqués par cette désinvolture. Il y a eu une bourde, je ne dois pas en commettre une deuxième. »

Le *mea culpa* offre rarement une deuxième chance. Ce sera pour Emmanuel Macron tout l'enjeu des prochains mois. « Il y a des phrases que je regrette », déclarait le chef de l'État lors de sa conférence de presse du 25 avril [...] « Ces excuses seront perçues comme sincères et non comme un propos de circonstance si Emmanuel Macron ne recommence pas, indique Bernard Sananès. Plutôt que de dire soi-même "j'ai changé", il vaut mieux que cela soit les Français qui disent "il a changé" ».

S l'opinion.fr, par Ludovic Vigogn

NOTE CULTURELLE

La Manif pour tous est le principal collectif d'associations à l'origine des plus importantes manifestations et d'actions d'opposition à la loi ouvrant le mariage et l'adoption aux couples de personnes de même sexe en France.

a. Quel est le thème général ?

b. Quel changement s'est opéré ces dernières années ? Pourquoi ?

c. Quelle faute ces hommes et femmes politiques ont-ils commise ? Expliquez avec vos propres mots.
- Marlène Schiappa :
- Christophe Castaner :
- Emmanuel Macron :
- Manuel Valls :

d. Reconnaître ses erreurs fonctionne-t-il toujours ?

e. Dans l'article, quels sont les cinq mots et expressions signifiant *se repentir* ?

f. Expliquez le sens de ces expressions :
- se ramasser à la pelle :
- présenter ses plates excuses :
- en Macronie :
- un faux pas :

g. Laissez un commentaire après cet article pour expliquer si les célébrités et/ou les politiciens de votre pays présentent facilement leurs excuses. Pour quelles fautes ? Dans quel but ?

2. **Écoutez cet extrait d'émission et dites si les affirmations sont vraies ou fausses. Justifiez votre réponse à l'aide des informations entendues.**
30

a. Pascal Blanchard a les connaissances adéquates pour analyser la situation. V / F

b. Il impute le déboulonnage des statues à une réaction émotionnelle. V / F

c. Les pays colonisateurs ont tourné la page de la colonisation. V / F

d. En France, les statues ont été érigées pour glorifier l'esclavage. V / F

e. Une statue a une plus grande portée symbolique qu'un musée. V / F

f. Jean-Baptiste Colbert est un personnage français important. V / F

g. Au XXe siècle, l'espace public a été modifié lors de changements politiques. V / F

h. P. Blanchard estime que les statues déboulonnées doivent être exposées dans des musées. V / F

i. La France affronte son passé colonialiste. V / F

3. **Quelle(s) branche(s) ajouteriez-vous à la carte mentale sur le pardon de la page 67 du *Livre de l'élève* ? Illustrez vos propositions d'exemples. Puis, échangez en petits groupes.**

La souffrance et la psychothérapie

4. Complétez la grille de mots croisés avec les mots correspondants.

1. Violent choc émotionnel provoquant chez le sujet un ébranlement durable.
2. Faire subir de mauvais traitements à quelqu'un.
3. Fait de rabaisser une personne pour qu'elle ressente de la honte.
4. Diminution plus ou moins grave de l'énergie mentale marquée par le découragement, la tristesse, l'angoisse.
5. Atteinte portée à la réputation ou à l'intégrité physique d'une personne.
6. Endurer, être soumis à une situation pénible.
7. Acte ou parole portant atteinte à l'honneur ou à la dignité d'une personne.

5. Assemblez les groupes de lettres pour retrouver six émotions positives. Puis, complétez la liste avec d'autres émotions positives. Finalement, créez un nuage de mots sur les émotions positives avec l'ensemble de la classe.

IN LLANCE
PI PA THIE
EM PA VEI DUL
COM SSION GENCE
TIÉ BIEN

....
....
....
....
....
....
....
....
....
....

6. Complétez l'article à l'aide des étiquettes.

thérapeutes | en séance | panser des blessures | traumatisme | souffrir | praticien | thérapie | émotions | mener un travail sur soi

Pourquoi consulter un psychologue ?

Une thérapie peut vous aider à .... du passé, à améliorer votre présent et à changer votre avenir. Tout comme il n'y a aucun sens à endurer une douleur physique, vous ne devriez pas .... émotionnellement.

Il se peut que les émotions prennent le dessus et vous empêchent de penser ou d'agir clairement. .... permet de mieux se connaître et, par conséquent, on arrive à mieux gérer ses émotions. Les .... analysent le langage, les gestes et les réactions de leurs patients afin de les aider à modifier certains comportements négatifs et à se sentir mieux dans leur peau.

Par ailleurs, parler fait du bien : cela sert à identifier ce qu'on ressent pour mettre des mots sur des ....

Laisser couler les larmes, la colère se dissiper ou l'anxiété diminuer dépend de chacun. Vous n'avez pas forcément envie de le faire avec vos proches, alors que ce que vous dites à votre psy .... reste confidentiel.

Même si aucun .... du passé ne vous hante, consulter un .... est une bonne idée. Grâce à la ...., vous progressez pour vivre en harmonie avec vous-même.

Les usages de *bien*

7. Reformulez les commentaires des internautes à la suite de l'article de l'activité précédente en employant le terme *bien* chaque fois que vous le pouvez.

Yop56 Beaucoup de thérapeutes sont incompétents. Ils font plus de mal que de bien !	**Yop56** ....
Sage2 Il vaut vraiment mieux se faire recommander un psychologue que pousser la porte du premier praticien qu'on croise	**Sage2** ....
Leaham Moi, mon psy, c'est quelqu'un qui a plein de qualités ! Vous voulez ses coordonnées ?	**Leaham** ....
Souris1 J'étais très timide. Consulter un psy m'a aidé à mieux comprendre d'où venait ma timidité et à y remédier. Ça a changé ma vie !	**Souris1** ....
5sur5 Après mon divorce, j'avais beaucoup de chagrin. Avec mes amis, je n'arrivais pas à véritablement exprimer ce que je ressentais. En séance, j'ai pu laisser tomber le masque et dire ce que j'éprouvais.	**5sur5** ....

8. À votre tour ! Rédigez un commentaire pour réagir à l'article de l'activité 6 en employant le terme *bien*.

....

9. Réagissez aux SMS de vos amis en employant le mot *bien*. Variez vos réponses.

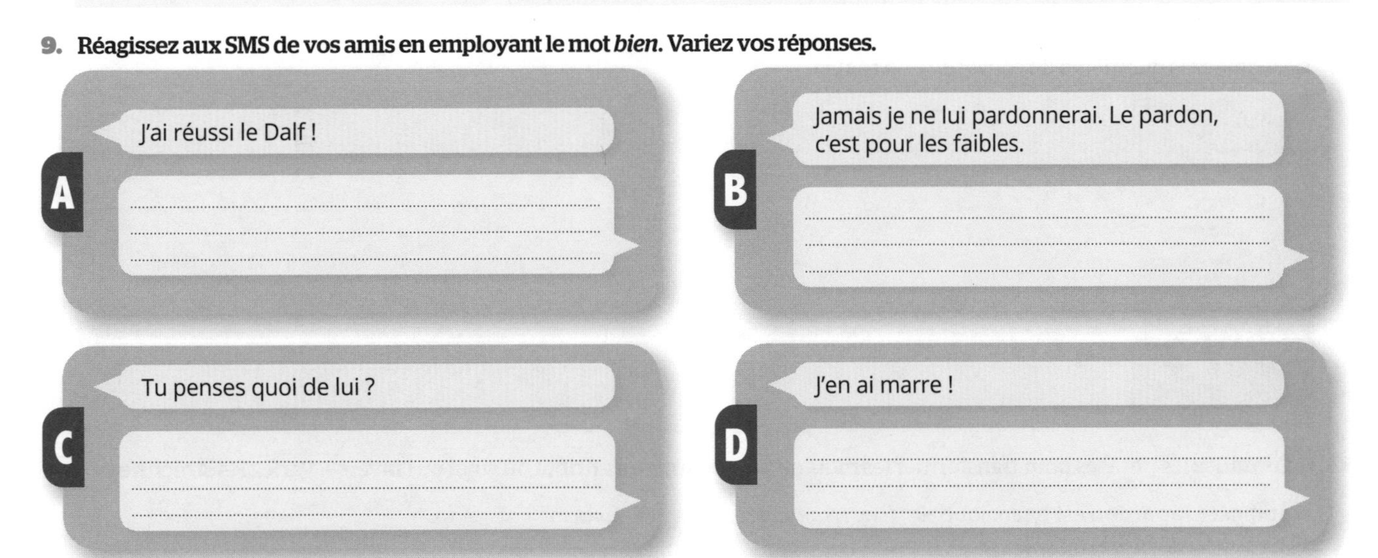

10. Écoutez le dialogue et notez dans quel ordre apparaît l'injonction *eh bien...* avec ces connotations.

31

« Eh bien... » exprime l'hésitation → n° ....

« Eh bien ! » exprime le reproche → n° ....

« Eh bien ? » exprime l'interrogation → n° ....

Les consonnes euphoniques (*l'*, *t*, *s*)

11. Lisez l'article sur les bienfaits du pardon. Ajoutez le *l'* euphonique quand vous le pouvez.

Les bienfaits du pardon

À une époque où on sait que le corps et l'esprit sont intimement liés, il est cohérent que le pardon ait des effets bénéfiques sur la santé. Bien qu'on ne puisse pas le forcer, on peut se préparer à pardonner.

1 Diminution du stress

Lorsqu'on ne pardonne pas, la présence de l'offenseur est ressentie comme un danger. Au contraire, quand on pardonne, nous éprouvons des émotions positives telles que la compassion et la bonté. Nous nous sentons ainsi paisibles.

2 Rapports avec autrui plus sains

La présence de ceux qu'on considère comme des ennemis nous pousse à nous méfier d'autrui. Puisqu'on a été déçu par une personne, on s'imagine que les autres feront de même. Tandis que le pardon permet le retour d'un sentiment de sécurité dans le milieu où on évolue.

3 Plus créatif

Si on éprouve de la rancœur, on dépense trop d'énergie physique et émotionnelle et on s'épuise. Alors qu'en pardonnant, nous recentrons notre attention sur nos projets et nos aspirations. Nos idées sont plus claires et notre créativité libérée.

L'infinitif

12. Écoutez l'interview de l'auteure de *Chavirer*, Lola Lafon, et répondez aux questions.

32

a. Cochez les sujets abordés dans le roman.

- ☐ Les difficultés de l'adolescence
- ☐ Le fait d'être victime et coupable
- ☐ Le pardon
- ☐ Le repentir
- ☐ La danse
- ☐ Le corps
- ☐ Les émissions de variété
- ☐ La dénonciation
- ☐ Le racisme

b. Formulez cinq phrases dont le sujet contient un infinitif sur le roman *Chavirer*.

Devenir danseuse était le rêve de Cloé.

....

....

....

....

c. Imaginez la quatrième de couverture du roman.

LOLA LAFON
CHAVIRER
ROMAN
ACTES SUD

....

....

....

....

....

....

....

....

....

....

13. Reformulez les phrases pour transformer les mots en gras de sujet en attribut du sujet ou l'inverse. Variez les structures.

a. Imposer le pardon est tyrannique → *Il est tyrannique d'imposer le pardon.*
b. C'est égoïste de **pardonner**. → ....
c. Éprouver de la rancune, ça détruit. → ....
d. Avouer ses fautes soulage la conscience. → ....
e. Pardonner, c'est guérisseur. → ....

Le pronom neutre *le*

14. Répondez aux questions en évitant les répétitions comme dans l'exemple.

a. Pensez-vous que le ressentiment ait des effets négatifs sur le corps humain ? *Oui, je le pense. / Non, je ne le pense pas.*
b. Êtes-vous rancunier/ère ? ....
c. Selon vous, est-ce que tout est pardonnable ? ....
d. D'après vous, faut-il obligatoirement suivre une thérapie après un traumatisme ? ....
e. Croyez-vous qu'une faute avouée est à moitié pardonnée ? ....

15. Complétez la suite des phrases.

a. Ce sont les super-héros qui me l'ont prouvé : *on a tous un côté obscur.*
b. Ce sont mes parents qui me l'ont appris : ....
c. Le professeur le dit toujours : ....
d. C'est mon horoscope qui me l'a révélé : ....
e. La vie me l'a enseigné : ....
f. Je le sais mieux que quiconque : ....

16. Lisez vos réponses de l'activité précédente à un/e camarade qui doit retrouver l'origine de l'information.

— On a tous un côté obscur.
— Ce sont les super-héros qui te l'ont prouvé !
— Oui !

Le ressentiment, l'enfermement et le pardon

17. À l'aide des photos, retrouvez les verbes en lien avec le fait de s'excuser.

a. .... quelqu'un **b.** .... à contrecœur **c.** .... aux pieds de quelqu'un

d. .... en excuses **e.** .... avec quelqu'un

18. Reliez chaque verbe de la colonne de gauche à son synonyme dans celle de droite. Puis, complétez chaque case avec une émotion négative comme dans l'exemple.

exprimer *sa déception* •	• ressentir ....
éprouver .... •	• se défaire de ....
se libérer de .... •	• ravaler ....
dépasser .... •	• extérioriser ....
faire taire .... •	• surmonter ....

20. À l'aide des verbes de l'activité précédente, formulez deux conseils pour lutter contre les énergies négatives. Puis, mettez-les en commun avec l'ensemble de la classe. Le(s)quel(s) sont les plus populaires ?

Se défaire de ses peurs permet de s'épanouir et de relever des défis.

21. Réécrivez le message en reformulant les mots et expressions.

Je m'en veux tellement d'avoir agi ainsi. Ce que j'ai dit était inadmissible. Je ne voulais pas t'offenser. Pardonne-moi.

....

22. Lisez le texte que Lisa Vignoli a écrit pendant le premier confinement en France et écrivez un texte sur votre ville ou celle de votre choix. Que lui pardonnez-vous ? De quoi la remerciez-vous ?

Je te pardonne Paris

Je te pardonne Paris
Je te pardonne ton snobisme, ta supériorité, ton impolitesse
Ton prix du mètre carré
Tes restaurants qui prennent mon numéro de carte de crédit pour s'assurer que je vienne
Ceux où on ne peut pas réserver et qui proposent invariablement « le comptoir »
Ces cafés où l'on ne peut plus s'installer passé midi sans déjeuner
Je te pardonne tes effets de mode, tes engouements de courte durée, ta façon de t'enticher de la moindre tendance
Au fond, je crois que tu essayes de te faire plus belle pour nous
Je te pardonne maintenant et pour toujours
Les piétons qui insultent les vélos, les vélos qui insultent les bus et les bus qui insultent les voitures
[...]
Je te pardonne les foules amassées, smartphones levés devant la Joconde
Les spectacles qu'il faut réserver un an à l'avance
[...]
Je te pardonne tout, sans exception, si seulement tu promets de redevenir comme avant
Les rats dans le passage Brady, pardonnés
Les kiosques fermés, pardonnés
Les magasins qui ne vendent que du fish&chips ou que des madeleines ou que des mochis, pardonnés
[...]
Pardonne-nous comme on te pardonne et reviens à ce que tu étais
On ne pouvait pas savoir que ton bordel, ton trafic et ton antipathie nous manqueraient
Et puis, nous aussi de notre côté on ne t'a pas assez remercié
Pas assez remercié pour ta réaction après les attentats
Pour toutes les marches que tu as accueillies
Pour Charlie, les femmes, le climat
Contre l'antisémitisme
[...]
Pour les rues calmes le dimanche matin quand tout le monde dort
Pour Paris au mois d'août
Pour les mouettes qu'on entend de temps en temps
[...]
Pour tes terrasses où l'on peut fumer
Pour les librairies ouvertes jusqu'à minuit
Pour les fois où l'on te traverse la nuit en voiture et que tu es belle comme dans un film
Pour le ciel bleu new-yorkais que tu offres parfois
Et pour les jours de neige
Pour m'avoir acceptée, adoptée
Pour ne jamais me lasser
Aujourd'hui je pense à toi et je me dis : Paris, c'est chez moi
Pardonne-moi
Pardonne-nous
Reviens.

S liberation.fr, par Lisa Vignoli

Les dérivés de *venir*

23. Remplacez les verbes ou expressions en gras avec un dérivé du verbe *venir*. Faites les changements nécessaires.

se souvenir | intervenir | convenir de | parvenir à | survenir | revenir à | prévenir

a. Les avocats **se sont mis d'accord sur** le montant de l'indemnisation. ....
b. **Dis-le-moi** à temps et je m'organiserai pour t'aider à déménager. ....
c. Le condamner à perpétuité **équivaut à** l'envoyer passer sa vie derrière les barreaux. ....
d. Il a dû **s'interposer** pour empêcher la bagarre. ....
e. La France entière **se rappelle** ce procès. ....
f. Maître Nigolian **est arrivé à** convaincre le jury de l'innocence de son client. ....
g. Un changement de programme **est arrivé** au dernier moment. ....

MÉTHODOLOGIE - Faire une présentation orale avec un support

24. Écoutez ces différentes propositions d'accroche pour l'exposé *Pardonner peut-il nous libérer ?* Indiquez à côté de chaque type d'accroche le numéro correspondant. 33

N° .... : interroger l'auditoire sur une expérience personnelle.
N° .... : raconter une anecdote.
N° .... : présenter des faits surprenants.
N° .... : proposer une citation.

25. Classez ces expressions utiles pour une présentation orale dans la bonne catégorie.

Comme vous pouvez le voir sur cette infographie...
Vous avez bien compris ?
D'abord, je vous présenterai...
J'attire votre attention sur les répercussions de cette loi.
Récapitulons.
Ai-je été clair/e ?
Je serai maintenant ravi/e de répondre à vos questions.
Ce qui est particulièrement intéressant, c'est...
Merci de m'avoir écouté/e
Observons ce graphique et plus particulièrement la courbe rouge.
Ensuite, je développerai...
Pour conclure...
Pardon, ce que je voulais dire, c'est...
Pour le dire autrement...

Annoncer le plan	
Mettre en valeur une information	
Faire référence au diaporama	
Vérifier la bonne compréhension	
Rectifier ou préciser	
Conclure	
Terminer	

26. Écoutez la continuation de l'exposé de l'activité 24 et créez un diaporama pour accompagner cette partie de l'exposé. Comparez votre proposition à celle d'un/e camarade. 34

PHONÉTIQUE - L'intonation du reproche

27. Écoutez les phrases de reproche suivantes et complétez l'encadré.

35

a. Qu'est-ce que tu fais là ? Tu es censé terminer le travail pour demain !
b. Si vous n'alliez pas venir, vous auriez dû nous le signaler !
c. Il aurait fallu commencer plus tôt, vous ne trouvez pas ?
d. Tu arrives maintenant ? nous étions censés commencer il y a 20 minutes !
e. Tu arrives les mains vides ? Tu étais censé apporter le vin !
f. Elle est malade ? Elle aurait dû nous prévenir !
g. Tu n'es pas allé au marché ? Tu étais censé m'apporter des pommes !

Pour exprimer le reproche en français, en plus des structures grammaticales appropiées, on modifie l'intonation.
- On met un accent d'insistance sur le mot de la .... partie de la phrase qui indique la conduite non attendue.
- On rend la .... partie de la phrase plus aigue que le normal.

28. Écoutez et cochez quand vous entendez un reproche puis répétez les phrases en faisant attention à l'intonation.

36

	a	b	c	d	e	f	g	h
Reproche								

PHONÉTIQUE - Les groupes rythmiques (I)

29. Lisez les phrases et :
- **séparez les groupes rythmiques au moyen d'une barre (/).**
- **à la fin de chaque phrase, écrivez le nombre de groupes rythmiques.**
- **cochez au moins deux phrases qui ont exactement le même patron rythmique.**

a. ◯ On vit mieux quand on oublie les offenses. ....
b. ◯ Aujourd'hui, c'est la journée internationale du pardon. ....
c. ◯ Nous, en Belgique, c'est la même chose. ....
d. ◯ Le pardon fait du bien à notre âme. ....
e. ◯ De nombreux pays ont demandé pardon par les crimes commis par leurs ancêtres. ....
f. ◯ L'Ancien Testament met l'accent sur le pardon divin. ....
g. ◯ Le plus difficile, c'est de se pardonner soi-même. ....
h. ◯ Chacun a le droit de ne pas pardonner. ....

30. Associez les phrases qui ont exactement le même patron rythmique et intonatif.

1. Bonjour, vous avez du café ?	•	•	**a.** Mercredi nous allons au café.
2. Demain il va faire chaud.	•	•	**b.** Tous mes amis partiront pour le week-end ?
3. Ce matin mes amis ne viennent pas.	•	•	**c.** Tais-toi, ne dis rien.
4. J'en ai marre de lire.	•	•	**d.** La prochaine fois vous terminez tout le devoir.
5. Demain, c'est un jour férié.	•	•	**e.** Annie ne peut pas venir.
6. Vendredi soir il y aura une soirée rock ?	•	•	**f.** Si tu veux, je fais une bonne salade.
7. Dis-moi ce que tu veux.	•	•	**g.** Marcel, tu connais cette chanson ?
8. Si vous voulez, on vous attend au cinéma.	•	•	**h.** Sébastien est fou.
9. Continue à faire ce que tu fais.	•	•	**i.** Ma sœur n'est pas venue.

La violence 06

La violence

1. Écoutez cet extrait d'émission puis répondez par vrai ou faux. Justifiez votre réponse.

37

a. À force d'accumulation, les micro-violences ne nous font plus mal. V / F

....

....

b. Les micro-violences nous obligent à jouer un rôle. V / F

....

....

c. Il est aisé de se rendre compte des micro-violences subies. V / F

....

....

d. Les micro-violences subies nous paraissent normales. V / F

....

....

e. Les micro-violences subies nous paraissent méritées. V / F

....

....

f. Le but des micro-violences est d'assujettir autrui. V / F

....

....

2. Trouvez les actions violentes qui se cachent dans cette grille.

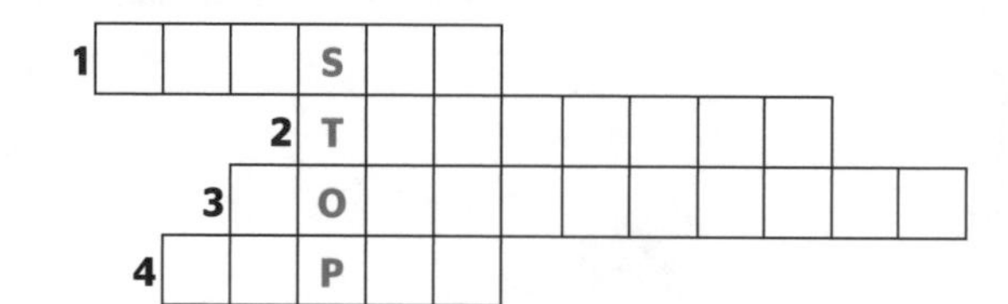

5 V *I O L E N T E R*
6 I
7 O
8 L
9 E
10 N
11 C
12 E
13 S

1. Démolir quelque chose, le détruire. Faire une fracture à un os, un membre.
2. Rouer quelqu'un de coups, le passer à tabac.
3. Obliger quelqu'un par force, par violence ou par quelque grave considération, à faire quelque chose contre son gré.
4. Frapper, donner un ou plusieurs coups.
5. Exercer des violences à l'encontre de quelqu'un.
6. Fatiguer quelqu'un à l'extrême, l'atteindre dans son corps ou l'épuiser moralement.
7. Faire perdre à quelqu'un ou à quelque chose de sa valeur, de son efficacité, de sa réputation.
8. Faire apparaître quelqu'un comme inférieur, méprisable en abaissant sa dignité.
9. Tuer des personnes ou des animaux avec sauvagerie et en masse. Critiquer quelqu'un, une œuvre avec violence.
10. Proférer des insultes à l'égard de quelqu'un.
11. Faire subir à quelqu'un de petites attaques souvent répétées. Tourmenter, importuner quelqu'un.
12. Frapper d'un coup qui fait une contusion, une plaie, une fracture. Au sens moral, offenser, choquer, déplaire, navrer.
13. Se manifester avec force, causer des ravages. Avoir une action, une influence, nuisible, dangereuse, ou exercer une autorité pénible quelque part.

3. À partir de chaque verbe de l'activité précédente, trouvez des noms ou adjectifs.

verbe	nom	adjectif

verbe	nom	adjectif

La cyberviolence et la ponctuation (les guillemets et la virgule)

4. Lisez cet article puis répondez aux questions.

Au procès d'un Youtubeur jugé pour harcèlement : raids numériques, influenceurs, et gros-bras

par Ariane Griessel publié le 22 septembre 2020.

Le Youtubeur Marvel Fitness, qui prodigue ses conseils en musculation à 147 000 abonnés, a été condamné à un an de prison ferme pour avoir harcelé des «influenceurs», au terme d'un procès qui a révélé la part d'ombre des réseaux sociaux.

« Nous sommes à l'orée d'un nouveau monde », lâche un avocat de partie civile lors de sa plaidoirie. Et l'on comprend vite que ce nouveau monde n'a rien d'enviable. Voilà trois heures que la justice et ses codes centenaires doit traiter de « raids numériques », de Twitch, de story Instagram, de Twitter, de YouTube, dans cette salle du palais de justice de Versailles, où les magistrats quinquagénaires font face à une salle remplie de jeunes d'une vingtaine d'années, biberonnés aux réseaux sociaux. Il faut dire que le prévenu est une sommité dans son milieu : Habannou S., connu sous plusieurs pseudos, notamment « Marvel Fitness ». Le jeune homme de 31 ans comparaît pour « harcèlement de meute », notion intégrée au code pénal en août 2018.

Côté partie civile, six femmes et trois hommes, dont une majorité d'«influenceurs», ces internautes qui gagnent leur vie en plaçant des marques sur les réseaux sociaux. Eux aussi gravitent dans le milieu du fitness. Tout comme une bonne partie des spectateurs, à en croire les biceps saillants, les épaules carrées, et les pectoraux qui se dessinent sous les T-shirt moulants. Ici, chacun a choisi son camp, et l'animosité virtuelle étant devenue réelle, un dispositif de sécurité a été mis en place à l'entrée du tribunal pour éviter que lesdits muscles servent à régler des comptes avant ou après l'audience aux abords du Palais de justice.

Car l'affaire, comme le souligne l'avocat Christian Charrière-Bournazel, « est d'une exceptionnelle gravité » : Habannou S. est accusé d'avoir, depuis trois ans, envoyé des milliers de messages de menaces et insultes aux parties civiles, et également appelé ses abonnés à participer à ce lynchage virtuel, aux conséquences tout ce qu'il y a de plus réelles. L'une des plaignantes explique ne plus pouvoir lire les messages qu'elle reçoit de peur d'y trouver des injures, y compris ceux venant de ses proches. Un autre décrit des troubles physiques et psychologiques, dit avoir perdu quatre kilos en un mois. Plusieurs affirment avoir perdu des contrats après que leurs sponsors ont également été pris pour cible par le YouTubeur et ses abonnés. Souvent un même point de départ provoque ce qu'un avocat appelle « l'étincelle »: une critique négative sur une vidéo de Marvel Fitness, et la machine est enclenchée.

Marvel Fitness est condamné à deux ans de prison dont un assorti d'un sursis probatoire de trois ans, à une obligation de suivi psychologique, à l'interdiction d'entrer en contact avec les victimes et de création ou animation de réseaux sociaux ou sites internet. Son avocat juge sa peine «sévère» et dit vouloir faire appel.
Pour sa part, l'avocate Laure-Alice Bouvier qui défend les internautes salue « une sanction exemplaire » : « Non seulement elle met fin à un comportement ignoble sur les réseaux sociaux, mais, en plus de ça, elle montre à tout le monde qu'internet n'est pas une zone de non-droit ».

Ⓢ franceinter.fr, par Ariane Griessel

a. Qui est Marvel Fitness et que lui reproche-t-on ? ....

b. Son procès a-t-il été facile ? Justifiez votre réponse. ....

c. Quelles sont les conséquences des actions de Marvel Fitness sur ses victimes ? ....

d. Comment Marvel Fitness choisissait-il ses victimes ? ....

e. Que pensez-vous de la peine appliquée à Marvel Fitness ? ....

f. Expliquez l'emploi des guillemets et des virgules dans les parties soulignées.

....

....

....

....

....

....

....

5. Écoutez les témoignages de ces militantes ayant été cyberharcelées et répondez aux questions.

38 **a.** Complétez le tableau.

	Arielle Clemfeld	**Damiana Lupo**
Pour quelle cause se bat-elle ?		
Quelle forme de cyberharcèlement a-t-elle connue ?		
Quels ont été ses sentiments / réactions face au cyberharcèlement ?		

b. Réécoutez le premier témoignage et notez les mots ou phrases qui, dans la transcription, devraient être entre guillemets, et expliquez pourquoi.

....

....

....

Se positionner sur la question de la violence militante

6. Lisez cet extrait du manifeste du collectif La Ronce et répondez aux questions.

Je le sens : notre modèle de société court à sa perte, broie l'humain et entraîne déjà dans sa chute de larges pans du vivant. Chaque jour, je suis bombardé/e d'informations et d'images, alors que je reste chez moi en sécurité, en colère mais conscient/e de mon impuissance. Espérant que quelqu'un quelque part se lève pour freiner la course folle.

Ce quelqu'un, ça pourrait être moi, mais...

J'ai trop peu de pouvoir et ceux qui en ont ne font pas face. Ils fuient. Ils festoient sur les ruines, jusqu'à la dernière goutte de pétrole, le dernier arbre debout, la mort de la dernière abeille. Ils disloquent le navire pour construire leurs radeaux.

Ma rage contre les responsables du désastre ne les freine pas. Je ne sais pas comment contre-attaquer, remplacer mes posts indignés par des actes, des actes qui valent mieux que mille discours.

Ce qu'il me manque, c'est l'idée. L'idée et sa viralité, l'idée partagée avec des milliers d'autres, des milliers d'autres avec qui je vais agir.

Je peux arrêter d'acheter. Mais si ensemble, nous les empêchions de vendre ?

Voilà. Je tiens une idée : inventer des gestes simples et peu risqués qui empêcheraient leurs 4x4 de rouler, leurs pubs de s'afficher, des gestes qui dégraderaient suffisamment l'emballage de leurs produits pour qu'ils ne puissent plus les vendre. Un geste aussi discret et rapide que celui de déboucher un bouchon, de mettre un coup de feutre sur la date de péremption, d'utiliser leur « ouverture facile - tirez ici » en zappant l'étape de l'achat.

Un petit geste pour la planète qui, s'il était reproduit par des centaines de milliers de personnes en même temps, partout, en ciblant un produit ou une marque en particulier, auraient un impact financier tel que nous ferions plier la multinationale qui le fabrique. Ou *a minima*, lui faire perdre des plumes.

Quand on pense qu'il suffirait que des milliers de gens aient la même idée que moi...

Mais ça y est. Je ne suis plus seul/e. Cette idée, vous l'avez aussi.

Leur force est d'avoir réussi à s'infiltrer partout dans nos vies. Leur faiblesse, c'est qu'ils se sont ainsi mis à notre portée. Leur publicité, leurs produits, leurs points de vente sont partout, là, à portée de main.

Ensemble, nous allons riposter, mener des actions décentralisées, simultanées, pertinentes, faciles, drôles ou pas, aux risques légaux très limités, pour mieux les déborder, leur faire perdre des billes et dévoiler leurs crimes, et le faire avec irrévérence, malice et joie. Ils ne sont tellement pas sérieux que nous n'avons aucune raison de l'être.

Nous allons mettre un joyeux bordel, car nous savons que c'est dans l'ordre et la discipline qu'ils organisent la destruction systématique des conditions de la vie sur Terre. Que c'est le *statu quo* qui nous mène vers l'abîme.

Dispersé/e/s, nous serons des milliers d'épines dans leur pied.
Ensemble, nous sommes la Ronce.

Ⓢ Collectif La Ronce

a. Pourquoi pensez-vous que ce collectif s'appelle La Ronce ? ....

b. Soulignez les exemples de gestes de protestation donnés dans le manifeste. En connaissez-vous d'autres ?

c. Relevez tous les mots ou expressions pouvant appartenir au champ lexical de la violence et/ou du chaos.

d. Par quelles expressions pourrait-on remplacer les deux locutions latines données dans le document ?

e. Est-ce qu'il y a de la violence dans les actions de La Ronce ? Justifiez votre réponse.

Les locutions latines

7. Complétez à l'aide des étiquettes. Utilisez un dictionnaire si nécessaire.

idem | in extremis | de facto | a priori | modus operandi | a fortiori | quiproquo | statu quo

a. Si les agressions verbales ne sont pas acceptées, ... les agressions physiques le sont encore moins.
b. Quelque perfide qu'eût été le .... de ce criminel, il a fini par être arrêté.
c. C'est .... qu'il a échappé à cet accident.
d. Les années passent et les violences de guerre dans ce pays continuent d'augmenter. Le .... international à ce sujet est intolérable.
e. Ces amis se sont mal compris, et c'est ainsi que ce .... a conduit à une baston générale dans le quartier.
f. C'est .... quelqu'un de bien, mais il doit encore faire ses preuves pour avoir mon consentement.
g. L'amnésie traumatique conduit certaines victimes à oublier les faits, parfois pendant de longues années, les empêchant .... de dénoncer leurs agresseurs.
h. Je prône le respect des humains. .... pour les animaux et toutes les espèces vivantes.

Les fonctions et usages de *quelque*

8. Entourez la bonne réponse.

a. En signe de protestation, **quelques** / **quelque** centaines de personnes se sont allongées devant l'Assemblée nationale.
b. J'ai passé **quelques** / **quelque** temps dans cette association.
c. Ils étaient **quelques** / **quelque** 2 000 manifestants selon les services de police.
d. **Quelques** / **quelque** dix vigiles barraient l'entrée du bâtiment.
e. Nous sommes **quelques** / **quelque** peu excédés par son attitude méprisante.

9. Formulez des phrases avec les éléments donnés.

a. Je / quelque / paradis / passerai / milliers / ma retraite / tropical / dans / à / de kilomètres. / quelques

b. Nous / un exposé / avons fait / de / et / quelques / nous / deux / heures / avons eu / bons / mots. / quelque

c. qu'il soit, / Quelque / mon frère / quelques / courageux / a enduré / galères.

d. Quelques / elle / que / je / fasse, / photos / belles / déçue. / est / toujours / peu / quelque

e. Quelque / la situation / prise / que / soit / et / quelles que / les décisions / soient / à ce sujet / par le gouvernement / fatigante / il faudra obéir.

Les sentiments et les sensations

10. **Regardez ces trois affiches et répondez aux questions.**

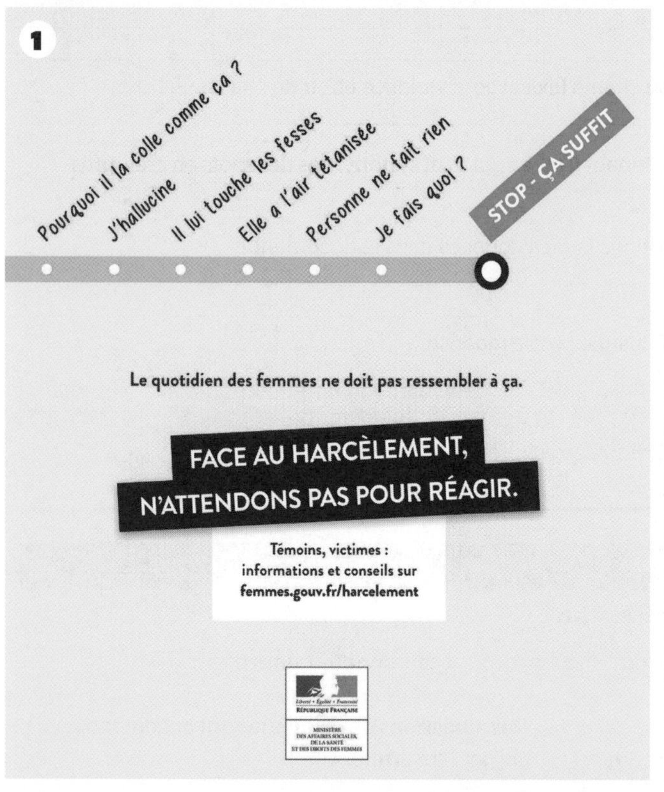

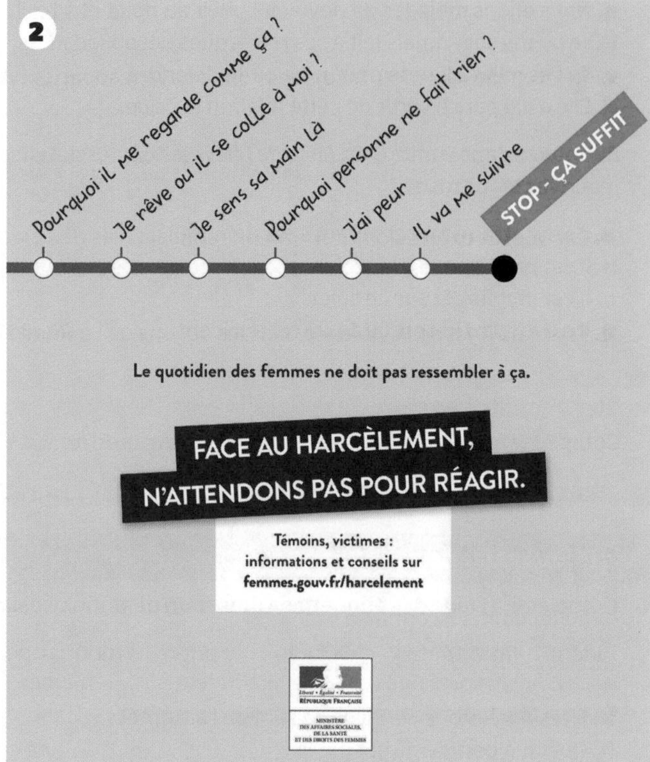

a. À votre avis, quel est le thème de cette campagne ?

- ☐ Lutte contre le harcèlement au travail.
- ☐ Lutte contre le harcèlement scolaire.
- ☐ Lutte contre le harcèlement dans les transports.

b. À qui correspond chaque affiche ?

- ◯ Témoin
- ◯ Victime
- ◯ Agresseur

c. Remplacez ces expressions par d'autres mots ou expressions synonymes :

- « Elle a l'air tétanisée » : ....
- « J'ai peur » : ....
- « Sale chienne » : ....

d. Choisissez un des trois roles concernés (témoin, victime ou agresseur) et écrivez-lui un message. Vous pouvez vous aider de la boîte à outils.

....

....

> BOÎTE À OUTILS
> appréhension, dévalorisation, souffrance, soulager, blessant/e, indifférent/e, obstiné/e, indigné/e, douloureux/euse, impuissance, fureur, fierté, frustration, désolant, agressé/e, resigné/e, subir, meurtrie, attaqué/e, démolir

Les expressions avec *en* et *y*

11. Réécrivez ces phrases en utilisant les pronoms *y* ou *en*.

a. Nous étions malades de devoir lui obéir au doigt et à l'œil. ....
b. Je ne me suis jamais fait à ses remarques désobligeantes. ....
c. Tu t'es mis au karaté pour pouvoir te défendre. ....
d. Elle a fini par se sortir de cette relation toxique. ....

12. Retrouvez dans l'unité 6 du *Livre de l'élève* les expressions contenant *y* ou *en* qui sont synonymes des mots en gras, puis réécrivez les phrases.

a. Il **s'est attaqué à** cet enfant sans défense. ....
b. Il **est prédisposé à** la violence. ....
c. Il **est incollable sur** ce sujet. ....
d. Il **est en partie coupable de** cet accident. ....

Les expressions avec *sang*

13. Complétez à l'aide des étiquettes et faites les transformations nécessaires.

sanguinolent | saignant | sanglant | sanguin | saigner | ensanglanté

a. Après son altercation, son visage était ....
b. Fred a un tempérament .... Il s'emporte facilement.
c. Cette femme a connu un drame ....
d. Je prendrais mon steak bien ....
e. La boxe à mains nues est un sport violent et extrêmement ....
f. C'est une faute de français courante qui me fait .... les oreilles.

14. Lisez ces témoignages d'anciens employés d'abattoirs puis répondez aux questions.

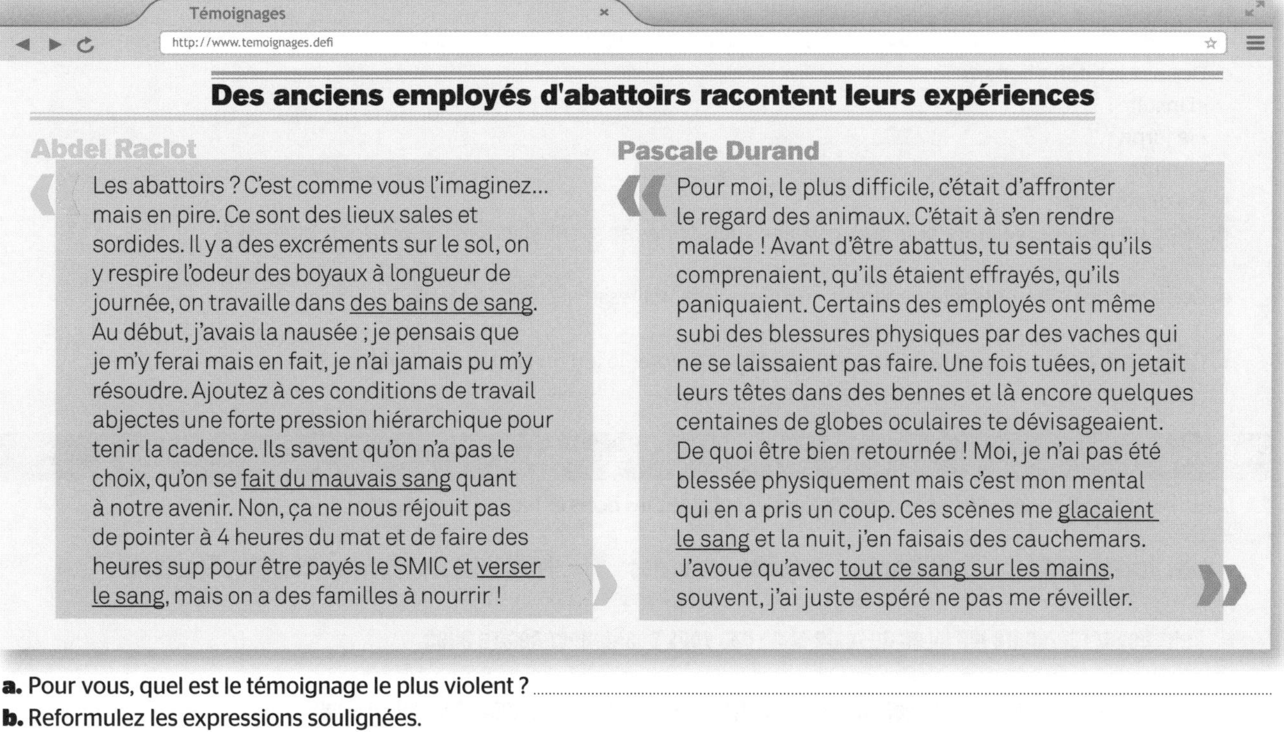

Des anciens employés d'abattoirs racontent leurs expériences

Abdel Raclot

« Les abattoirs ? C'est comme vous l'imaginez… mais en pire. Ce sont des lieux sales et sordides. Il y a des excréments sur le sol, on y respire l'odeur des boyaux à longueur de journée, on travaille dans des bains de sang. Au début, j'avais la nausée ; je pensais que je m'y ferai mais en fait, je n'ai jamais pu m'y résoudre. Ajoutez à ces conditions de travail abjectes une forte pression hiérarchique pour tenir la cadence. Ils savent qu'on n'a pas le choix, qu'on se fait du mauvais sang quant à notre avenir. Non, ça ne nous réjouit pas de pointer à 4 heures du mat et de faire des heures sup pour être payés le SMIC et verser le sang, mais on a des familles à nourrir ! »

Pascale Durand

« Pour moi, le plus difficile, c'était d'affronter le regard des animaux. C'était à s'en rendre malade ! Avant d'être abattus, tu sentais qu'ils comprenaient, qu'ils étaient effrayés, qu'ils paniquaient. Certains des employés ont même subi des blessures physiques par des vaches qui ne se laissaient pas faire. Une fois tuées, on jetait leurs têtes dans des bennes et là encore quelques centaines de globes oculaires te dévisageaient. De quoi être bien retournée ! Moi, je n'ai pas été blessée physiquement mais c'est mon mental qui en a pris un coup. Ces scènes me glacaient le sang et la nuit, j'en faisais des cauchemars. J'avoue qu'avec tout ce sang sur les mains, souvent, j'ai juste espéré ne pas me réveiller. »

a. Pour vous, quel est le témoignage le plus violent ? ....
b. Reformulez les expressions soulignées.

....
....
....
....
....

c. Trouvez dans les témoignages des expressions synonymes de :
- s'habituer à quelque chose (deux expressions) : ....
- être perturbé / dégoûté par quelque chose (une expression) : ....
- être affecté par quelque chose (une expression) : ....

Les insultes

15. Classez ces insultes dans le tableau. Si besoin, faites des recherches sur Internet. Quelles sont vos préférées ?

espèce de poule mouillée | épinard | peigne-cul | sac de boue | cornichon | andouille | ta mère en maillot de bain | je n'ai pas envie de t'insulter car j'ai peur de salir l'insulte | sac à patates | scélérat | foutriquet | zigoto | banane | malotru | goujat | maraud | parisien | fumier | moule à gaufre | tocard | bouffon | couillon de la lune | branquignole | va te faire cuire un œuf

Insultes d'autrefois	Insultes enfantines

16. Écoutez cet extrait d'émission et répondez aux questions.

39

a. Dans son introduction, comment le journaliste présente-t-il l'insulte ?

b. Présentez les différents intervenants de cette émission.

c. Donnez les définitions de :
- l'insulte :
- le juron :
- l'injure :
- la diffamation :

d. Selon un des intervenants, pourquoi certaines personnes agissent-elles sans retenue sur Internet ?

e. Comment les différents intervenants perçoivent-ils la politesse et à quoi sert-elle ?

f. Que pensez-vous de la phrase « la politesse, c'est accepter le jeu du langage dominant » ?

MÉTHODOLOGIE - S'entraîner à l'épreuve de production orale du DALF

17. Lisez ces conseils pour réussir son exposé oral, soulignez les bons et barrez les mauvais.

- Vous pouvez modifier la problématique du thème des textes
- Privilégiez les réponses courtes et concises
- Vous devez reprendre les idées du texte et ne pas vous positionner contre elles
- Si vous ne comprenez pas les questions de l'examinateur, proposez poliment un autre sujet
- Si l'examinateur vous contredit, essayez de trouver des arguments qui vont dans le sens de ce qu'il pense ou ce qu'il suggère
- Dans votre argumentation, vous pouvez ajouter des idées personnelles aux idées du texte
- Lisez bien le thème et les textes avant de préparer votre argumentation
- Rédigez des phrases «stratégiques»
- Notez les mots-clés et les mots nouveaux spécifiques au sujet dont vous aurez besoin lors de la présentation

18. Lisez le texte ci-dessous et celui de l'activité 6 du collectif La Ronce. Ils vont configurer votre dossier qui a pour thème « Que penser des actions de désobéissance civile ? ». Puis suivez les consignes.

NOUS AVONS SUIVI UNE FORMATION À LA DÉSOBÉISSANCE CIVILE D'EXTINCTION REBELLION

« La désobéissance civile fera émerger un débat sur le changement climatique » assure Roger Hallam, cofondateur d'Extinction Rebellion (XR). Fondé au Royaume-Uni en octobre 2018, ce mouvement prône la non-violence en réponse à l'urgence climatique. Désobéir pour ensuite agir s'apprend. France Inter a suivi une formation. (...)

Le rendez-vous est donné dans un squat écolo de l'est parisien. À l'étage, dans une pièce sombre, sur des chaises et canapés de deuxième ou troisième main, les 22 participants prennent place. Ils sont là pour apprendre à ne pas toujours respecter les lois, dans les règles de l'art, sans violence. En face d'eux, trois formateurs, qui ont l'âge moyen de leurs «élèves», vont leur donner les rudiments de la désobéissance civile. Ils sont militants d'Extinction Rebellion (XR), mouvement qui a moins d'un an d'existence dans le monde mais qui grandit aussi vite que la planète se meurt.

XR débordé par le nombre de militants intéressés par ce mode d'action

À tour de rôle, ils se présentent ; certains utilisent leur pseudo du forum, d'autres leurs vrais prénoms. La plupart n'ont jamais milité. Tous veulent désormais « passer à l'action, arrêter de regarder les bras croisés sans rien faire ».

Le dogme d'Extinction Rebellion est la non-violence, « d'abord parce que ça marche », explique Artus, un des trois formateurs. « C'est notre stratégie. On peut aller vers le rapport de force, mais toujours sans violence ».

C'est cette marque de fabrique non violente qui a fait connaître XR au plus grand nombre. Le 28 juin dernier, alors que des militants ont entrepris de bloquer à la circulation le pont Sully à Paris, en pleine canicule, ils sont délogés avec force et dans un déluge de gaz lacrymogènes. Aucun des manifestant n'a réagi à cette riposte policière. La vidéo fait grand bruit. XR s'est fait un nom en France. Dans la foulée, la mouvement enregistre un millier d'adhérents supplémentaires. En décembre dernier, le forum comptait plus d'un millier de militants. Aujourd'hui, ils sont environ 7 500.

Ne pas confondre dégradations et violences

Le stage de désobéissance civile prend ensuite une tournure plus concrète sur la volonté de chacun de passer à l'action. Un débat mouvant est organisé. En résumé : les participants se déplacent entre quatre points cardinaux : Violent / Pas violent / Je ferai / Je ne ferai pas.

Parmi les cas de figure proposés : que faire si l'action est de coller des autocollants sur une vitrine d'agence bancaire ? S'il faut empêcher des salariés d'aller au travail... ?

À eux de se déplacer en fonction des types d'actions qui leur sont soumis. La méthode peut paraître au début étonnante, mais elle permet de libérer la parole : qu'est-ce que la violence réelle ? La violence contre les personnes morales existe-t-elle ? Comment ne pas franchir le cap entre dégradations et violences ?

Très vite, la question de fond de XR est posée : quelle différence entre légalité et légitimité ? Et sa variante : ce qui est légitime est-il toujours légal ?

Nauli, militante qui a rejoint XR il y a un mois, explique qu'il « y a une forme de violence quand on sort de la loi. Chacun doit composer avec ça ».

Il faut s'affranchir des règles qu'on a en tête

À 26 ans, elle envisage son engagement progressif, mais est déjà certaine d'avoir trouvé un mode d'expression qui lui convient. « J'ai pensé longtemps que le vote était le meilleur moyen d'expression citoyenne, j'ai compris que non. Je ne vote plus. Je suis en colère contre les politiques. Ici, je suis persuadée que la désobéissance civile va me permettre de m'exprimer comme je l'entends. »

Désobéir mais jusqu'où ?

L'urgence climatique pousse ces primo militants à repenser leur place dans la société. Ce réveil citoyen veut contraindre les politiques, les entreprises, à prendre toutes les dispositions nécessaires pour sauver la planète. « Le but est de recruter de plus en plus de monde, pour rendre nos actions de plus en plus acceptables. Et au final aller plus loin » affirme Paul, l'un des formateurs de cette journée d'apprentissage.

Mais aller jusqu'où ? « Certains seront probablement un jour arrêtés, en garde à vue », affirme Mathilde, une autre formatrice en charge des questions juridiques. « Il y a une notion de sacrifice chez certains, pas dans le sens martyr. Mais dans le sens où même si ça ne marche pas, on aura au moins essayé de faire quelque chose. »

(...)

Ⓢ franceinter.fr, par Poutchie Gonzales, Vanessa Descouraux

a. Chronométrez-vous. Vous avez 10 minutes pour formuler votre problématique et élaborer votre plan d'argumentation.
b. Chronométrez-vous. Vous avez 10 minutes pour préparer l'introduction et la conclusion de votre exposé.
c. Chronométrez-vous. Vous avez 15 minutes pour préparer vos notes.
d. Faites votre exposé oral devant la classe. Puis ce seront vos camarades et aussi votre professeur qui joueront le rôle du jury et vous poseront des questions sur le contenu de votre exposé.

PHONÉTIQUE - L'intonation de l'exclamation interrogative

19. Écoutez et cochez quand vous entendez une question qui contient aussi une exclamation.

40

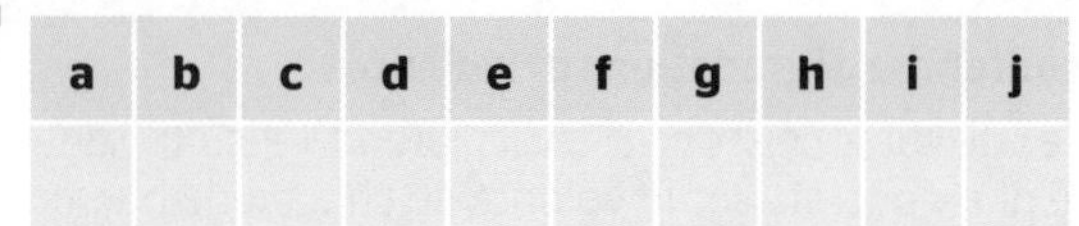

a	b	c	d	e	f	g	h	i	j

Quand une phrase interrogative n'a pas de marque grammaticale d'interrogation (*est-ce que*, inversion du sujet, mot interrogatif), l'intonation monte.

Si à l'interrogation s'ajoute une exclamation, l'intonation monte à un degré supérieur et devient très aiguë.

20. Lisez les questions suivantes à voix haute. Puis prononcez-les en ajoutant une exclamation.

a. Tu veux aller où ?
b. Elle a terminé son examen en une heure ?
c. Ils sont italiens ?
d. Elle vous a dit de partir ?
e. Elles ont voulu acheter ça ?
f. Ça, c'est du café ?
g. Ils sont tous malades ?
h. Tu ne veux pas venir au pique-nique ?
i. Ils ne t'ont pas expliqué le problème ?
j. Il a fait quoi ?
k. Vous voulez rencontrer qui ?

PHONÉTIQUE - Le rythme et l'intonation de l'énumération

21. Écoutez les listes suivantes et complétez l'encadré.

41

a. Je voudrais du pain, du riz, de la farine, des œufs et du lait.
b. Dans cette boîte il y a des aiguilles, du fil, des boutons, des épingles, un dé à coudre et des ciseaux.
c. Si tu vas au marché, achète des poires, un melon, un kilo de cerises, des oranges, un ananas et des fraises.
d. Pendant notre voyage, nous allons visiter le Mexique, le Guatemala, le Costa Rica, le Panama, la Colombie, le Pérou et le Chili. Ce sera un beau voyage.
e. Pour la soirée, il faudra que j'achète du vin, de la bière, des assiettes en carton, des chips, des canapés, de la charcuterie et du fromage.
f. Les enfants sont allés au zoo et ils ont adoré les lions, les tigres, les singes, les aigles, les éléphants, les girafes et les ours.
g. Il adore les sports extrêmes. IL fait du kayak, du parachutisme, du rafting, du deltaplane, de l'escalade et de la varappe.
h. C'est une belle gerbe. Il y a des roses, des œillets, des marguerites, des arums, des violettes, des glaïeuls et des tournesols.

Dans une énumération, les éléments de la liste sont séparés par des .... À l'oral, cela se traduit en un groupe rythmique donc une pause. L'intonation de chaque élément de l'énumération est une intonation montante. L'intonation de l'avant-dernier élément .... encore plus pour annoncer la fin et l'intonation du dernier élément ....

22. Complétez les listes suivantes, puis lisez-les à voix haute.

a. Les pays que je voudrais connaître sont ....
....
b. Les légumes qui me plaisent sont ....
....
c. À mon avis, les plus grandes inventions de l'humanité ....
....
d. Les types de musique que j'aime danser sont ....
....
e. Voici les objets que j'ai toujours dans mon cartable (ou dans mon sac) : ....
....

La politesse

07

Le tutoiement et le vouvoiement

1. Lisez l'article puis répondez aux questions.

Marre de ce tutoiement obligatoire (et de la bise qui va avec)

Sympa le tutoiement ? Pas sûr. Il s'approprie l'autre **sans ménagement**, abolit la durée requise par une relation vraie, dont il efface les nuances. **Un comble** : en effaçant la distance, il ruine aussi l'intimité, dont il n'est plus le marqueur. Parfait pour les faux amis Facebook, mais pour le reste...

Nous ne sommes ni Romains ni Anglo-saxons ! Le «tu» latin **est de mise** jusqu'au IIe siècle, moment où apparaissent certains vouvoiements dans quelques formules de politesse et le *you* anglais sert au singulier comme au pluriel ; c'est l'usage du prénom qui joue le rôle distinctif entre tu et vous ! Du reste, le prénom **a** tout autant **la cote**. Il parachève le tutoiement dès la première prise de contact, comme si on s'était quitté la veille.

La palme en revient à une émission de mi-journée sur RMC. Le tutoiement est obligatoire. Et forcé. Il y a quelques jours un auditeur qui prenait la parole était réticent au tutoiement : *ce n'est pas dans mes habitudes* ! Il a fini par céder **sous la pression** de l'animateur ! Et tout sonna faux.

Alors que dire de cette mode ? D'abord, que le tutoiement est l'appropriation de la conscience de l'autre. Dans sa totalité. Aucune **mise à distance**, aucun écart entre moi et l'autre. Je te parle donc tu m'appartiens, **tu es des nôtres**. Cette appropriation est immédiate et elle efface toute temporalité, toute durée vraie, toute inscription dans une histoire personnelle qui fonde le tutoiement, c'est-à-dire le temps.

L'allure générale de ce tutoiement fait démocratique et fait forum ! Le débat ne se joue pas sur le fond mais sur l'incise du tu comme marqueur de vérité. Et paradoxe médiologique : cette fausse intimité, ce «fake», se trouve requis comme **preuve d'authenticité** !

Le vouvoiement est rejeté parce qu'il a l'indécence de la distance, donc de l'erreur possible et de l'insupportable principe d'autorité. Et pourtant de Gaulle vouvoyait sa femme ! Entre eux, **pas le moindre écart**, au propre comme au figuré.

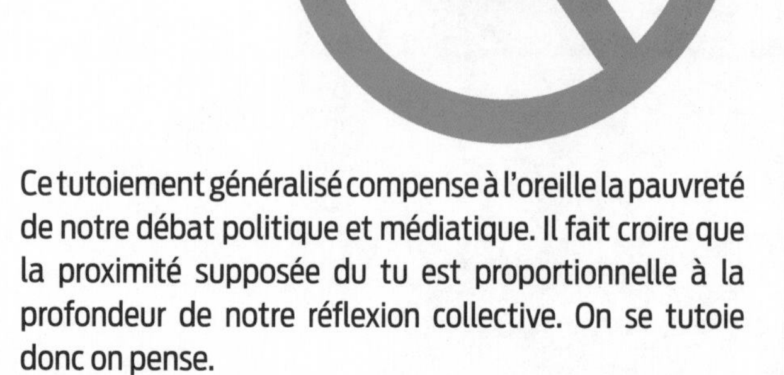

Ce tutoiement généralisé compense à l'oreille la pauvreté de notre débat politique et médiatique. Il fait croire que la proximité supposée du tu est proportionnelle à la profondeur de notre réflexion collective. On se tutoie donc on pense.

Pis encore, il s'est transformé, **à notre insu**, en vrai marqueur totalitaire de notre pensée unique - je veux dire d'une opinion qui est nécessairement vraie parce que mienne – en une preuve que pour débattre, vaut mieux ne pas se connaître et faire comme si l'on se connaissait. **De courte date**, et ce sera encore mieux.

Quant à l'**invective** qui doit faire le buzz sur les réseaux sociaux, elle est permise grâce au tu qui lui donne ses conditions d'existence. Sa légitimité. Après tout, on peut bien s'insulter puisqu'**on est pote** ! Pardon, ami !

Au fond, mon exaspération, due à certaines émissions de télé et de radio, vient de ce que le tutoiement n'est pas le gage d'une proximité interindividuelle ou de la valeur d'un débat mais plutôt son exact contraire. Je le trouve profondément suspect, ce tutoiement, faussement démocratique, mensongèrement populaire, politiquement **faux-cul**, à l'image de ce que les dirigeants fascistes de l'Italie, en interdisant dès 1938 l'utilisation du *Lei* de politesse italien, avaient tenté de faire pour des raisons nationalistes. En supprimant le *Lei*, ce vous de politesse et d'histoire, ils avaient voulu faire du tu le faisceau linguistique convergeant et forcé d'individualités devenues insupportables à leur projet politique. **Tiens, tiens** !

Ⓢ marianne.net, par Bruno Lavillatte

a. Classez les mots et les expressions en gras dans le tableau.

Connotations positives	Connotations négatives

b. Avez-vous trouvé des mots ou des expressions avec des connotations positives à la base, mais avec un sens négatif dans l'article grâce à l'ironie ?

....

....

c. Choisissez quatre mots ou expressions du tableau de l'activité **a.** et utilisez-les pour écrire quatre phrases avec eux.

....

....

....

....

d. Dans la phrase « Au fond, mon exaspération, due à certaines émissions de télé et de radio, vient de ce que le tutoiement… », par quel mot pourrait-on remplacer le pronom neutre *ce* ?

☐ le fait
☐ l'exaspération
☐ le tutoiement

e. Avec vos propres mots, résumez l'article en quelques lignes.

....

....

....

....

....

....

2. Écoutez cet extrait d'émission et répondez aux questions.

42

a. Êtes-vous d'accord avec la phrase « la distance c'est la civilisation » ? Illustrez votre propos par des exemples.

....

....

....

....

....

b. Dans quels pays le vouvoiement ne s'est-il pas imposé ?

....

....

c. Quelles séparations le vouvoiement permet-il ?

....

....

d. Résumez en quelques lignes l'histoire du vouvoiement.

....

....

....

....

....

....

e. Reformulez cette phrase extraite du document : « Quand tout va bien, la politesse est juste la cerise sur le gâteau. »

....

....

Les pronoms relatifs neutres *ce qui, ce que, ce dont, ce à quoi...*

3. Complétez ce texte avec les pronoms *ce qui, ce qu', ce dont* et *ce à quoi.*

Lors d'une émission de TV, l'animateur Laurent Ruquier a demandé à ZAZ pourquoi elle tutoyait aussi facilement, ... la chanteuse a répondu que c'était pour avoir une communication plus directe et intimiste. En effet, pour elle, le vouvoiement marque une distance, ... elle semble ne pas vouloir instaurer avec ses interlocuteurs.
Cependant, ... elle semble avoir également conscience, c'est qu'en France, son tutoiement peut être considéré comme un manque de respect, ... est d'ailleurs tout à fait improbable au Québec, où le tutoiement est la pratique habituelle.

4. Trouvez les mots de la colonne de gauche en vous aidant des consignes et des définitions.

Mot	CONSIGNES	DÉFINITIONS
□□□□□		C'est ce qu'on peut faire sur la joue ou sur la bouche des personnes qu'on affectionne.
□□□□□□□□□□	Garde le **c** et le **o** du mot précédent et place-les au début.	C'est ce qui montre une certaine entente ou complicité. La...
□□□□□□□□□	Garde les **e** du mot précédent.	C'est ce que font les poils quand nous sommes irrités, horripilés. Ils se...
□□□□□□□□□□□	Garde deux **s** du mot précédent.	C'est ce dont on doit se restreindre de faire par temps de Covid-19. Des...
□□□□□□□□	Garde le **d** du mot précédent.	C'est ce qui se dit d'une affectation de réserve et de bienséance. La...
□□□□□□	Garde le **u** du mot précédent et place-le au même endroit.	Celui qui est grossier et indélicat envers les femmes en est un.
□□□□□□□	Garde le **t** du mot précédent et place-le à la fin.	C'est ce dont on manque quand on insulte quelqu'un par exemple.

5. Créez votre propre tableau comme celui de l'activité précédente et faites deviner les mots à vos camarades de classe. Pour les définitions, utilisez les pronoms relatifs neutres *ce qui, ce que, ce dont* et *ce à quoi.*

La place des adjectifs qualificatifs

6. Reconstituez les phrases suivantes et expliquez la place choisie pour les adjectifs.

a. Le - dérourante. - mode - une - tutoiement - est

....

....

b. Gisèle - une - plante - vivace - magnifique - à - rouges - fleurs - a acheté

....

....

c. Quel - impoli - vieux- extrêmement- schnock - insupportable

....

....

d. Elisabeth - la première - est - la / l' - famille - petite - royale - de - fille - belge. - actuelle

....

....

e. Ce - garcon - avec - de - drôles - manières - de - jeune - est - un - personnage. - grossier

....

....

f. Max et Lulu - qui se connaissent - amis - sont - de - certain - un - grands - depuis - temps.

....

....

7. Complétez le tableau.

Adjectif à utiliser	Place par rapport au nom	Votre phrase	Synonyme de l'adjectif dans ce contexte
curieuse	avant	*C'est une curieuse personne.*	*étrange*
curieuse	après		
sacré/e	avant		
sacré/e	après		
brave	avant		
ancien/ne	après		
sale	avant		
bon	après		

8. Transformez ce texte en commençant par *Ces hommes...* et en faisant les changements nécessaires.

Cet homme, c'est quelqu'un de très spécial ! Moi, je le trouve même génial. Il est toujours jovial, il a toujours un mot gentil, il est très amical et, face à des situations ou des personnes difficiles, il sait rester courtois et impartial.

Ces hommes ....

Les formules de politesse

9. Écoutez cette émission et répondez aux questions.

43

a. Quelle est l'humeur de Linda ?

b. Relevez quelques phrases qui dévoilent son humeur.

c. Selon elle, l'utilisation de la formule « Prenez-soin de vous » est :

☐ bienveillante
☐ hypocrite
☐ légitime

d. Reformulez ce que veut vraiment dire « Prenez soin de vous » pour Linda.

e. Et vous, partagez-vous l'humeur et l'analyse de Linda ?

10. Lisez l'article puis répondez aux questions.

Quelle formule de politesse peut-on utiliser dans un courrier ?

Hier, j'ai terminé ma chronique sur les pièges de l'impératif par une formule de politesse - à l'impératif : « Veuillez agréer mes salutations distinguées ». Nos auditeurs me posent souvent des questions sur les formules à utiliser à la fin de courriers un peu officiels. En effet, ce sont des formules figées, que l'on n'utilise pas dans la langue courante, et qui parfois ne veulent plus dire grand-chose, ce qui fait qu'on les mélange et qu'on les emploie de travers.

Évidemment, on ne les emploie jamais à l'oral ; si je l'ai fait hier, c'était par plaisanterie. Mais d'abord, qu'est-ce que la politesse ? Le mot vient de l'italien *politezza*, qui signifie «raffinement», lui-même descendant direct du latin *polito*, «poli», mais «poli» dans le sens de «lisse».

Une personne polie ou un caillou poli, ce n'est pas tout à fait la même chose, et d'ailleurs le poli des humains a donné «politesse», tandis que celui des cailloux, c'est le «polissage»... ou le «poli» d'ailleurs.

La politesse, selon le *Larousse*, c'est « l'ensemble des usages sociaux régissant les comportements des gens les uns envers les autres ». C'est dire bonjour et merci, c'est aussi laisser sa place à une personne âgée dans le métro. Au passage « le contraire de poli est impoli ; malpoli est familier », nous rappelle le *Larousse*.

Un conseil ? Simplifier au maximum

Dans un courrier, la politesse, c'est d'abord écrire clairement, ne pas faire de fautes au nom de son correspondant, par exemple. Commencez tout simplement par «Madame» ou «Monsieur» et allez à la ligne. « Chère madame » ou « Cher monsieur» ne s'emploient que si vous connaissez déjà un peu la personne.

Mais le problème principal, c'est surtout la formule de conclusion... Dans l'ensemble, mon conseil est de sim-pli-fier. Les formules ampoulées à base de salutations distinguées comportent souvent plus d'erreurs que de distinction. « Je vous prie d'agréer, Madame ou Monsieur, mes sincères salutations », suffit tout à fait pour un courrier très officiel.

La première des politesses, c'est une orthographe correcte

Pour un courriel, ou pour un courrier moins officiel, la formule peut être beaucoup moins compliquée : «Respectueusement», «Courtoisement», «Cordialement» ou « Bien à vous », du plus guindé au plus amical, font parfaitement l'affaire.

Et rappelez-vous que la première des politesses, en particulier quand il s'agit d'un courrier important, comme une demande d'emploi ou de stage, c'est une orthographe correcte. Si vous savez que la vôtre est approximative, ce n'est pas un crime, mais n'oubliez pas de vous faire relire par un copain ou un parent plus doué.

S rtl.fr, par Muriel Gilbert

a. Reformulez la phrase « Les formules ampoulées à base de salutations distinguées comportent souvent plus d'erreurs que de distinction ».

....

....

b. Quel est le synonyme de *solennel* utilisé à la fin de ce document ? ....

c. « La première des politesses, (...) c'est une orthographe correcte ». Êtes-vous d'accord ? Justifiez votre réponse.

....

....

d. Listez les formules qui appararaissent dans le texte et cherchez le mot ou l'expression équivalente dans votre langue.

Formules en français	Formules dans votre langue

Les règles de politesse et les indéfinis + *de* + adjectif

11. En utilisant un indéfini + *de* + adjectif, donnez votre avis sur les sujets suivants, puis comparez vos réponses et discutez-en avec vos camarades de classe.

a. Les fautes d'orthographe dans les courriers informels / amicaux.
b. Être poli avec quelqu'un qu'on n'apprécie pas.
c. Ne pas enlever ses chaussures quand on est invité chez quelqu'un.
d. Arriver les mains vides quand on est invité chez quelqu'un.
e. Une personne qui arrive avec 30 minutes de retard.
f. Une personne qui fait du bruit en mangeant ou en buvant.
g. Une personne qui parle fort au téléphone dans les transports en commun.

12. Écrivez un petit texte pour répondre à cette question. Vous pouvez vous aider de la boîte à outils.

Sur quelle/s règle/s de politesse êtes-vous, en général, intransigeant/e ?

....
....
....
....
....
....
....

BOÎTE À OUTILS
aberrant, outrage, incommode, agaçant, un bon usage, amoral, impudique, libertaire, inquiétant, intolérance, déranger, affecter, répulser, dégoût, intransigeance, désolation, sidération, gênant, embarrassé/e, irrespect, choquant, un faux-pas, bienséance

13. Entourez les bonnes réponses.

a. Coûte que coûte, il se battra pour échapper **de / à / ø** cette sanction injuste.
b. L'élection de ce président signe la fin **d' / à / ø** une sombre période.
c. Ce genre de comportement, ça ne se fait pas ! On t'évince **du / au / ø** groupe !
d. Il se distingue **de / à / ø** son frère par sa bonhomie.
e. Elle s'adresse **d' / à / ø** eux avec beaucoup de savoir-vivre.
f. Pour moi, c'est de rigueur d'inculquer **de / à / ø** les bonnes valeurs **de / à / ø** mes fils.
g. Il se croyait tout permis ; elle a donc banni **de / à / ø** ce malotru **de / à / ø** son réseau social.

Les expressions avec le mot *face*

14. Réécrivez les phrases suivantes en utilisant l'expression qui correspond.

faire face à quelque chose / quelqu'un — regarder quelque chose / quelqu'un en face — se voiler la face — perdre la face — dire quelque chose en face — être face à quelque chose / quelqu'un

a. Plutôt que de casser du sucre dans mon dos, j'aurais préféré que tu viennes directement me parler de tes problèmes.

....

b. Mon honneur a été bafoué par cet homme qui n'a pas respecté cette règle de politesse très importante pour moi.

....

c. Ouvrons les yeux : toi et moi, c'est fini ! On ne s'entend vraiment pas !

....

d. Pour elle, ceux qui ont douté de la gravité de la situation ont nié la réalité

....

e. Tu dois affronter cette épreuve et ne pas reculer, même si cela est difficile.

....

f. Ici, il est confronté à des individus aux manières différentes des siennes.

....

Le consentement

15. Lisez cet adage et répondez aux questions.

Qui ne dit mot consent !

a. Êtes-vous d'accord avec cette phrase ?

....
....

b. Pour vous, qu'est-ce-que le consentement ? Illustrez votre réponse d'exemples (environ 200 mots).

16. Lisez ces témoignages de parents et répondez aux questions.

≡ Question du jour : DOIT-ON OBLIGER NOS ENFANTS À FAIRE LA BISE ?

Pour moi, il a toujours été hors de question d'astreindre mon fils à bécoter, que ce soit avec des étrangers ou même avec des membres de la famille. S'il n'en a pas envie, alors c'est aux autres de s'adapter et d'accepter un sourire ou un signe de la tête.

Personnellement, je ne suis pas tactile, et quand quelqu'un d'étranger m'approche pour me faire un bec, je me ferme comme une huître. Je comprends que ce n'est pas agréable de recevoir un baiser non désiré, alors je ne vais pas pousser mon enfant à faire quelque chose que je n'aime pas et que j'évite de pratiquer moi-même.

Les poutous baveux ? Non merci ! On n'a pas gardé les vaches ensemble ! Je déteste cette mode du schmoutz à gogo donc je ne vais pas l'imposer à mes enfants !

Pour faire plaisir aux autres, pendant longtemps j'ai insisté auprès de ma fille pour qu'elle fasse la bise. Puis un jour, j'ai compris qu'en me comportant ainsi je lui laissais entendre que son consentement n'avait pas de valeur et que peut-être un jour, elle considérerait comme normal de se forcer à faire quelque chose - offrir sa joue, voire même une autre partie de son corps - juste pour faire plaisir.

a. Relevez les expressions ou les mots qui sont synonymes de / d' :

- un bisou ou faire un bisou : ....
- obliger qqn à faire qqch : ....
- se replier sur soi : ....
- ne pas être proches ou intimes : ....
- être sur ses gardes : ....

b. Et vous ? Écrivez un petit texte dans lequel vous donnez votre avis sur la question du jour.

MÉTHODOLOGIE - Rédiger un courrier formel

17. Lisez ce courrier et répondez aux questions.

M. et Mme Michequin
3 avenue Jean Prouvé
30000 Nîmes

M. et Mme Flairsou
19 rue de l'Abattoir
33800 Bordeaux

À Paris, le 4 janvier 2021

Lettre recommandée avec accusé de réception
Objet : Demande de prise en charge de frais de réparation suite à la découverte de vices cachés.
Madame, Monsieur,

Les malfaçons constatées nécessitant des réparations, nous vous serions reconnaissants de bien vouloir en prendre les frais à votre charge au titre de la garantie légale des vices cachés pesant sur tout vendeur de bien immobilier et de l'article 1112-1 du Code Civil.

En date du 15 octobre 2020, devant le notaire, vous nous avez cédé la propriété d'un bien immobilier de type appartement sis 12, rue de la Monnaie à Nîmes. Nous avons entrepris de faire des travaux de rénovation et c'est ainsi que nous avons constaté que l'appartement comportait de graves défauts dont il n'a nullement été fait mention au sein de l'acte de vente.

Dans l'attente d'une réponse rapide de votre part, je vous prie d'agréer, Madame, Monsieur, l'expression de nos salutations distinguées.

Sans retour de votre part, nous serons contraints d'entamer une procédure juridique.

Nous avons tenté de vous joindre par téléphone puis par mail, le 2 décembre 2020. Nous vous avons également envoyé un courrier postal avec le constat effectué par notre entrepreneur, son chiffrage de remise aux normes et quelques photos. Malgré toutes nos relances, vous n'avez pas donné suite à nos appels.

Cette découverte a entraîné une suspension obligatoire des travaux jusqu'à remise aux normes. De ce fait, nous ne pouvons pas emménager chez nous comme prévu en ce début d'année et nous devons continuer à louer un studio jusqu'à ce que ce problème soit résolu.

Je vous fais parvenir ci-joint les justificatifs correspondant aux travaux requis.

a. Remettez dans l'ordre les passages de ce courrier.
b. Quel est le destinataire ? ....
Et l'expéditeur ? ....
c. Quel événement est à l'origine de ce courrier ? ....
....
d. Quel est le but de ce courrier ? ....
....
e. Pourquoi l'expéditeur a-t-il choisi ce mode de communication ? ....
....
f. Utilisez d'autres formulations pour réécrire les phrases en gras.
....
....
....
g. Imaginez le contenu du mail écrit le 2 décembre 2020.

18. Lisez ce mail et répondez-y en tant qu'employé de Photop.

Signature : didierduchemin@defi.dfi
À : serv.reclam@photop.dfi
Objet : réclamation

Bonjour,

Je vous écris car je suis très déçu du rendu de ma commande n°2710 reçue le 8 novembre dernier. Il s'agit de l'impression de deux posters encadrés, dont l'un était pour offrir.

La colorimétrie ne correspond pas aux fichiers qui ont été envoyés. Les photos reçues sont plus foncées, plus saturées et pixelisées.

C'est pourquoi je vous saurais gré de bien vouloir procéder à un nouvel envoi de meilleure qualité, ou à défaut de me rembourser car je ne peux rien faire des produits reçus.

Je vous remercie de votre compréhension et espère que vous serez en mesure de donner une suite favorable à ma demande.

Cordialement

Didier Duchemin

Signature : serv.reclam@photop.dfi
À : didierduchemin@defi.dfi
Objet :

19. Choisissez un des sujets suivants et rédigez la lettre formelle correspondante.

A Vous souhaitez changer d'opérateur téléphonique. Vous rédigez une lettre de résiliation à l'adresse de votre opérateur actuel en expliquant votre décision.

B Vous voudriez que la mairie vous cède une parcelle de terre afin de créer un jardin partagé. Au nom de tous les membres de votre association de quartier, vous écrivez le courrier que vous pourriez envoyer au maire.

C Vous avez constaté un problème de sécurité non résolu depuis plusieurs mois dans votre rue (mauvais éclairage, vitesse excessive des automobilistes…). Imaginez le contenu d'une lettre que vous pourriez envoyer au préfet.

PHONÉTIQUE - L'intonation de l'ironie

20. Écoutez les phrases suivantes et complétez l'encadré.

44

a. Tu ne veux pas que je téléphone à ta place ?
b. Il est extrêmement facile, ce problème !
c. Il faut que je vous rappelle que la réunion était à 11 heures ?
d. C'est maintenant que tu arrives ?
e. Elles sont extrêmement gentilles !
f. On le fera comme tu veux, tu as toujours raison !
g. Mais que vous êtes bien avec cette robe si moderne !
h. Ne vous en faites pas, je ne suis pas pressé.
i. C'est brillant, ce que vous dites !
j. Tu as très bien géré le problème !

> L'ironie ou le sarcasme s'utilisent pour exprimer le contraire de ce que l'on dit et sont marqués par l'intonation et par des gestes. L'intonation ironique est .... grave que le normal et on prolonge .... les accents.

21. Écoutez et cochez quand les phrases sont prononcées ironiquement.

45

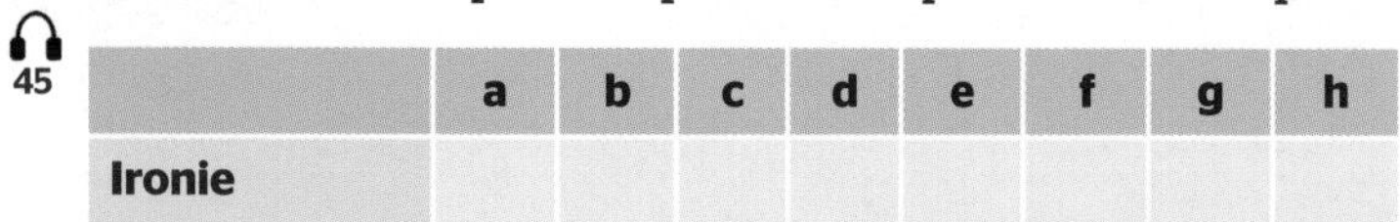

	a	b	c	d	e	f	g	h
Ironie								

PHONÉTIQUE - Les voyelles nasales

22. Écoutez les phrases et cochez si vous entendez le son [ɛ̃] ou le son [œ̃].

46

	a	b	c	d	e	f	g	h
J'entends [ɛ̃]								
J'entends [œ̃]								

23. Complétez l'encadré.

> Quand on écrit .... ou .... les francophones peuvent prononcer de deux manières différentes : .... ou .... C'est une différence de prononciation régionale. Dans le nord de la France, on prononce plutôt [ɛ̃], alors que dans le sud ou au Québec on prononce [œ̃]. Nous avons donc, selon la région trois ou quatre voyelles nasales.

24. Écoutez les phrases et cochez la voyelle nasale que vous entendez.

47

	a	b	c	d	e	f	g	h
J'entends [ɑ̃]								
J'entends [ɔ̃]								
J'entends [ɛ̃]								
J'entends [œ̃]								

25. Complétez l'encadré.

> • La voyelle [ɑ̃] se prononce avec les lèvres arrondies et bien ...., comme si on prononçait [a].
> • La voyelle [ɔ̃] se prononce avec les lèvres arrondies et ...., comme si on prononçait [o].
> • La voyelle [ɛ̃] se prononce avec les lèvres ...., comme si on prononçait [ɛ].
> • La voyelle [œ̃] se prononce avec les .... arrondies et la .... en avant, comme si on prononçait [œ] comme *peur*.

26. Prononcez les phrases suivantes en faisant la distinction entre les quatre voyelles nasales.

a. Un banc blanc dans le Quartier Latin.
b. Ils foncent et poncent ce bois brun.
c. Lundi matin Martin et Blanche vont en Inde.
d. Onze enfants vont à Melun dans un instant.

Mystère... 08

Les légendes, le conditionnel et le conditionnel passé

1. Écoutez la légende de la créature canadienne nommée Wendigo et complétez la fiche ci-dessous.

48

Wendigo	
Type de créature :	
Habitat :	
Description physique :	
Pouvoirs :	

2. Réécoutez l'extrait et complétez le paragraphe suivant avec ce que vous entendez.

49 Jamais personne ne l'.................................., ou du moins, jamais personne ne lui .... pour pouvoir ensuite raconter cette rencontre. En effet, on l'.................................. Wendigo, soit « esprit maléfique et cannibale », car il .... autant de gibier pris dans les pièges des trappeurs que... de trappeurs. Les populations locales le craignent d'autant plus qu'il .... la magie noire et .... ensorceler les êtres qui croisent son chemin. La forêt, elle, peut se rassurer : le mythe dit que c'est pour veiller sur elle que le Wendigo .... si impitoyable.

3. Lisez les descriptions suivantes et notez s'il s'agit d'un cryptide ou d'un animal déjà découvert.

a. Ce mammifère à la gueule puissante et aux canines imposantes peuple les fleuves et rivières d'Afrique subsaharienne. Cet animal gris rosé en forme de tonneau reposerait sur quatre courtes pattes et se nourrirait d'herbe et de plantes aquatiques. Ses narines, oreilles et yeux se trouveraient tous au sommet de son crâne, permettant ainsi à ces organes de rester à la surface de l'eau alors que le corps d'une à quatre tonnes serait immergé. ....

b. Natif d'Amérique du Nord, cet amphibien aurait la peau écailleuse vert foncé et mesurerait entre 1,50 mètre et 2 mètres. Ses mains et pieds seraient palmés mais il se tiendrait debout sur deux pattes, pouvant ainsi marcher sur la terre ferme aussi bien que bondir. Nocturne, il évoluerait en groupes de quatre ou cinq, se nourrissant d'insectes et de carcasses d'animaux le long des autoroutes. ....

c. Ce petit reptile au corps allongé et recouvert d'écailles disposerait d'une longue queue dont il pourrait se débarrasser sur commande pour échapper à un danger imminent. Insectivore, il se déplacerait rapidement, ventre à terre, parfois pour aller se prélasser sur une zone ensoleillée. Cette créature diurne muerait, c'est-à-dire qu'elle changerait de peau plusieurs fois au cours de sa vie. ....

d. Ce bipède aux crocs saillants aurait vu le jour à Porto Rico avant de se répandre en Amérique latine. Il évoluerait la nuit, profitant de l'obscurité pour se régaler de chèvres ou de vaches. Son signe caractéristique : le trou parfaitement circulaire qu'il laisserait au niveau du cou de ses victimes, d'où son surnom de « Vampire de Moca », d'après le village portoricain. ....

e. Avec sa large queue aplatie et couverte d'écailles, ce rongeur serait capable de s'orienter dans les cours d'eau et rivières, où il construirait des barrages. Cet herbivore rongerait les arbres d'Amérique du Nord et d'Eurasie à l'aide de quatre dents extrêmement développées (ses incisives) qui continueraient de pousser jusqu'à sa mort. Appelée « espèce-ingénieur », cette boule de fourrure brune pourrait peser jusqu'à 36 kilos. ....

4. À votre tour, décrivez un animal existant ou un cryptide en suivant le modèle des descriptions de l'activité précédente. Ensuite, vous pouvez demander au reste de la classe de deviner s'il s'agit d'un cryptide ou d'un animal déjà découvert. Vous pouvez vous aider de la boîte à outils.

....
....
....
....
....
....
....
....

BOÎTE À OUTILS
des rayures, une trompe, des cornes, une queue, des écailles, des griffes, des empreintes, une crête, un bec, des pattes, des ailes, de la fourrure

L'astrologie et les négations

5. Lisez ces descriptions des différentes astrologies et répondez aux questions.

L'ASTROLOGIE CELTIQUE

Elle repose sur l'idée qu'en fonction de notre date de naissance, nous sommes spirituellement liés à un arbre. Les 21 signes celtiques sont 21 arbres, qui vont à la fois nous protéger et déterminer notre personnalité.

L'ASTROLOGIE ALCHIMISTE

Elle est composée de dix signes représentés par des éléments chimiques. Pour connaître son signe, on ajoute individuellement les chiffres de son jour, son mois, son année de naissance, jusqu'à n'obtenir qu'un seul chiffre. Ce chiffre (0-9) correspond à un élément.

L'ASTROLOGIE AFRICAINE

Ses douze signes représentent des symboles de la vie quotidienne (les habitudes, la famille, la nature...) afin de nous éclairer sur nos faiblesses et nos ressources. Elle est principalement transmise oralement.

L'ASTROLOGIE ARABE

Comme l'islam ne représente pas de divinité sous forme humaine ni animale, ses douze signes sont des armes. Celles-ci symbolisent notre attitude face à la vie, vue comme un combat permanent.

a. À quelle astrologie décrite ci-dessus appartiennent ces horoscopes ?

LE BAOBAB

Assuré, bienveillant, posé et pragmatique, la force de ce signe réside dans sa capacité à ne jamais décevoir personne.

....

LA HÂCHE

Cette arme étant aussi un outil, ce signe n'est sans doute pas le plus belliqueux : il est plutôt rêveur et idéaliste, avec un grand sens de la justice et du bien.

....

LE NOISETIER

Psychologues et intuitifs, les natifs de ce signe n'oublient jamais rien. Bons baratineurs et beaux parleurs, leur charme fonctionne comme un aimant.

....

LE MERCURE

Signe lié à l'énergie féminine, le mercure est sensible, à fleur de peau. Volubile, sa vie sociale est trépidante. Le mercure ne dit pas non à de nouvelles rencontres. Ses défauts : sa tendance à être possessif et à s'ennuyer vite.

....

b. Reformulez les horoscopes en les mettant à la forme affirmative.

LE BAOBAB

....

LA HÂCHE

....

LE NOISETIER

....

LE MERCURE

....

c. À deux, demandez à votre camarade de choisir une des astrologies de l'activité **a.** et de vous dire sa date de naissance. Ensuite trouvez son horoscope sur Internet et faites des recherches pour le décrire en combinant plusieurs mots de négations dans la même phrase. Puis lisez chacun votre horoscope. Vous reconnaissez-vous dans la description ?

Horoscope :	
Description :	

6. Écoutez cet extrait de l'horoscope d'aujourd'hui et notez les conseils.

🎧 50

	Conseils
Balance	
Scorpion	
Sagittaire	

Le rationnel, l'imaginaire et la science

7. Lisez l'article puis répondez aux questions.

theconversation.com, par Claude Touzet

Pensée magique, quête de sens et méthode scientifique

La pensée magique est une étape normale du développement de l'enfant (entre 2 et 6 ans) où il croit découvrir que ce qu'il pense peut agir directement sur le monde. Cela peut être traumatisant s'il croit être la cause d'événements négatifs comme une maladie ou un accident. Le traumatisme va persister aussi longtemps que sa croyance dans ses capacités. Il faudra qu'il découvre – ou qu'on lui explique – la différence entre le normal et le paranormal pour qu'il dépasse le stade de la pensée magique.

Pourquoi tous les enfants passent-ils par ce stade préopératoire ? Nous sommes une espèce intelligente parce que notre cerveau est en permanence à la recherche de liens entre des éléments jusqu'alors considérés comme indépendants. Cette quête de sens implique de détecter les coïncidences, qui seront ensuite validées (ou non) comme étant des liens avérés. Les premiers liens découverts sont les plus évidents, puis au fur et à mesure de notre apprentissage de la vie, nous découvrons des relations plus complexes. Parmi les premiers éléments glanés nous trouvons : « je lâche un objet alors il tombe », « j'ouvre la porte et les objets sont encore là » (ils n'ont pas bougé), « le feu passe au rouge et les voitures s'arrêtent ».

Admettons qu'un jour, un enfant pense « celui-là je ne l'aime pas » et que juste après on lui dise que cette personne vient de se casser la jambe. Son cerveau étant construit pour détecter les coïncidences, la détection aura lieu et cet enfant croit maintenant que lorsqu'il pense du mal d'une personne, celle-ci va se casser la jambe. Généralisant à partir de ce fait, il croit que ce qu'il pense change le monde... Évidemment, cela ne dure pas. Le monde ne se pliant pas à sa volonté, de nombreuses non-coïncidences vont l'obliger à admettre qu'il est en fait impuissant. Cela peut être très rassurant, mais aussi déprimant (comment expliquer et/ou changer le monde alors ?).

Les adultes et la pensée magique

Dans les lignes qui précèdent, nous avons laissé un enfant démoralisé par son incapacité à changer le monde par la pensée, mais de nombreux adultes croient fermement qu'ils le peuvent. Ce que nous appelons la foi (des croyants) est bien la définition d'une pensée magique. Selon eux, leurs intentions, prières et autres pensées ont une action sur le monde puisqu'elles touchent leur Créateur. Tous les adultes adeptes de la pensée magique n'adhèrent pas forcément à une religion. Les barreurs de feu, par exemple, sont persuadés de limiter au maximum les effets d'une brûlure avec une simple pensée ou prière. Ils existent depuis toujours, en France (plus de 6000) et dans le monde entier. Pourquoi une telle omniprésence ? Une explication possible est qu'ils disposent d'un vrai pouvoir... Mais qu'en dit la science ?

Par définition, la science et ses serviteurs les chercheurs s'intéressent à tous les faits inexpliqués. Les phénomènes non expliqués dans le domaine de la pensée magique sont regroupés sous le nom de « phénomènes paranormaux » (ou PSI). Des milliers d'études ont pointé l'existence de faits qui entrent dans cette catégorie. L'une des études parmi les plus récentes et les plus connues a été publiée dans le *Journal of Personality and Social Psychology* en 2011, et confirmée en 2015. De quoi s'agissait-il ? Daryl Bem, professeur émérite à Cornell University a refait neuf expériences classiques de psychologie expérimentale – en inversant la causalité – et a obtenu des résultats probants. Par exemple, les sujets doivent deviner si une image va apparaître à droite ou à gauche de l'écran. Ils indiquent leur choix, puis un tirage aléatoire a lieu qui détermine où va apparaître la photo. Normalement, c'est du hasard (50%), mais pour une catégorie de sujets – déterminée à l'avance – les probabilités de réussite sont de 56% ! Mais, puisque les phénomènes PSI sont avérés, comment les expliquer ?

Il faut étudier le paranormal !

Une publication scientifique est ainsi faite qu'elle doit permettre à d'autres chercheurs de refaire la même expérience afin de retrouver le même résultat. C'est cette reproductibilité des faits qui fait office de « preuve scientifique ». Qu'en est-il de faits qui ne seraient pas reproductibles par n'importe quelle équipe ? S'il fallait «croire» pour obtenir un certain résultat et qu'à défaut de croire on en obtienne un autre ? De tels faits existent, notamment ceux rapportés par D. Bem. Dans ce cas, la science d'aujourd'hui, avec sa méthodologie, n'a rien à dire : ce n'est pas de son ressort.

Plutôt que de nier toute efficacité à la pensée magique, il faudrait en faire un sujet d'étude autorisé et financé. Quelques chercheurs se sont lancés et proposent des théories, pas très bien vues de la science «mainstream», qui prennent en compte l'expérimentateur (celui-ci n'est plus en dehors de l'expérience) : la théorie de la double causalité, qui entend faire le lien entre science et spiritualité, les ondes scalaires, ou encore les ondes d'échelle.

a. Qu'est-ce que la pensée magique ?
- ☐ La communication entre notre cerveau et celui d'un autre.
- ☐ La conviction que ce que nous imaginons influe sur le réel.
- ☐ La croyance que nos actions passées déterminent nos actions futures.
- ☐ La certitude que notre imagination est limitée par le monde physique.

b. Comment l'enfant prend-il conscience de son impuissance ?
- ☐ En constatant l'inadéquation entre sa volonté et ce qui arrive.
- ☐ En surprenant des adultes parler de ce phénomène et l'invalider.
- ☐ En échouant lorsqu'il essaye de changer consciemment le monde.
- ☐ En suivant les conseils de ses parents et de ses professeurs.

c. Vrai ou faux ? Ceux qui croient fermement en la pensée magique sont adeptes d'une religion. Justifiez votre réponse.

....

....

....

....

....

d. Qu'est-ce qu'un phénomène PSI ?
- ☐ Des pensées magiques communes à tous les enfants.
- ☐ Des pensées magiques n'ayant pas encore été étudiées.
- ☐ Des pensées magiques justifiées de manière rationnelle.
- ☐ Des pensées magiques ne relevant pas de la coïncidence.

e. Vrai ou faux ? Pour qu'une théorie soit scientifiquement prouvée, elle doit pouvoir être menée plusieurs fois en obtenant toujours le même résultat. Justifiez votre réponse.

....

....

....

....

....

8. Entourez le mot qui convient.

a. • Quoi, tu n'as rien dit ?
○ Non, j'ai décidé d'être un bon ami et de ne pas **dévoiler** / **garder** / **propager** son secret.

b. • Apparemment, cette boîte n'est pas fan des années sabbatiques ? Et moi qui en ai pris trois...
○ Oui, il vaut mieux que tu **occultes** / **couvres** / **immerges** cette information si tu veux obtenir le poste.

c. • Dis... je n'étais pas vraiment censé être au parc hier, pendant les heures de bureau...
○ T'inquiète, ton secret est bien **noyé** / **gardé** / **étouffé** avec moi !

d. • T'as entendu la dernière ? Mateo et Béné seraient de nouveau ensemble !
○ Arrête !
• Mais si ! Des **tonnerres** / **rumeurs** / **paroles** racontent qu'ils se sont réconciliés après le fiasco de samedi dernier.

e. • Tu as regardé le documentaire *Petite Fille* sur Arte hier soir ?
○ Oh oui, je l'ai trouvé bouleversant !
• C'est clair, les **contes** / **potins** / **témoignages** étaient si touchants, j'en avais les larmes aux yeux.

f. Elle s'est éteinte à 101 ans, après avoir **enseigné** / **instruit** / **transmis** les savoirs et traditions de sa tribu, les Houmas.

g. Face à cette recrudescence de cas, la thèse de la mutation a été **propagée** / **divulguée** / **avancée**.

9. Complétez la grille de mots croisés avec les mots correspondants.

1. Établir la vérité d'une proposition, d'une affirmation ou d'un fait d'une manière rigoureuse, par le raisonnement.
2. Rendre intelligible quelque chose d'obscur, de codé ; l'élucider.
3. Donner à des propos, à un événement, à un acte telle signification, les comprendre selon sa vision personnelle.
4. Enlever le voile qui recouvrait quelque chose, le mettant au jour.
5. Faire connaître ce qui était tenu secret.

Les verbes introducteurs du discours direct et le mystérieux

10. Lisez cet extrait de la pièce *Le Jeu de l'amour et du hasard* de Marivaux et rédigez-en les didascalies à l'aide des étiquettes.

chuchoter | s'enthousiasmer | balbutier | révéler | murmurer | souffler | préciser | s'apitoyer | reprendre | renchérir | questionner | interroger | (se) demander | s'emporter | s'esclaffer | poursuivre | achever | confier

LE JEU DE L'AMOUR ET DU HASARD

LISETTE — Sachons de quoi il s'agit ? — *interroge Lisette.*

ARLEQUIN — (à part) Préparons un peu cette affaire-là — *murmure Arlequin.* — (Haut.) Madame, votre amour est-il d'une constitution bien robuste, soutiendra-t-il bien la fatigue, que je vais lui donner, un mauvais gîte lui fait-il peur ? Je vais le loger petitement — ....

LISETTE — Ah, tirez-moi d'inquiétude ! en un mot qui êtes-vous ? — ....

ARLEQUIN — Je suis... n'avez-vous jamais vu de fausse monnaie ? savez-vous ce que c'est qu'un louis d'or faux ? Eh bien, je ressemble assez à cela — ....

LISETTE — Achevez donc, quel est votre nom ? — ....

(...)

ARLEQUIN — Un soldat d'antichambre — ....

LISETTE — Un soldat d'antichambre ! Ce n'est donc point Dorante à qui je parle enfin ? — ....

ARLEQUIN — C'est lui qui est mon capitaine — ....

LISETTE — Faquin ! — ....

LE JEU DE L'AMOUR ET DU HASARD

ARLEQUIN — (à part) Je n'ai pu éviter la rime — ....

(...)

LISETTE — Il y a une heure que je lui demande grâce, et que je m'épuise en humilités pour cet animal-là ! — ....

ARLEQUIN — Hélas, Madame, si vous préfériez l'amour à la gloire, je vous ferais bien autant de profit qu'un Monsieur — ....

LISETTE — (riant) Ah, ah, ah, je ne saurais pourtant m'empêcher d'en rire avec sa gloire ; et il n'y a plus que ce parti-là à prendre... Va, va, ma gloire te pardonne, elle est de bonne composition — ....

ARLEQUIN — Tout de bon, charitable Dame, ah, que mon amour vous promet de reconnaissance ! — ....

LISETTE — Touche là Arlequin ; je suis prise pour dupe : le soldat d'antichambre de Monsieur vaut bien la coiffeuse de Madame — ....

Le Jeu de l'amour et du hasard, par Marivaux

11. Lisez la scène à gauche et complétez avec des verbes introducteurs celle de droite en tenant compte du nouveau contexte.

Après des années de recherche, enfin les amis trouvent la preuve qui confirme ses théories.

– Des ex... ex... extraterrestres ! – se rejouit Mathieu.
– Quoi ?! – s'enthousiasme Lisa.
– Baisse la voix, ils pourraient nous entendre. – chuchote Mathieu.
– T'es sérieux ? Tu crois vraiment qu'il s'agit d'OVNIs ? – demande Lisa.
– C'est la seule explication ! – répond Mathieu. – Tu vois cette lumière dans le jardin ? – poursuit le jeune homme.
– Oui ! – s'exclame Lisa.
– Elle s'est posée lentement et maintenant il y a des espèces de gros trucs velus qui bougent, là, dans l'herbe ! – révèle Mathieu.

Cachés dans les combles de la maison et complètement terrorisés, les amis observent ce qui se passe à l'extérieur.

– Des ex... ex... extraterrestres ! – .... Mathieu.
– Quoi ?! – .... Lisa.
– Baisse la voix, ils pourraient nous entendre. – .... Mathieu.
– T'es sérieux ? Tu crois vraiment qu'il s'agit d'OVNIs ? – .... Lisa.
– C'est la seule explication ! – .... Mathieu.
– Tu vois cette lumière dans le jardin ? – .... le jeune homme.
– Oui ! – .... Lisa.
– Elle s'est posée lentement et maintenant il y a des espèces de gros trucs velus qui bougent, là, dans l'herbe ! – .... Mathieu.

12. Lisez l'article et répondez aux questions.

Edgar Morin dialogue avec le mystère

Edgar Morin a conservé intact son regard d'enfant et son goût de l'émerveillement. Né en 1921, il a, de son propre aveu, gardé indemnes les curiosités de l'adolescence. Mais le sociologue n'est pas un candide. Il a appris à se méfier autant du scientisme que de ce qu'il appelle l'«ignorantisme».

Dans *Connaissance, ignorance, mystère*, ouvrage qu'il présente comme son testament scientifique et poétique (...), il prévient : « N'embellissons pas l'univers en dépit de ses splendeurs. Ne le rationalisons pas non plus, malgré ses cohérences, et voyons aussi ce qui échappe à notre raison. »

Car plus la connaissance augmente, plus le mystère grandit. Plus le savoir progresse, puis le mystère s'épaissit. Selon les scientifiques, la naissance de notre univers proviendrait d'un événement générateur, le Big Bang, lui-même issu d'un vide soumis à des fluctuations quantiques. Un vide plein de virtualité, en quelque sorte. Preuve que l'être ne s'oppose pas au néant.

C'est pour cette raison qu'Edgar Morin préfère le dialogique (qui intègre les contradictions) à la dialectique (où elles se résolvent par un dépassement). Chaque découverte s'accompagne de nouveaux trous noirs du savoir. « Les progrès du savoir produisent une nouvelle et très profonde ignorance, écrit-il, car toutes les avancées des sciences de l'univers débouchent sur de l'inconnu. »

La philosophie des sciences doit donc « dialoguer avec le mystère ». Edgar Morin sait bien qu'il s'aventure en terrain glissant. Que le lecteur, toutefois, se rassure. Aucune concession n'est faite ici à l'idée d'un dieu tout-puissant qui aurait dans sa tête « un dessin intelligent ». Mais Edgar Morin rejette toutefois aussi bien le créationnisme que le scientisme.

Héritiers d'une « Terre patrie »

Selon lui, « la vie a été banalisée et trivialisée » par la biologie moléculaire. Or la crainte de l'idéologie créationniste tout comme l'absence de finalité ne doivent pas escamoter la créativité. On le sait, les êtres vivants ont répondu au défi de la survie et se sont adaptés à leur milieu. De la photosynthèse des plantes au caractère amphibie des poissons, les exemples sont légion. Edgar Morin va plus loin, et passe de l'idée d'adaptation à celle d'aspiration. Et ose même la question : « Est-ce que ce qui a tant de fois fait émerger des ailes chez des êtres terre à terre pourrait venir d'une aspiration à expérimenter la légèreté et l'ivresse du vol ? »

Edgar Morin en est convaincu, il y a une créativité du vivant qu'une partie de la science occulte par crainte de tomber dans l'obscurantisme du créationnisme qui fait tant de dégâts au moment même où triomphent populisme et complotisme. (...)

(...) Il est possible d'inventer une autre manière de produire, de vivre et d'habiter la Terre. Dans le sillage de l'épistémologiste Gregory Bateson, Edgar Morin a élaboré, trente ans durant, une méthode pour relier les connaissances, contre la compartimentation du savoir. Tour à tour résistant, chercheur, intellectuel, il sait que la vie est paradoxe, dissonance et contradiction.

Le voici donc qui livre un ouvrage savant sous forme de credo, voire de confession. « Une création humaine est une combinaison de transe et de conscience, de possession et de rationalité », écrit-il. En chamane de la connaissance, Edgar Morin s'aventure aux confins des territoires du savoir. On dit souvent qu'une théorie n'est bien souvent qu'une biographie objectivée, qu'une expérience de vie conceptualisée. (...)

À sa manière singulière, Edgar Morin allume une lueur dans le noir afin de mettre en lumière l'obscurité qui nous entoure, dans un monde irradié par le savoir. Il reste en cela aussi fidèle aux savants qu'aux poètes, à Arago qu'à Victor Hugo, qui disait : « L'homme qui ne médite pas vit dans l'aveuglement, l'homme qui médite vit dans l'obscurité ».

Ⓢ lemonde.fr, par Nicolas Truong

a. « N'embellissons pas l'univers en dépit de ses splendeurs. Ne le rationalisons pas non plus, malgré ses cohérences, et voyons aussi ce qui échappe à notre raison. » Expliquez cette citation avec vos propres mots.

....

....

....

b. Selon Edgar Morin, que provoque l'accroissement du savoir ?
- ☐ Le progrès de la cause religieuse.
- ☐ Le pouvoir du domaine scientifique.
- ☐ L'épaississement du mystère.
- ☐ Le développement des sciences.

c. Que reproche Edgar Morin à la science ?
- ☐ De dissimuler les vraies sources du savoir.
- ☐ D'éclipser les chercheurs les plus méritants.
- ☐ De refuser les interprétations innovantes.
- ☐ De nier les impulsions inventives des hommes.

d. En quoi consiste la méthode élaborée par Edgar Morin ? ....

....

Le suffixe *-logie*

13. Lisez les définitions ci-dessous et déduisez-en le sens des noms contenant le suffixe *-logie*.

> **ANTHROPOPHAGIE :** la consommation de la chair d'autres humains ; le cannibalisme.
> **ÉCOCIDE :** la destruction d'un environnement naturel.
> **GYNOPHOBIE :** la haine, l'aversion ou le mépris à l'encontre des femmes.
> **LEXICOGRAPHIE :** la définition et l'illustration de mots.
> **LOGOPÉDIE :** l'art de corriger le discours, la façon de parler.

a. Anthropologie : ....
b. Écologie : ....
c. Gynécologie : ....
d. Lexicologie : ....
e. Logologie : ....

14. Reformulez les phrases en remplaçant les mots en gras par un nom contenant les suffixes *-logie* ou *-logique*.

a. Charles Darwin est considéré comme le père de **l'étude de la matière vivante et des êtres vivants**.

....

b. Ce chantier est fermé au public, il est réservé à des fouilles **d'étude des fossiles d'êtres vivants**.

....

c. **L'étude de l'origine des mots** l'a toujours fascinée, si bien qu'elle en a fait son sujet de thèse.

....

d. L'impression de déjà-vu est un phénomène que **l'étude des comportements et des processus mentaux** peut expliquer.

....

MÉTHODOLOGIE - Rédiger une lettre de motivation

15. Choisissez dans la liste ci-dessous les trois qualités qui vous correspondent le mieux. Pour chacune, identifiez une activité ou une expérience qui vous a permis de la démontrer puis rédigez une phrase pour la mettre en valeur. Vous pouvez vous aider de la boîte à outils.

BOÎTE À OUTILS
J'ai développé...
J'ai démontré...
J'ai confirmé...
J'ai fait preuve de...
en tant que...
en travaillant...
au contact de...
grâce à...
lorsque...

16. Remettez ces formules de politesse dans l'ordre.

a. les plus / l'expression / prie / je / de mes sentiments / Madame, Monsieur, / d'agréer / vous / distingués.

....

b. Je / et vous / vous / remercie de / votre / l'expression de mes / attention prie de recevoir, sincères / Madame, Monsieur, / salutations.

....

c. je me tiens / favorable, / d'une réponse / complémentaire. / que j'espère / pour tout / à votre disposition / renseignement. / Dans l'attente /

....

d. En espérant / de vive voix / que / saura / je suis / votre attention, / vous rencontrer / disponible pour / et vous / exposer / ma motivation. / retenir / ma candidature /

....

e. En espérant / toute ma motivation / dans le cadre / vous exprimer / d'un entretien. / pouvoir

....

17. Dans quelle partie de la lettre de motivation doit-on réaliser ces différentes tâches ? Entourez la bonne réponse.

a. Exprimer sa disponibilité : l'en-tête - l'accroche - l'argumentaire - la conclusion
b. Exprimer sa motivation : la conclusion- l'en-tête - l'accroche - l'argumentaire
c. Présenter ses points forts : l'argumentaire - l'en-tête - l'accroche - la conclusion
d. Préciser l'intitulé du poste : l'en-tête - l'accroche - la conclusion - l'argumentaire
e. Relier ses forces au poste visé : l'accroche - l'en-tête - l'argumentaire - la conclusion

18. Retrouvez la structure de la lettre de motivation en plaçant les étiquettes suivantes au bon endroit.

1. Nom de l'entreprise
2. Formule de politesse
3. Vos coordonnées
4. Argumentaire
5. Objet
6. Nom du / de la responsable du recrutement
7. Signature
8. Accroche

19. À l'aide de la structure que vous venez de retrouver, rédigez une lettre de motivation pour répondre à l'annonce ci-dessous.

Référence de l'offre : LALE26-XFP
CLIENT MYSTÈRE CHEZ QUALITEST (CABINET PRIVÉ)
CDD D'UN AN RENOUVELABLE

Votre mission
Évaluer la qualité du service à la clientèle dans des enseignes ou des chaînes à l'aide de critères précis. Cet audit masqué permet de contrôler les prestations offertes aux clients.

Compétences recherchées
- La capacité à jouer un rôle : vous devrez incarner un personnage en fonction du lieu à évaluer (salon de beauté, restaurant, garage automobile...).
- Une bonne mémoire : vous ne pourrez pas prendre de notes pendant votre visite mais devrez ensuite restituez fidèlement les faits.
- Un sens de l'observation développé.
- La capacité à raconter objectivement une expérience.

La fonction de client mystère ne requiert aucun diplôme ni aucune expérience professionnelle préalable.

Salaire
Entre 20€ et 80€ par mission + frais kilométriques + indemnités diverses.

Perspectives d'évolution
Les clients mystères les plus rigoureux auront la possibilité de rejoindre notre groupe de testeurs (alimentaires, cosmétiques...).

PHONÉTIQUE - La prononciation des consonnes finales (II)

20. **Écoutez et entourez les consonnes finales qui se prononcent.**

51

C'est personnel.	un bel animal	C'est un bon outil.	C'est banal.	C'est gentil.	Tu veux du sel ?	Je veux du miel.
J'en ai cinq.	en Iraq	Tu as changé de look.	Il fait du kayak.	un kilo de bifteck	C'est mon anorak.	un coq
Il est long.	dans le goulag	C'est un iceberg.	une confiture de coing	un petit bourg	un hareng de la Baltique	Elle a un blog.
dans le forum	C'est du rhum.	J'ai un bon parfum.	un referendum	Voilà l'album.	un item	du thym
C'est un club.	chez le toubib	Elle est snob.	dans le Maghreb	C'est du plomb.	un baobab	un site web
Quel beau canard !	dans le sud	Il est rond.	J'ai froid.	tout au fond	C'est grand.	le second
Merci beaucoup.	Stop !	C'est le top.	Voilà un slip.	C'est trop.	du sirop	du sparadrap
C'est faux.	Il est doux.	avec son époux	un index	Il y en a deux.	Quel est le prix ?	Je vais à Aix.
vous mangez	C'est du riz.	Tu en as assez.	Il y a du gaz.	vous parlez	Elle a le nez cassé.	deux merguez

21. **Complétez l'encadré avec des mots de l'activité précédente.**

- Les consonnes *l, q, g, k, b,* et *m* se prononcent presque toujours en position finale. Sauf pour quelques exceptions comme ……………, ……………, …………… ou …………….
- Pour le cas du *m*, il ne se prononce pas quand il faut prononcer une voyelle nasale, comme dans …………….
- Les consonnes *d, p, x* et *z* ne se prononcent presque jamais, sauf quelques exceptions comme ……………, …………… ou …………….

PHONÉTIQUE - La mélodie du français

La mélodie est comme la ponctuation de l'oral. Les groupes qui se trouvent au milieu d'une phrase sont des segments montants. Le dernier segment de la phrase descend.

22. **Écoutez et marquez les groupes rythmiques en les séparant par des barres (/). Écoutez de nouveau et marquez en dessous de chaque groupe rythmique s'il a une mélodie montante (↗) ou une mélodie descendante (↘).**

52

Quel est le point commun entre le calamar géant, l'ornithorynque, le kraken, le yeti, le cœlacanthe, l'Okapi, le monstre du Loch Ness et la bête du Gévaudan ? Eh bien, tous ces animaux réels ou imaginaires relèvent ou ont relevé du domaine de la cryptozoologie. Et en cette journée d'Halloween, il nous a semblé juste et bon d'examiner le sort fait par la science à ces bêtes légendaires qui parfois sont bel et bien réelles. Qu'est-ce que le monstre du Loch Ness peut apprendre à la science ? C'est l'énoncé très monstrueux du problème qui va nous occuper dans l'heure qui vient. Bienvenue dans *La Méthode scientifique*. Et qui mieux pour parler de cryptozoologie que deux cryptozoologues ?

La peur

09

Aimer se faire peur et les procédés explicatifs

1. Écoutez l'interview de Franck Thilliez, auteur de thrillers à succès, puis répondez aux questions.

53

a. D'où vient l'envie de Franck Thilliez de faire peur à ses lecteurs ? ....

....

....

b. Qu'a-t-il appris de Stephen King ? ....

....

....

c. Dans quelles circonstances regardait-il des films d'horreur quand il était adolescent ? Quel effet lui faisaient-ils ?

....

....

d. Selon Franck Thilliez, pour quelles raisons certaines personnes prennent-elles plaisir à se faire peur ?

....

....

e. Vous retrouvez-vous dans les propos de Franck Thilliez ? ....

....

....

2. Complétez le texte à l'aide des étiquettes. Faites les transformations nécessaires.

vampire | zombi | loup-garou | fantôme | démon

Depuis ses tout débuts, le septième art a cherché à nous faire peur en nous présentant des créatures aussi extraordinaires que terrifiantes et le bestiaire de l'horreur cinématographique est on ne peut plus généreux. À l'occasion d'Halloween, nous avons choisi de vous présenter celles qui, aussi classiques soient-elles, nous font le plus frémir.

Le .... est un être surnaturel doué d'intelligence et de pouvoirs. « Force diabolique opposée aux divinités principales » selon Graham Cunningmham, il sort tout droit des enfers. Il cherche d'ailleurs à y entraîner ses victimes en les «possédant», c'est-à-dire en s'emparant de leur corps et de leur esprit. Généralement invisible, il peut parfois manifester sa présence à travers des bruits, des déplacements d'objets ou son odeur nauséabonde. Sa figure la plus célèbre, c'est Satan.

Le terme de .... ou lycanthrope, fait référence à un être humain qui se transforme en loup ou en créature mi-homme mi-loup les soirs de pleine lune. En proie à des instincts de prédateur, il se livre alors à des crimes dont il n'a généralement aucun souvenir au petit matin, lorsqu'il reprend son apparence humaine. La cause de cette transformation varie selon les histoires : morsure d'un loup ou d'un autre ...., malédiction, pacte avec le diable, hérédité, etc.

Défini par Max Brooks comme « un cadavre animé qui se nourrit de chair humaine », le .... est un mort-vivant dont le corps présente toutes les caractéristiques de la décomposition : peau en putréfaction, plaies visibles, odeur infecte, regard vide, membres fragilisés ou disloqués... Il est dépourvu des principaux attributs humains, autrement dit la conscience, l'intellect, les sentiments et le langage. Il vit en horde et ne sort de son apathie que lorsqu'il décèle la présence d'un humain qu'il s'acharnera alors à poursuivre - mais lentement - afin d'atteindre le seul objectif de son existence : le dévorer.

Le .... désigne un mort-vivant qui, comme le zombi, se nourrit des vivants dont il boit le sang dès la nuit tombée, ce qui lui permet de conserver éternellement l'apparence de la jeunesse. Mais contrairement au zombi, il est généralement élégant, voire même séduisant, et surtout, c'est un être intelligent qui est doté d'une conscience et d'une personnalité. Reconnaissable à ses canines pointues qui lui servent à mordre ses victimes, il est réputé dormir dans un cercueil et craindre à la fois les crucifix, l'eau bénite, la lumière du soleil, et même... l'ail ! Le plus célèbre est sans conteste Dracula.

Un ...., c'est l'apparition surnaturelle d'un défunt. Attention, il ne faut pas le confondre avec cette autre créature qu'on appelle le revenant. Alors que le revenant a une apparence et un comportement identiques à ceux qu'il avait de son vivant, les .... se manifestent sous une forme immatérielle et désincarnée : ils sont « transparents et nuageux comme des ombres » selon les mots du professeur Charles Richet. On les rencontre ainsi flottant dans les airs et traversant les murs des lieux où ils ont vécus, qu'ils hantent inlassablement.

Et vous, en compagnie de quelle créature allez-vous frémir en cette soirée d'Halloween ?

3. Relisez le texte de l'activité précédente et complétez le tableau avec les procédés explicatifs utilisés.

Procédés	Extraits	Mots, expressions et signes de ponctuation
Définition		
Dénomination		
Reformulation		
Illustration		
Comparaison		
Énumération		
Citation		

4. Choisissez deux questions parmi les suivantes et répondez-y en utilisant différents procédés explicatifs.

C'est quoi un regret ?
C'est quoi la discrimination ?
C'est quoi la haine ?
C'est quoi la peur ?
C'est quoi un trauma ?
C'est quoi une obsession ?
C'est quoi une psychose ?
C'est quoi un cauchemar ?

Les articles dans le complément du nom

5. Lisez ces titres de films d'horreur et cochez la bonne case selon ce qu'indique le complément du nom.

	Complément de caractérisation				Complément de relation			
Titres	**Matière**	**Contenu**	**Catégorie**	**Origine ou cause**	**Appartenance**	**Parenté**	**Action / Acteur**	**Action / objet de l'action**
Les Dents d'acier								
La Découverte d'un secret								
L'Attaque des tomates tueuses								
Le Regard du Diable								
Les Mystères d'outre-tombe								
Lettres d'amour à une nonne portugaise								
Le Retour de la mouche								
Traitement de choc								
Le Territoire des morts								
La Fille du diable								
Le Choix du mensonge								
Frissons d'horreur								
Le Sang du sorcier								
Le Masque d'or								
Un banquet de sang								
L'Enfant du diable								

6. Complétez les phrases suivantes avec *de*, *du*, *de la* ou *des* selon le contexte.

a. 1. En France, les robes .... mariée sont traditionnellement longues et blanches.
2. • Alors ce mariage ?
○ Génial ! La cérémonie était magnifique, le repas était divin et la robe .... mariée était somptueuse.

b. 1. Gaëlle s'est achetée un nouveau bureau. Il est immense, un vrai bureau .... ministre !
2. Le bureau .... ministre est au fond du couloir mais Monsieur le Ministre est encore en entretien. Vous pouvez patienter ici en attendant qu'il ait fini.

c. 1. J'ai oublié le nom .... rue où habite Martine. Tu t'en souviens, toi ?
2. Les noms .... rue font souvent référence à des personnages ou des événements historiques.

d. 1. La Convention de Genève stipule que seuls les tribunaux militaires peuvent juger les prisonniers .... guerre.
2. Beaucoup des prisonniers .... guerre de 39-45 travaillaient dans les fermes allemandes pour y remplacer les paysans qui partaient au front.

e. 1. La ministre de la Santé a pointé le manque de coordination entre les hôpitaux et les médecins .... ville.
2. Le dernier médecin .... ville va prendre sa retraite. C'est pourquoi la municipalité offre une prime d'installation à tout médecin qui souhaiterait s'installer ici.

f. 1. • Il est à qui ce vélo ?
○ C'est le vélo .... facteur ! Il l'a laissé là le temps de passer chez les voisins.
2. Les vélos .... facteur anciens sont très rares et parfois très chers, comme tout ce qui est vintage.

7. Lisez ces informations imaginaires et transformez-les en titres selon le modèle.

a. Le coût de la vie augmente considérablement en ces temps de crise.
Augmentation considérable du coût de la vie en ces temps de crise

b. De l'arsenic a été découvert dans des gâteaux distribués par une chaîne de supermarchés bio.
....

c. La gare de Lyon a été évacuée à la suite d'une alerte à la bombe.
....

d. Les violences par arme à feu augmentent chez les plus jeunes de manière inquiétante.
....

e. Un million d'ordinateurs ont été infectés par un virus inconnu en 24 heures.
....

f. Des médecins sont très préoccupés par les effets de la 5G.
....

g. De la viande périmée a été vendue aux services de restauration des hôpitaux de Paris.
....

Le sens figuré des mots

8. Écoutez cette chronique et répondez aux questions.

54

a. À quelle période l'étude a-t-elle été réalisée ? ....

b. Quelle observation est à l'origine de cette étude ? ....

c. À quelle catégorie de personnes s'est intéressée cette étude? ....

d. Selon l'étude, qu'est-ce qui différencie ces personnes des autres ? ....

e. Comment le chercheur qui a mené cette étude explique-t-il ces différences ? ....

f. Lisez ces phrases extraites de la transcription et soulignez sept mots utilisés dans un sens figuré.
- Des personnes ordinaires sont contaminées, elles deviennent des morts-vivants.
- Le monde se paralyse.
- Les amateurs de films d'horreur passent leur temps au cours d'un film à naviguer dans un flot de très nombreuses émotions.
- Les gens se sont jetés sur les films apocalyptiques ou de zombis pour mieux comprendre ce qui se passait.
- L'éventail entier des genres préparateurs à la catastrophe marchent aussi. Ils vous permettent d'apprivoiser vos peurs.

g. Faites des phrases avec les mots soulignés dans l'activité **f.** en les utilisant au sens propre.

9. **Lisez ce fait divers et remplacez les mots en gras à l'aide des étiquettes au sens figuré. Faites les transformations nécessaires.**

adopter | creuser | cristalliser | lever le voile | marquer | pétrifier | sortir d'affaire | tomber sur | délier les langues

FAITS DIVERS

L'AGRESSEUR A ÉTÉ IDENTIFIÉ

LUPIN-LES-BAINS. L'affaire **a bouleversé** les habitants de ce petit village de 260 habitants. Le 13 février dernier, une jeune femme a été violemment agressée alors qu'elle rentrait chez elle, à pied. Retrouvée inconsciente dans la rue, elle a aussitôt été transportée à l'hôpital le plus proche dans un état grave.

Bien que la victime se soit trouvée dans l'incapacité de témoigner, les enquêteurs ont pu rapidement **élucider** cette affaire sordide. Ils n'ont eu aucun mal à **faire parler les gens** et ont recueilli de nombreux témoignages soulignant que le mari de la victime **avait eu** un comportement particulièrement étrange à la suite de l'agression. Les enquêteurs **ont approfondi** cette piste et ont donc perquisitionné le domicile conjugal. Ils **ont** alors **trouvé** une série d'indices qui incriminaient clairement le mari de la victime. Celui-ci a rapidement avoué être l'auteur de l'agression et a tenté de justifier son acte par le fait que la réussite professionnelle de sa femme **concrétisait** à ses yeux ses propres échecs et frustrations.

Une habitante témoigne : « Juste après l'agression, j'avais peur, je ne sortais plus de chez moi. Mais maintenant qu'on sait qui a fait ça, je suis en colère. Ce genre d'affaire, ça arrive tellement souvent. Ca me **sidère**. Je ne comprends pas comment on peut en arriver là. »

L'homme a été mis en examen pour violence aggravée et tentative d'homicide. La victime est profondément choquée, mais une opération a permis de la **soigner** et ses jours ne sont désormais plus en danger.

L'infinitif introduit par *à* ou *de* dans le complément du nom

10. **Lisez cette interview et entourez la préposition correcte.**

Alors Mathilde, expliquez-nous comment vous êtes devenue collapsologue ?

J'ai toujours vécu l'angoisse **à / de** voir le monde s'écrouler d'une manière ou d'une autre. Petite, mes parents avaient l'habitude **à / de** regarder le journal télévisé pendant les repas et je crois que c'est ça qui a nourri mon angoisse. En même temps, j'ai développé une certaine dépendance aux informations anxiogènes. Quand je suis tombée enceinte, j'ai compris que j'avais vraiment un problème **à / de** régler. J'avais le sentiment **à / de** porter un enfant qui ne pourrait pas aller au bout de sa vie et je me sentais coupable. J'ai fait une grosse déprime mais heureusement, j'ai été très soutenue par mon compagnon, qui pourtant avait les mêmes angoisses **à / de** combattre que moi. Il m'a d'abord aidée à me déconnecter parce que j'étais dans l'incapacité **à / de** me détacher de toutes ces informations anxiogènes qui me rongeaient. Et puis, on s'est vite rendu compte qu'on avait des décisions plus radicales **à / de** prendre si on voulait être plus sereins dans la vie et... voilà, on a pris la décision **à / de** s'installer à la campagne et **à / de** viser l'autonomie.

Ca n'a pas été trop difficile pour des citadins comme vous ?

Pas tant que ça. On avait beaucoup d'habitudes **à / de** perdre, beaucoup d'habitudes **à / de** prendre aussi. Mais une fois que la décision a été prise, ça s'est fait assez simplement. On avait un projet **à / de** mener, des objectifs **à / de** tenir et voilà... on s'y tenait. On a vraiment été poussés par cette envie commune **à / de** vivre d'une manière plus résiliente et durable et aussi par le plaisir immense **à / de** se sentir connectés à la nature environnante. Et puis on s'était déjà beaucoup renseignés pour construire un logement autonome quand on s'est lancés. Comme j'avais hérité d'une petite somme et qu'on avait mis pas mal d'argent de côté, on n'a pas eu de gros effort **à / de** faire côté financier. Voilà, maintenant, ça fait quatre ans qu'on habite ici et on s'y sent vraiment bien. On a encore le projet **à / d'** installer un système d'irrigation moins gourmand en eau pour le potager et probablement une petite éolienne mais voilà, on a une maison quasiment autonome, des fruits et des légumes **à / de** manger toute l'année et surtout, du bonheur **à / de** revendre !

11. Faites la liste de ce dont vous avez besoin pour vivre heureux. Puis comparez votre liste avec celle d'un camarade. Quels éléments sont en commun ?

De l'eau à boire, de l'air à respirer...

12. Échangez en groupe. Avez-vous...

a. des rêves à réaliser ?
Moi, j'ai plusieurs rêves à réaliser. Le premier, c'est le rêve de partir à vélo pour visiter...

b. des projets à terminer ?
c. des besoins à combler ?
d. des droits à défendre ?
e. des idées à creuser ?
f. des peurs à contrôler ?
g. des décisions à prendre ?
h. des envies à satisfaire ?

13. **Lisez le texte puis répondez aux questions.**

N'ayons plus peur des loups

[...] Derrière ses airs de bête féroce et redoutable, le loup dévoile une nature bien différente de celle décrite dans les contes pour enfants. Bien qu'inoffensif, le canidé continue d'en effrayer plus d'un.

Au cœur des grands massifs forestiers ardennais, on guette ses grandes oreilles à l'affût de sa moindre trace. Disparu depuis 120 ans, c'est pourtant en Flandre que le loup a décidé de faire son grand retour. [...]

La Belgique était le dernier pays européen à ne pas avoir reçu la visite récente des loups. De retour en France, en Italie et en Allemagne depuis déjà plusieurs années, l'espèce profite de son statut protégé pour coloniser toujours plus de nouveaux espaces.[...]

L'arrivée de l'été sonne enfin l'heure de la randonnée montagnarde et des escapades en forêt. Si les probabilités pour y rencontrer le loup demeurent quasi nulles, que faire si – par chance ou par malheur – l'un d'entre eux décidait de croiser votre chemin ? Pas d'inquiétude, de nature calme voire passive, la bête à poil ne vous voudra aucun mal.

Face à l'animal, « prendre la fuite n'aurait aucun intérêt », rappelle Alain Licoppe, coordinateur du Réseau Loup wallon. « Si vous rencontrez un loup, il risque de partir de manière à vous éviter »[...] Inoffensif donc, seul comme en meute. Car comme l'explique M. Licoppe, une «meute» présente en Belgique serait constituée d'un simple couple, au maximum d'une famille de quatre ou cinq loups. « Rien à voir avec les meutes de loups qu'on voit dans les films ! »

[...] Si par sa nature sauvage, le loup demande patience et détermination à ceux qui tentent de l'observer, il n'en perd pas moins sa réputation de chien féroce aux yeux du commun des mortels. Le canidé n'est pourtant plus la bête enragée qu'on a connu par le passé. De nature discrète, le prédateur a développé des aptitudes à la chasse lui donnant une maîtrise totale de son milieu, le tout dans une allure calme, voire passive.

Considéré comme un concurrent de taille au sein du club très privé des prédateurs et longtemps pourchassé par l'homme, le loup a adopté le réflexe d'éviter tout contact avec lui. À l'heure actuelle, si le loup devait pointer le bout de son museau dans le bois de la Louvière, son premier instinct serait de passer son chemin. Et pour cause : [...] Révulsé par l'odeur humaine, il est aussi troublé par la stature du bipède qui l'impressionne.

Avec les années, le loup a conservé un rôle de vilain, non seulement par son histoire mais aussi par la manière dont les cultures se sont appropriées son image. Atteint par la rage dans le courant du 17e siècle puis charognard sur les champs de batailles, « on a effectivement vu beaucoup d'attaques de loups sur des êtres humains dans ces temps-là », raconte Alain Licoppe. « Mais en Europe, il faut remonter très loin pour pouvoir parler de consommation d'êtres humains par des loups. » Si aujourd'hui le loup fascine toujours autant, c'est pour cette réputation entachée dont il a hérité.

[...] Le loup paye certainement le prix d'une mauvaise étiquette que les cultures lui ont collée. Mais ce n'est pas partout qu'on crie au loup sauvage et dangereux. « Chez nous, on en a fait un "grand méchant loup" mais en réalité, ça dépend des cultures », explique le Réseau Loup wallon. « En Italie, la culture du loup est très différente. On y a toujours protégé l'animal, référé à la Louve du Capitole et à la légende de Romulus et Remus. C'est un peu grâce à ce statut favorisé que les populations des loups se sont beaucoup développées dans ces régions. »

En Belgique et en France, l'inconscient collectif demeure hanté par la figure du loup contée dans les histoires pour enfants. « Le Petit Chaperon Rouge, c'est typiquement le genre d'histoire qui marque les esprits des enfants et qu'on a martelé maintes fois », estime Alain Licoppe. « C'est devenu le symbole pour mettre en garde la jeunesse vis-à-vis des méchants et des prédateurs. »

Un mythe que les chasseurs et éleveurs – qui ont toujours vu le prédateur d'un mauvais œil – n'ont pas hésité à reprendre pour surfer sur la vague et blâmer l'animal. « Beaucoup ont cultivé cette mauvaise image pour défendre le fait qu'il fallait se débarrasser de ce prédateur concurrent », ajoute-t-il. Soyons sans crainte, donc. Même parmi nous, inutile de crier au loup.

S parismatch.be, par Josephine Christiaens

a. À l'occasion de quel événement cet article a-t-il été écrit ? Qu'apprend-on sur cet événement ?

....

b. Quel est l'objectif de cet article ? Donnez-lui un autre titre. ....

....

c. Comment réagissent les loups lorsqu'ils rencontrent un humain ? Qu'est-ce qui explique cette réaction ?

....

d. Selon l'article, pourquoi les Belges et les Français redoutent-ils le loup ? ....

....

e. Relevez dans l'article :

- les différentes expressions utilisées pour désigner le loup : ....

....

- les différents adjectifs utilisés pour caractériser le loup : ....

....

14. **Choisissez un de ces proverbes et imaginez une situation pour l'illustrer. Puis présentez-la à la classe qui devra retrouver le proverbe choisi.**

a. On crie toujours le loup plus grand qu'il n'est.
b. On ne tue pas le loup parce qu'il est gris, mais parce qu'il a dévoré la brebis.
c. Le loup meurt dans sa peau.
d. Il faut savoir hurler avec les loups, si l'on veut courir avec eux.
e. Les loups ne se mangent pas entre eux.
f. Soyez lion et mangez-moi ; mais ne soyez pas loup pour me salir.

La peur, l'angoisse et les phobies

15. **Observez les photos suivantes et répondez aux questions.**

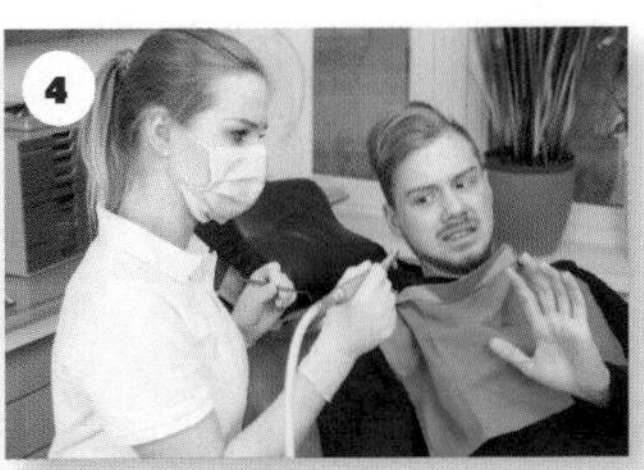

a. À quel/s type/s de peur les associez-vous ? Justifiez vos réponses.

....

....

....

....

b. Quelle(s) situation(s) provoque/nt chez vous ces différents sentiments ?

....

....

16. **Associez ces différents types de phobie avec leur objet.**

◯ La photophobie •	• Les livres
◯ La sarkophobie •	• La télévision
◯ La frigophobie •	• Le froid
◯ La phobophobie •	• Nicolas Sarkozy
◯ L'hexakosioihexekontahexaphobie •	• Les poisons
◯ La grossophobie •	• Le mouvement
◯ La téléphobie •	• Les Père Nöel
◯ La dynamophobie •	• Les personnes grosses
◯ La paternatalophobie •	• La France, les Français
◯ La pédophobie •	• Le nombre 666
◯ La zoophobie •	• Les étrangers
◯ La francophobie •	• La peur
◯ La toxicophobie •	• Les animaux
◯ La bibliophobie •	• La lumière
◯ La xénophobie •	• Les enfants

17. **Notez à gauche des phobies de l'activité précédente si le suffixe *-phobie* réfère à :**

a. un sentiment de crainte, d'angoisse, et / ou de peur panique par rapport à une situation ou un objet.
b. un sentiment de mépris, d'hostilité, de haine, ou de rejet vis-à-vis de quelqu'un ou de quelque chose.

18. **Complétez ces expressions désignant des manifestations physiques de la peur avec le nom d'une partie du corps.**

a. Ne plus tenir sur ses ……………………
b. Avoir le …………………… qui bat la chamade / à 100 à l'heure
c. Avoir la …………………… de poule
d. Claquer des ……………………
e. Avoir froid dans le ……………………
f. Avoir les …………………… qui se hérissent
g. Avoir les …………………… qui se dressent sur la tête
h. Avoir le …………………… baigné de sueur
i. Avoir les …………………… moites

19. **Écoutez les dialogues et associez-les aux réactions de l'activité précédente.**

55

a	
b	
c	
d	
e	
f	

La combinaison du préfixe *in-* et des suffixes *-able* et *-ible*

20. **Retrouvez les verbes à partir desquels ces adjectifs sont formés.**

infaisable		**imperceptible**	
inopérable		**infréquentable**	
incompréhensible		**inextinguible**	
impardonnable		**inépuisable**	
indescriptible		**indicible**	
inqualifiable		**inconcevable**	

21. **Trouvez un ou deux noms qui peuvent être caractérisés par les adjectifs de l'activité précédente.**

	infaisable		**imperceptible**
	inopérable		**infréquentable**
	incompréhensible		**inextinguible**
	impardonnable		**inépuisable**
	indescriptible		**indicible**
	inqualifiable		**inconcevable**

MÉTHODOLOGIE - Rédiger un compte rendu

22. **Lisez le compte rendu de la page suivante puis répondez aux questions.**

a. Quel événement rapporte-t-il ? ……………………

b. Qu'apprenez-vous sur les circonstances et le déroulement de cet événement ? ……………………

c. Par qui ce compte rendu a-t-il été rédigé ? À qui s'adresse-t-il ? ……………………

d. Selon vous, pourquoi l'examen des cas individuels ne figure pas sur le compte rendu ? ……………………

Association des parents d'élèves du collège Gisèle Halimi
e-mail : APE-giselehalimi@conseilclasse.defi

Compte rendu du Conseil de classe de 5^{e}B (26 élèves) - 2e trimestre

Étaient présents :
Administration : Mme Nguyen (Principale du collège)
Enseignants : Mme Dimitrio (Professeure principale - anglais) - M. Beauvais (Français) - Mme Grivat (Mathématiques) - Mme Pelet (Histoire-géo) - M. Crépin (SVT) - Mme Lupin (EPS)
Élèves Délégués : Lina Premier - Léo Mandet
Représentants des parents d'élèves : M. Mahlouf (FCPE) - Mme Simon (APE)
Étaient excusés : M. Poutou (Arts plastiques) - Mme Fouillet (technologie)

Remarques d'ordre général sur la classe formulée par :
- **Les représentants des parents d'élèves** : Certains parents déplorent que les professeurs absents ne soient pas remplacés. La principale du collège rappelle que c'est le rectorat qui a la responsabilité des remplacements et que les professeurs qui sont absents moins de deux semaines ne sont jamais remplacés.
- **Les élèves délégués** : Les élèves se plaignent d'attendre trop longtemps au restaurant scolaire et de ne pouvoir finir leur repas lorsqu'ils n'ont qu'une heure de pause méridienne. La principale prend note afin de les faire passer prioritairement quand c'est le cas.
- **La professeure principale** : Le groupe est agréable, dynamique et intéressé malgré quelques éléments perturbateurs. Le travail est régulier et les résultats sont globalement corrects mais en légère baisse par rapport au 1er trimestre. Des cours de soutien seront organisés au 3e trimestre en mathématiques et en français pour les élèves en difficulté qui seront volontaires. Les horaires seront communiqués ultérieurement.

Moyenne générale de la classe : 12,4/20

- **Les professeurs** :
- **Anglais** : Mme Dimitrio se félicite que les efforts réguliers de certains élèves en difficulté leur ait permis une belle progression au 2e trimestre. Malgré quelques bavardages, l'ambiance de travail est agréable dans le groupe et les élèves participent bien à l'oral.
- **Français** : M. Beauvais est satisfait du travail fourni. Les élèves qui sont le plus en difficulté s'investissent et progressent en conséquence.
- **Mathématiques** : Mme Grivat souligne une très forte hétérogénéité des niveaux dans le groupe. Elle émet des réserves sur l'intérêt de mettre en place des cours de soutien pour les élèves en difficulté alors que ce sont ceux qui ne fournissent aucun effort pendant les cours et perturbent leur déroulement.
- **Histoire-géo** : ....
....
- **SVT** : ....
....
- **EPS** : ....
....
- **Technologie** : Mme Fouillet est globalement satisfaite du comportement et du travail des élèves mais s'inquiète du retard important de certains élèves, notamment en informatique. Elle propose qu'on mette en place quelques heures de soutien pour ces élèves.
- **Arts plastiques** : M. Poutou regrette quelques bavardages mais souligne que l'ambiance de la classe est très agréable.

Bilan : après examen du cas de chaque élève, le conseil de classe a décerné :

Mentions: 2 Félicitations - 6 Encouragements
Mises en garde : 4 Travail et comportement - 1 Absence

Pour avoir plus d'informations concernant le cas particulier de votre enfant, vous pouvez contacter votre déléguée par e-mail : alice-simon@conseilclasse.defi ou par téléphone (06-88-99-55-47), entre 15 h et 17 h.

23. Écoutez un extrait du conseil de classe. Prenez des notes puis, complétez le compte rendu.

56

PHONÉTIQUE - Liaisons et enchaînements

24. Écoutez et séparez les groupes rythmiques à l'aide de barres (/). Faites attention à la manière dont les groupes rythmiques sont liés à l'intérieur.

57

a. Les onze étudiants de cette classe vont ensemble au cinéma.
b. Mes enfants sont allés à la campagne pour leur classe verte.
c. J'adore les homards et les écrevisses.
d. On se demande encore pourquoi on a aimé se faire peur.
e. Á Rouen, il y a deux trains fantômes et deux maisons hantées.
f. Certains films provoquent une grande émotion chez les spectateurs.
g. Agnès et Emma adorent les films d'horreur.
h. On a eu beau nous expliquer l'envers du décor, on trouve encore le moyen de hurler.
i. La société actuelle est une victime de ses croyances et de ses peurs.
j. Il y en a un en haut et un autre en bas.

25. Complétez l'encadré avec des exemples extraits de l'activité précédente.

Étant donné que le français se prononce en groupes rythmiques, les mots à l'intérieur du groupe doivent être liés. Cela se fait au moyen des liaisons et des enchaînements (vocaliques et consonantiques).

Les liaisons

Quand un mot à l'intérieur du groupe rythmique se termine par une consonne non prononcée et le mot suivant commence par une voyelle, on prononce la consonne : c'est la liaison. Il y a des liaisons obligatoires et des liaisons interdites.

• Les liaisons obligatoires se font entre le déterminant et le nom, entre le nom et l'adjectif qui précède et entre le pronom sujet et le verbe. Exemples : ...., ..., ...

• La liaison est interdite avant *onze*, après la conjonction *et* et quand il y a un *h* aspiré. Exemples : ...., ...

Les enchaînements

De même, on lie les consonnes et les voyelles à l'intérieur des groupes rythmiques, pour prononcer comme un seul mot : c'est l'enchaînement. Exemples : ...., ...

26. Dans le texte suivant, séparez les groupes rythmiques à l'aide de barres (/). Puis, soulignez les liaisons en rouge, les enchaînements entre deux voyelles en bleu et les enchaînements entre une consonne et une voyelle en vert.

Quand on a les chocottes sans savoir à quoi les attribuer, on finit par reporter cette angoisse sur la cible la plus facile : autrui. Selon de nombreuses études de psychologie sociale, les personnes en proie à une anxiété diffuse deviennent plus xénophobes et manifestent plus de sympathie envers les leaders nationalistes. [...]
C'est ce que le chercheur américain Barry Glassner qualifiait de « culture de la peur ». « Ils savent que les gens qui ont peur cherchent des solutions toutes prêtes pour les rassurer. Et ils semblent les offrir en se présentant comme forts, avec des solutions claires, et en partageant l'hostilité de leurs adeptes à l'encontre des migrants. » [...]
Et là, c'est le moment de l'examen de conscience pour nous, les médias, qui avons encore prouvé avec la révolte des Gilets jaunes que nous préférons la photogénie violente d'une poubelle qui brûle à une approche analytique et nuancée. Ce faisant, on a probablement alimenté le brasier.

PHONÉTIQUE - L'intonation de l'interrogation

27. Écoutez et complétez l'encadré.

58

L'intonation de l'interrogation n'est pas toujours montante. S'il y a une marque d'interrogation comme la formule ...., ... ou ...., l'intonation ne monte pas. Si la question a la même structure que la déclaration, l'intonation monte.

28. Transformez les questions suivantes pour leur donner une intonation non montante.

a. Il est allé à la foire Saint Romain ? → ....
b. Vous aimez les films de suspens ? → ....
c. Il y a des fantômes dans cet immeuble ? → ....
d. Il y a plus de catastrophes naturelles qu'avant ? → ....
e. Vous croyez aux vampires et aux zombis ? → ....
f. Ils pratiquent le vaudou ? → ....
g. Le loup doit être considéré comme un animal dangereux ? → ....

L'argent

10

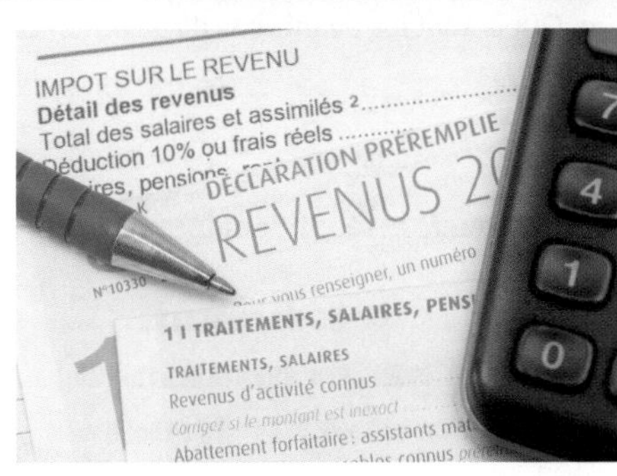

IMPOT SUR LE REVENU
Détail des revenus
Total des salaires et assimilés 2
Déduction 10% ou frais réels
DÉCLARATION PRÉREMPLIE
TRAITEMENTS, SALAIRES
Revenus d'activité connus

Le design des billets de banque

1. Faites des recherches sur Pierrette Lambert, artiste peintre qui a conçu certains billets de banque français, puis répondez aux questions suivantes.

a. Comment s'est-elle fait remarquer et a-t-elle intégré la Banque de France ? ....

b. Combien de temps a-t-elle travaillé pour la Banque de France ? ....

c. Quelles personnalités françaises a-t-elle représentées sur ses billets ? ....

d. Qu'est-ce-qui l'intéresse le plus dans le dessin de billets de banque ? ....

e. Pour quels pays, autre que la France, a-t-elle dessiné des billets de banque ? ....

f. Quels autres supports a-t-elle dessinés ? ....

g. Que pense-t-elle de la série actuelle de billets euros ? ....

Un des billets illustrés par Pierrette Lambert.

La finance, les taxes, les impôts et les types de raisonnement

2. Écoutez cet extrait d'une émission de radio et répondez aux questions.

59

a. Quel mode de paiement est le plus utilisé par les Français ? ....

b. Que font les gens avec leur argent liquide ? ....

c. Quels sont les avantages de payer en cash ? ....

3. Lisez ce texte et répondez aux questions.

Taxer le télétravail, l'idée d'un économiste de la Deutsche Bank

Un économiste de la Deutsche Bank a eu une idée nouvelle : taxer les télétravailleurs, pour redistribuer l'argent à ceux qui sont obligés de se déplacer et de travailler au contact du public ou en usine. (…)

Il s'appelle Luke Templeman. Et ce Britannique a fait une note pour défendre son point de vue dans le dernier numéro de *Konzept*, la revue de la banque allemande. Il constate que l'enthousiasme pour le télétravail a commencé bien avant la Covid, et évidemment que la pandémie a accéléré le phénomène. Il concerne 67% des Allemands, 50% des Américains, 47% des Britanniques et 45% des Français. Et cela ne s'arrêtera pas même si le virus disparaît. Pour lui, travailler de la maison est un privilège et ceux qui en bénéficient ne devraient pas oublier ceux qui en sont privés. On pourrait donc taxer le privilège des uns - le télétravail - pour aider les autres. (…) Il considère qu'une personne qui travaille de la maison fait beaucoup d'économies : temps, transport, déjeuner, vêtements et pressing, sans parler du cappuccino ou du verre avec les collègues. Il évalue ces avantages à 5% du salaire. Il note au passage que les salaires des gens qui peuvent télétravailler - les cols blancs - sont généralement plus élevés que ceux des personnes qui continuent à se déplacer. 5%, appliqué à un salaire moyen de 40 000 euros par an - celui des personnes qui télétravaillent en Allemagne- donnerait une taxe de 7 euros 50 par jour de travail à la maison. Une sorte de ticket restaurant à l'envers… Compte tenu du nombre de personnes concernées cela rapporterait 16 milliards d'euros en Allemagne. Plutôt 10 milliards en France. (…) Si l'entreprise économise le prix d'un bureau permanent pour le salarié, ce serait à elle de payer. Si en revanche, c'est le choix du salarié, ce serait à lui de la régler. (…) L'argent récolté permettrait, selon lui, de réduire les inégalités entre les cols blancs et les travailleurs de la première et de la seconde ligne, en tout cas ceux qui ont des revenus faibles ou bien ceux qui ont un commerce dans les quartiers de bureaux et risquent de perdre leur activité. (…)

franceinter.fr, par Sophie Fay

a. Soulignez les arguments de Luke Templeman en faveur d'une taxation du télétravail.

b. Dans quel but souhaite-t-il taxer le télétravail ? ....

4. Lisez ces réactions par rapport au texte de l'activité précédente et répondez aux questions.

Gaillard09

Pour moi, ce n'est pas une solution. Taxer le télétravail freinerait son développement alors qu'il faudrait l'encourager ! Nous devons réfléchir à un développement économique sur le long terme, à des solutions qui permettraient de redistribuer les forces économiques sur l'ensemble du territoire. C'est vrai que je gagne bien ma vie et que j'ai eu cette opportunité de faire du télétravail pendant la crise de la Covid 19. J'y ai pris goût et je souhaite même privilégier ce mode de travail. Alors oui, je ne prends pas les transports et je gagne du temps. Ce qu'il ne faut pas oublier aussi, c'est que je pollue beaucoup moins depuis que je ne fais plus mes 500 km par semaine en voiture. Autre chose : depuis que je fais du télétravail, tous les midis ou presque, j'utilise mes tickets resto pour faire travailler les petits commerçants et artisans près de chez moi, et non plus la grande chaîne à deux pas de mon bureau en ville.

Lucile

Mon idéal ? Que chacun soit libre de travailler d'où il veut, comme il veut, et que son choix, quel qu'il soit, ne soit pas taxé ! Vu comme le gouvernement gère nos richesses, moi je n'ai vraiment pas confiance en sa manière de redistribuer ces potentiels milliards d'euros. Tenez, regardez ce qu'il s'est passé pendant la dernière crise sanitaire : l'État a octroyé des avantages fiscaux aux entreprises sous prétexte de les aider à surmonter la crise, mais ces avantages ont profité majoritairement aux grandes entreprises qui, plutôt que d'éviter les licenciements, ont préféré maintenir les dividendes de leurs actionnaires. Et pendant ce temps-là, ceux qui travaillaient en première et seconde ligne, dans les petites entreprises, dans les hôpitaux... eux, continuent de ramer ou, pour certains, ont déjà coulé !

Nico

À en croire cet économiste, le télétravail ne comporte que des avantages. Il oublie de mentionner les inconvénients que subissent certains télétravailleurs. Ceux qui n'ont pas la possibilité d'avoir un espace calme et aménagé dédié à une activité professionnelle, ceux qui doivent co-travailler avec des enfants en fond sonore, ceux qui tombent dans des dépressions parce qu'ils n'ont pas respiré un autre air que celui qui circule entre leurs quatre murs ou parce qu'ils n'ont pas discuté ou bu un café avec des collègues. Alors en plus d'imposer le télétravail à ces personnes, il faudrait les taxer ?

a. Soulignez les arguments de chaque participant, en défaveur d'une taxation du télétravail.
b. Qui contre-argumente en faisant une mise en contradiction ? ....
c. Qui contre-argumente en faisant un raisonnement par l'absurde ? ....
d. Qui contre-argumente en donnant un contre-exemple ? ....
e. Choisissez un type de raisonnement et utilisez-le pour écrire votre avis sur la proposition de Templeman.

....

....

....

....

....

....

5. Faites des recherches pour trouver la signification des abréviations et sigles suivants.

P.I.B.		**K**		**π**	
R.N.B		**CA**		**w**	
T.V.A		**Dev**		**sté**	
T.T.C		**N**		**i**	
S.M.I.C		**S**			
R.M.I		**X**			

6. Par groupes de deux, réfléchissez à d'autres sigles et abréviations que vous connaissez sur le thème de l'économie ou de la finance.

7. Écoutez ces deux extraits d'une émission et répondez aux questions.

60

a. Quel est l'adjectif utilisé pour dire que l'impôt n'est pas récent ? ....

b. À travers l'histoire, à quoi ont servi les impôts ? ....

....

c. En 2021, quelle part du revenu national est taxée en France ? Et dans les pays les plus pauvres ? ....

....

d. Quels sont les différents impôts ? Classez-les par ordre d'importance.

....

....

e. Expliquez les astuces utilisées par les entreprises multinationales comme McDonald's pour réduire le plus possible le montant de l'impôt sur les sociétés.

....

....

f. Notez tous les mots relatifs à la finance, aux impôts et aux taxes qu'on entend dans les deux extraits pour compléter la carte mentale de l'activité 9 de la page 129 du *Livre de l'élève*.

8. Lisez la lettre de Françoise Giroud à Jean-Paul Sartre et répondez aux questions.

Avril 1960

Monsieur,

Je ne suis pas agrégée de philosophie, je ne prétends pas apprendre à penser à mes contemporains et quand il s'agit de savoir si un garçon de vingt ans doit ou non déserter, je ne peux me référer ni à Hegel ni à Lukács. Vos collaborateurs ont d'ailleurs largement insulté à mon inculture, dans votre journal, pour que vous n'ignoriez pas la crasse de mon esprit. Tout le monde n'a pas hélas, comme les membres de votre gauche, les moyens de s'instruire aux frais de papa.

Seulement j'ai moi un fils de vingt ans. Alors vos théories et celles de vos satellites, qu'il s'agisse d'argent - alors qu'aucun de vous n'a jamais connu le prix d'une livre de pain - ou de désertion - alors que vous parlez des enfants des autres -, je veux bien croire qu'elles sont géniales. Mais mon domaine à moi, ce n'est pas le génie. C'est la vie. Vous en avez entendu parler ?

Parfaitement consciente de mon abjection, je vous prie de croire, Monsieur, au respect que je continuerai imperturbablement à vous porter.

a. À quel sujet lui écrit-elle ? ....

b. Sur quoi l'attaque-t-elle ? ....

c. Quel est le type de raisonnement utilisé par Françoise Giroud ? ....

d. Trouvez-vous ce type de raisonnement adapté ? Justifiez votre réponse. ....

....

....

Les règles d'accentuation du e

9. Barrez les mots qui sont mal accentués et corrigez-les.

appéllation		**tempete**		**lycèe**	
espoir		**espèce**		**creation**	
crème		**méche**		**ocean**	
chévre		**probleme**		**stratègie**	
chène		**antènne**		**stratège**	
mêtre		**systéme**		**progrès**	
mettre		**colére**		**néz**	
rève		**elevage**		**mépris**	
liévre		**émission**		**siècle**	

10. Lisez le texte suivant et répondez aux questions.

(...) L'impôt sur les societes n'est pas le plus important en taille, mais il garantit la viabilite de tous les autres impôts. On taxe les entreprises sur leurs benefices, c'est-à-dire sur la difference entre leur chiffre d'affaires (les ventes) et leurs coûts. L'impôt sur les societes est invente au debut du XXe siecle quand l'impôt decolle dans les pays riches, et quand l'impôt (...) sur le revenu est introduit en France, aux États-Unis et au Royaume-Uni pour financer la Première Guerre mondiale, puis les services sociaux. L'impôt sur les societes, alors, est vu comme necessaire par les createurs de l'impôt moderne. Pourquoi ? Parce que sans lui, les riches chefs d'entreprise pourraient tricher : garder tous les profits de leurs societes dans les coffres de l'entreprise et ne pas se verser de salaire. Les benefices de l'entreprise auraient alors ete utilises pour qu'ils se paient de juteuses notes de frais, financer un train de vie eleve, tout en faisant grandir la valeur de l'entreprise. (...)

franceinter.fr, par Caroline Gillet

a. Rétablissez-y l'accentuation des *e*.
b. Relevez trois mots pour lesquels on n'accentue pas le *e* pour différentes raisons et expliquez-les.

....

....

....

11. Par groupes de deux, vous avez une minute pour remplir chaque colonne avec un maximum de mots. Le groupe qui a trouvé le plus de mots dans chaque colonne gagne.

Mots avec é	Mots avec è	Mots pour lesquels on entend é ou è mais qu' on n'accentue pas

Les expressions liées à l'argent

12. Écoutez cet extrait d'une émission de radio et répondez aux questions.

61

a. Qu'est-il arrivé aux personnes interrogées ? ....
b. Comment ont-elles accueilli cet événement ? Justifiez votre réponse avec des éléments du document audio.

....

c. Pourquoi les personnes interrogées suivent-elles une formation ? ....
d. En quoi consiste cette formation ? ....

....

e. Notez l'expression entendue synonyme de :
- être arnaqué, dépouillé par quelqu'un : ....
- action de déposer de l'argent sur un compte bancaire pendant une longue période sans le faire fructifier :

....

- qui attire l'attention, qui est clinquant : ....

f. Pour vous, gagner plusieurs millions d'euros serait-il un fardeau ou une aubaine ? Justifiez votre réponse.

....

....

13. Complétez, si nécessaire, à l'aide des étiquettes.

sur | à | pour | avec | en | dans | comme | de | par

a. Je dépose cet argent .... mon compte épargne la banque.
b. Ses petites consommations, elle préfère les payer .... espèces et non pas .... carte.
c. Il est .... le besoin. Tous les mois, il a du mal .... joindre les deux bouts.
d. Je dépense une grosse partie de mon salaire .... une journée .... l'achat de fringues.
e. J'ai commencé à travailler .... 16 ans .... mon frère .... l'usine de mon père.
f. Il travaille .... vigile, ... nuit, ... obligation .... pouvoir s'occuper de ses enfants en journée.

14. Complétez les grilles grâce aux définitions et découvrez la phrase mystère.

a. Certains se la serrent pour ne pas finir le mois dans le rouge.

C	3	7	12	4	10	2	3

b. En mettre dans les épinards permet d'améliorer sa situation financière.

B	3	10	2	2	3

c. À force de puiser dedans, on risque de se retrouver à sec.

2	3	8	3	2	11	3	8

d. Si on la brûle par les deux bouts, cela veut dire qu'on gaspille des choses qui ont de la valeur.

C	H	6	12	13	3	14	14	3

e. Ceux qui n'en ont pas ou peu peuvent toucher des aides de l'État.

2	3	8	8	9	10	2	C	3	8

Phrase mystère :

P	2	3	4	3	2	■	F	6	7	4	■	8	9	10	11	3	12	4

P	3	2	13	2	3	■	14	'	6	M	7	4	7	3	■	9	10	■	14	'	6	2	G	3	12	4

15. Listez des arguments pour et contre la phrase mystère de l'activité précédente. Puis, en classe, débattez autour de la phrase mystère en utilisant différents types de raisonnements.

16. Trouvez dans le nuage de mots les 13 expressions signifiant *être pauvre*.

ne pas avoir un kopeck
dans la misère
tirer le diable par la queue
dans la mouise
être dans la panade
ne pas avoir un rond
tirer le diable par les oreilles
être gueux comme un rat d'église
ne pas avoir une thune
racler les fonds de casserole
ne pas avoir un sou
être dans la dèche
être sur la paille
être sur la brèche
être fauché comme les blés
racler les fonds de tiroir
être sur la sellette

L'argent dans la fiction et les synonymes de *grand*

17. Complétez le texte avec, à chaque fois, un synonyme différent de *grand*.

Balthazar Picsou est un descendant des McPicsou, famille prestigieuse, mais qui n'avait pas une fortune ....

Très jeune, Balthazar Picsou cire des chaussures pour gagner quelques pièces. Ensuite, il part vivre de belles et .... aventures en Amérique, en Afrique, en Australie pour finir dans le Yukon. Là, il découvre, dans une .... vallée perdue du Klondike, une .... pépite, et à partir de ce moment, il développe une .... obsession pour l'argent.

Balthazar Picsou a amassé d'..................................... richesses, stockées en grande partie dans son .... coffre-fort de 30 000 mètres cubes édifié sur la colline Killmotor à Donaldville.

Cependant sa fortune est bien plus .... que les seules « liquidité » de son coffre, car il possède des comptes bancaires, des avoirs, des actions et même des banques. Selon le célèbre magazine économique américain *Forbes*, le célèbre canard, avec sa fortune .... de près de 65,4 milliards de dollars, est le personnage de fiction le plus riche du monde.

18. Lisez ces noms de personnages de fiction et répondez aux questions.

Gatsby | Le maharadjah du Komenvatustan | Bruce Wayne | Félix Grandet | La petite fille aux allumettes | Harpagon | Don Salluste | Crapaud Baron Têtard

a. Classez les personnages dans la colonne qui convient. Faites des recherches si nécessaire.

Personnages riches et radins	Personnages riches et dépensiers	Personnages pauvres

b. Complétez le tableau avec d'autres personnages de fiction de votre choix.

c. Choisissez un personnage et faites un résumé de son histoire, comme dans l'activité 17.

Les synonymes de *somme*

19. Complétez ces titres d'articles avec des synonymes de *somme*.

a. BNS : UBS anticipe un .... de 25 milliards de francs en 2020.
b. Les .... des carburants repartent à la hausse en ce début d'année.
c. Forte baisse du .... des cash prizes en 2020
d. Malgré une .... éléphantesque, le Japon s'invente un autre plan de relance à 600 milliards d'euros
e. Les .... de la taxe sur les transactions financières se sont envolées pendant la crise sanitaire.

Les expressions de la générosité et de l'avarice

20. Barrez la phrase qui n'a pas sa place dans chaque liste.

a. Quel radin ! - Il est généreux. - C'est un harpagon.
b. C'est un vrai pingre. - Qu'il est gratteux ! - Il est charitable.
c. C'est très chevaleresque de sa part. - Quel rapiat ! - C'est un homme prodigue.
d. Il est munificent. - Qu'il est chiche ! - Il est très grippe-sou.
e. Elle a des oursins dans les poches. - Elle jette l'argent par les fenêtres. - Elle est près de ses sous.
f. Elle claque son argent. - Elle dilapide son argent. - Elle est parcimonieuse.

MÉTHODOLOGIE - Lire et commenter des données chiffrées

21. Lisez ces commentaires et répondez aux questions.

1. En 2020, l'Observatoire des inégalités propose de fixer le seuil de richesse à 2 fois le revenu médian français, soit 3 470 euros de revenu pour une personne seule après impôts et prestations sociales. **Il y aurait donc en France quasiment autant de «riche » que de «pauvres», soit 8,2 % de la population.**
2. **Le seuil de richesse serait donc de 5 205 euros pour un couple sans enfant, 7 287 euros pour un couple avec 2 enfants, 8 328 euros pour un couple avec 3 enfants.**
3. En 20 ans, les riches se sont éloignés des classes moyennes. **En 1996, l'écart entre le niveau de vie médian de la population et le niveau de vie moyen des 10 % les plus riches était de 27 800 euros annuels. En 2017 il était de 36 300 euros.** L'écart s'est donc fortement creusé. **Quant au nombre de redevables de l'ISF, il a plus que doublé entre 1999 et 2010. Entre 2011 et 2017, la progression a été plus lente, mais de 22 % tout de même en 5 ans.**

a. Pour chaque commentaire en gras, dites quel type de document chiffré illustrerait le mieux ces données et expliquez pourquoi.

1. ....
2. ....
3. ....

b. Pour chaque document, imaginez un titre.

1. ....
2. ....
3. ....

22. Faites une infographie qui résume le contenu des textes précédents. Faites des recherches sur Internet, si nécessaire.

23. Observez le document, dites si les phrases sont vraies (V) ou fausses (F) et corrigez les interprétations erronées.

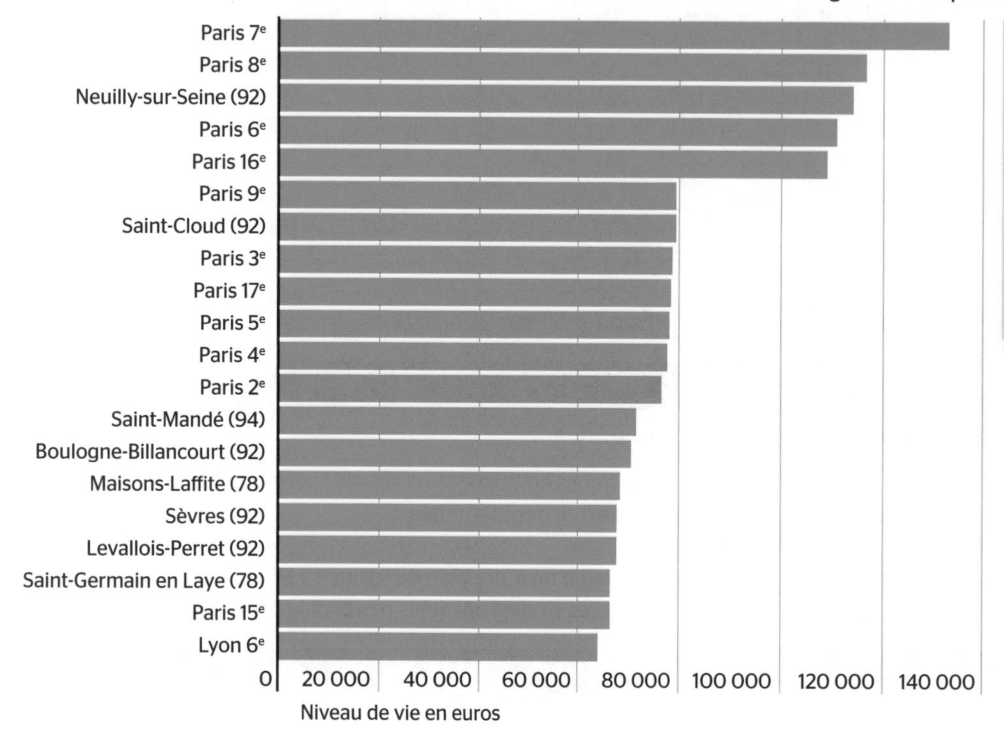

Les 20 grandes et petites villes (ou arrondissements) où le niveau de vie annuel minimum des 10 % les plus riches est le plus élevé.

S franceinter.fr

a. Ce document montre la répartition des personnes les plus riches en France. ....

b. 10 % des habitants de Lyon 6e gagnent environ 65 000 euros par an. ....

c. Les 10 % des plus riches habitant dans le 7e arrondissement de Paris dépensent au minimum 130 000 euros par an. ....

24. **Observez le document suivant et répondez aux questions.**

a. Qui sont les riches en France ? ....

b. Quel est le critère le plus discriminant pour être riche ? ....

c. Quel est le critère le moins discriminant pour être riche ? ....

d. Faites une autre interprétation de ce graphique. ....

25. **Associez les commentaires à leurs buts.**

1. Les chiffres laissent présager une augmentation du nombre de chômeurs. •	
2. Plusieurs facteurs peuvent influer sur l'envolée du prix du pétrole. •	• **a.** Comparer / Classer
3. La courbe du nombre d'hospitalisés reste stable. •	• **b.** Commenter une évolution
4. Les premiers concernés par cette crise sont les jeunes. •	• **c.** Interpréter des chiffres
5. Le taux de pauvreté est nettement plus élevé dans ce pays. •	• **d.** Prévoir une évolution
6. Le nombre fluctue entre 100 et 150. •	

26. **Feuilletez le *Livre de l'élève* et répertoriez tous les documents chiffrés. Puis, dites à quels types de documents chiffrés ils correspondent (courbe, histogramme, camembert, infographie). Enfin, choisissez-en deux de type différent et commentez-les le plus précisément possible.**

PHONÉTIQUE - Les voyelles à double timbre

27. Écoutez et cochez la bonne case.

62

	[e]	[ɛ]	[o]	[ɔ]	[ø]	[œ]
a. Voilà le dé.						
b. Il a peur.						
c. Voilà du feu.						
d. C'est mon frère.						
e. C'est beau.						
f. dans le pré						
g. C'est ma sœur.						
h. un conte de fées						
i. Je veux du porc.						
j. C'est faux.						

En français il y a trois voyelles à double timbre : *e*, *o* et *œ*. En général, le timbre de la voyelle dépend de la position de la voyelle dans la syllabe : si la syllabe se termine par une consonne prononcée (syllabe fermée) la voyelle est ouverte. Si la syllabe se termine par une voyelle prononcée (syllabe ouverte), la voyelle est fermée. Exemples : *un pré* (voyelle fermée), *un père* (voyelle ouverte) ; *un pot* (voyelle fermée), *un port* (voyelle ouverte) ; *un peu* (voyelle fermée), *la peur* (voyelle ouverte).

Il y a peu de cas de mots qui se différencient grâce à ces voyelles. Exemples : *une pomme* (voyelle ouverte), *une paume* (voyelle fermée) ; *je suis prêt* (voyelle ouverte), *je suis dans le pré* (voyelle fermée) ; *le jeune* (voyelle ouverte) ; *le jeûne* (voyelle fermée). Mais la prononciation des deux voyelles reste régionale.

28. Lisez les phrases à voix haute et faites attention à la prononciation des voyelles ouvertes et fermées.

a. Mon père est maire et mon frère est masseur.
b. Un peu de feu a fait peur.
c. Mon frérot est au port et il prend un pot.
d. J'ai la clef de ma mère et le béret de mon père.

PHONÉTIQUE - L'accent

29. Écoutez et marquez les groupes rythmiques en les séparant par des barres (/). Puis, observez la dernière syllabe prononcée de chaque groupe.

63

a. Certains retraités doivent travailler pour arrondir les fins de mois.
b. Leurs patrons n'ont pas voulu les déclarer à la Sécurité sociale.
c. La meilleure manière de bien dormir est de ne pas avoir des dettes.
d. Elle a décidé de continuer à travailler pour mettre du beurre dans les épinards.
e. Nous devons tous payer des impôts.
f. Faire des économies est un bon moyen de se construire un futur.
g. En France, il ne faut jamais demander combien on gagne.
h. Je suis complètement fauché. Tu peux me prêter 100 balles ?

En français, la dernière syllabe d'un groupe rythmique est une syllabe accentuée. Les caractéristiques de l'accent en français sont :
• C'est un accent de groupe et non pas un accent de mot.
• C'est un accent long, et non pas un accent fort.
• Il est toujours placé à la fin du groupe rythmique.

30. Soulignez les syllabes accentuées, puis lisez-les à voix haute en faisant bien attention d'allonger la syllabe.

a. Ma famille économise toute l'année pour faire un long voyage à la fin du mois de novembre.
b. Si vous voulez rénover votre appartement, il faudra faire quelques économies.
c. L'argent ne fait pas le bonheur, mais il aide à l'entretenir.
d. En ce monde, les hommes généreux manquent d'argent, et ceux qui ont de l'argent manquent de générosité.
e. La parole est d'argent, le silence est d'or.

31. Lisez le texte suivant en faisant bien attention à la prononciation des accents, des groupes rythmiques, de la mélodie, des liaisons et des enchaînements.

Une famille riche, possédant un gros portefeuille d'actions et d'obligations, effectue ou fait effectuer par ses gestionnaires des dizaines, voire des centaines de transactions électroniques par mois. Une micro-taxe prend tout son sens dans un tel cas, parce qu'aujourd'hui, cette masse d'argent en mouvement échappe à l'impôt, et que le taux raisonnable de taxation sera indolore pour ces contribuables, comme pour les autres. Inversement, la TVA frappe les citoyens à bas ou moyens revenus, contraints de la payer sur tous leurs achats, y compris ceux qui n'ont rien à voir avec le luxe !

Points de vue

11

Échanger sur la perception historique et le sexisme

1. Lisez le texte et répondez aux questions.

Il paraît que les femmes ont une histoire (mais pas depuis longtemps)

Faire l'histoire des féminismes n'est pas faire une histoire des femmes. Moins usitée aujourd'hui, l'expression « histoire des femmes » ramène plutôt aux années 70 et 80 alors qu'on parlera plutôt de «genre» aujourd'hui (...). Cette histoire des femmes n'a pas forcément, ou pas toujours, été une histoire des féminismes mais plutôt une entreprise intellectuelle, et académique, qui avait pour but de remettre les femmes dans le viseur de la connaissance et de l'analyse. C'est-à-dire, d'en faire des objets dignes d'être étudiés. (...)

Parfois, histoire des femmes et histoire du féminisme se sont recoupées : c'est le cas lorsque l'étude porte sur un groupe des femmes qui se mobilise pour son émancipation, la conquête de ses droits, ou milite pour l'égalité. Mais pour écrire cette histoire-là et faire de la place à cette énergie-là, encore faut-il avoir vu les femmes dans les sources, et les avoir nommées dans le récit historien.

Or longtemps, on n'a non seulement pas regardé l'histoire des féminismes, mais on n'a pas vu les femmes tout court. Parce que l'universel fut durablement masculin et blanc, elles étaient condamnées au hors-champ. Mais l'invisibilisation des femmes n'entrave pas seulement l'accès à la postérité de quelques femmes, parmi des figures spectaculaires ou hégémoniques : elle prive aussi d'une meilleure connaissance de certains épisodes historiques, ou de certaines questions.

Longtemps, l'histoire de la classe ouvrière a par exemple été une histoire très masculine des ouvriers. Virile, même, comme si la classe ouvrière, c'était d'abord la mine, une industrie qui recrutait des hommes, et l'image d'un bleu de travail. Comme si, surtout, envisager une vision plus fine, mais plus fragmentante et diviseuse, du groupe ouvrier, risquait de fragiliser une approche en termes de classe. On retrouve ici en embuscade l'idée que le genre jouerait au fond contre la classe. Et qu'il faudrait peut-être voir à s'abstenir de tronçonner l'analyse et l'angle de tir au prix de «particularismes» - y compris quand le «particulier» compterait pour la moitié de l'humanité. Comme Noiriel l'écrivait en 2002 : Comment mieux prendre en compte la diversité de l'univers ouvrier, y compris au niveau des symboles et des représentations, sans affaiblir l'identité collective du groupe tout entier ?

Lorsque Gérard Noiriel publiait cette préface, un certain nombre d'historiennes, et aussi quelques historiens beaucoup moins nombreux, répondaient cependant depuis plusieurs décennies en enquêtant sur les femmes. (...) Mais ils se sont aussi heurtés à la difficulté de documenter une histoire qui se souciait de cette moitié-là de l'humanité. Car les historiens travaillent depuis des archives. Et la façon dont les archives ont été conservées (ou pas), puis inventoriées, et en quelque sorte fléchées en fonction d'objets qui auraient pignon sur rue, est décisive dans l'accès aux sources. L'archivage et la conservation sont d'abord le fruit d'un rapport social et d'un rapport de forces. En bref, le résultat d'un parti pris intellectuel, épistémologique, et donc un enjeu politique. Si vous prenez par exemple l'épisode de la Commune de Paris, les dossiers judiciaires des hommes traduits devant les tribunaux militaires d'exception créés à la défaite de la Commune, ont été infiniment mieux conservés que ceux des femmes. Beaucoup sont parcellaires et souvent abîmés pour avoir patienté au fond des caves militaires jusqu'en 1945, si bien que seuls 15 000 dossiers de communards ont été archivés, donc sauvegardés, sur un total d'environ 40 000. Et encore manque-t-il tous les dossiers de non-lieu, détruits en 1936 par un archiviste anti-communard qui les jugeait «inutiles». Mais le contraste avec ceux des femmes est saisissant : les dossiers de communardes ont disparu, à l'exception, notable et révélatrice, de Louise Michel, qui paraît survoler cette vaste opération de triage du haut de son statut d'icône.

Les destructions sauvages d'archives publiques sont interdites sur le papier depuis une loi de 1898. Avant cela, rien n'obligeait les conservateurs et les archivistes à notifier les destructions, et à les justifier (...). Or sans archives, on n'écrit pas la même histoire.

Mais l'histoire des femmes est aussi une histoire du regard qu'on pose sur les archives pourvu qu'on y ait accès. Une historienne du monde ouvrier et du genre comme Laura Lee Dows décrit très finement, par exemple, en quoi elle a eu le sentiment de revisiter un terrain de papier sur lequel ses collègues étaient pourtant déjà passés cent fois. Sans voir la même chose et, en l'occurrence, souvent sans regarder les femmes. Elle raconte par exemple qu'on a longtemps assimilé les femmes à de la main d'œuvre non qualifiée, alors même que les femmes étaient massivement qualifiées, parce que tout simplement les catégories qui figuraient dans les documents ramassaient toutes les femmes entre elles, là où les archives patronales détaillaient, pour les hommes, entre « hommes qualifiés », « hommes semi-qualifiés », «manœuvres»... (...)

Saviez-vous par exemple qu'Annie Kriegel, célèbre historienne spécialiste du Parti communiste français, avait soutenu une thèse d'histoire en 1964... mais été nommée en sociologie, à Nanterre, en 1969? Longtemps, c'est pourtant plutôt de la philosophie que la sociologie a relevé d'un point de vue disciplinaire. Saviez-vous, encore, que deux des plus grands historiens du XXe siècle, Lucien Febvre et Marc Bloch, ont pu compter sur le travail de leurs épouses respectives... elles-mêmes historiennes et prodigieusement disparues des radars? Fabrice Virgili, un des historiens les plus en pointe sur le genre et la trace des femmes dans l'historiographie, avait consacré un article à la place des femmes dans l'historiographie, paru en 2002 dans la revue *Vingtième siècle*. Il y rappelait le travail de Simone Vidal-Bloch, pourtant historienne, qui « ne fut jamais signalé par son mari » ; ou le sort de l'agrégée Suzanne Dognon-Febvre, qui sitôt mariée, interrompt son doctorat et assiste son mari dans l'ombre.

franceculture.fr, par Chloé Leprince

a. Notez tous les synonymes de *voir* ainsi que les mots appartenant au champ lexical de la (non-)perception : ....

....

b. Relevez les mots ou expressions correspondant à ces définitions :
- retenir / empêcher : ....
- être caché / dissimulé : ....
- se confronter à : ....
- avoir une certaine notoriété : ....
- être très incomplètes : ....
- passer inaperçu : ....

c. Reformulez la différence entre *histoire des femmes* et *histoire des féminismes* : ....

....

d. Pour quelles raisons le rôle des femmes dans l'Histoire a-t-il été peu, mal ou pas du tout étudié ? ....

....

e. Vrai ou Faux ? Il y a de plus en plus de femmes historiennes. Justifiez votre réponse. ....

....

2. Classez ces films et séries selon s'ils passent le test de Bechdel ou pas. Faites des recherches si nécessaire, et vous pouvez aussi ajouter d'autres à la liste que vous connaissez bien. Ensuite, répondez à cette question en quelques lignes : Le test de Bechdel sert à déterminer si un film est féministe ou sexiste ?

James Bond : Meurs un autre jour | *Titanic* | *La Jeune Fille en feu* | *La Servante écarlate* | *Twilight* | *Mektoub my love* | *Pretty Woman* | *Fleabag* | *Thelma et Louise* | *Jeanne Dielman* | *Gravity* | *Wonder Woman* | *Once Upon a Time in Hollywood* | *La Chronique des Bridgerton* | *Le Loup de Wall Street*

Filsms qui passent le test	Films qui ne passent pas le test

....

....

Le regard et les synonymes de *voir*

3. Lisez ce texte et répondez aux questions.

Souvenons-nous du 22 août 1911. Il y a un jour déjà que *La Joconde* a disparu du Louvre. Vincenzo Perrugia l'en a délesté. Mais personne ne s'est aperçu de rien. L'affaire connue, la police s'en mêle et le reste est devenu légendaire. Mais réfléchissons aussi : la gloire d'icône qui a fait *La Joconde* se transforme soudain en une célébrité digne des stars de cinéma et de chanson. La foule converge ce jour-là vers le Louvre pour scruter la place où s'était trouvé le tableau, et pourtant beaucoup de ces visiteurs étaient nouveaux. Ils n'avaient même jamais vu le tableau.

Par cette entrée en matière, l'auteur veut nous faire sentir ceci : l'histoire de la disparition de *La Joconde*, qui sert donc ici de paradigme, nous éclaire sur l'art et sur ce que nous espérons y voir. Comment entendre cela ? Le véritable secret des grandes expositions auxquelles nous assistons désormais est moins dans les œuvres à voir, croit pouvoir affirmer l'auteur, que dans les milliers de personnes qui campent devant les musées et font la queue pour accéder à l'univers des peintres. Le véritable événement, dans chaque cas, est l'installation constituée par ces foules qui n'ont pas idée de ce qu'est le sujet d'une œuvre d'art. Le public se rend-il dans une exposition parce que les œuvres sont disponibles près de chez lui ? Ou bien chaque spectateur recherche-t-il quelque chose de spécifique, d'individuel et de singulier dans les tableaux ? Cette idée lui est suggérée, justement, par la présence de ces foules venues contempler une place vide (celle de *La Joconde*), phénomène qui renverse, à juste titre, le raisonnement habituel.

Vu de ce point de vue, l'acte de Perrugia était donc plus qu'un simple vol. Il préparait la scène pour un siècle où les gens iraient dans les musées et les galeries d'art «voir» le vide que l'art moderne leur offrait. Entendons bien ici que ce vide est celui de l'absence d'image au sens classique du terme. Le vol, en ce sens, souligne l'auteur, doit être inclus dans la liste des grandes œuvres déterminantes du mouvement moderniste. Il ajoute même un peu plus loin que « le fait que le tableau ne fût pas là avait induit chez les gens une façon différente de regarder les choses. Tout ce qui avait été invisible avant était maintenant digne d'être regardé – ce qui fait du vol de *La Joconde* une œuvre d'art en elle-même ».

Pour revenir au cas de *La Joconde*, avant son vol, elle n'était pas ou peu connue. La Fornarina de Raphaël pouvait s'enorgueillir de tenir la place d'icône artistique clé. Il a fallu qu'elle disparaisse pour devenir le symbole qu'elle est de nos jours. À quoi s'ajoute la déception constatée de quelques-uns découvrant que, finalement, ce tableau n'est pas grand ou aussi grand que l'imagination ne l'a conçu. Autant dire que, grâce au vol, on s'est mis à apprécier l'œuvre différemment, et sans doute avec plus d'intelligence. Alors, faut-il souhaiter un nouveau vol de *La Joconde* pour qu'elle acquiert une valeur différente encore, voire nouvelle ? La plupart des choses deviennent plus intéressantes une fois que nous les avons perdues. C'est même parce qu'elles ne sont plus là que nous leur accordons plus de valeur encore.

Voilà donc l'objet de la recherche fixé : l'affaire de *La Joconde* pourrait bien nous donner un indice sur les raisons pour lesquelles nous regardons les œuvres d'art. Y cherchons-nous quelque chose que nous aurions perdu ? Et quel est ce quelque chose ? Il fallait rien moins que la parole d'un psychanalyste pour explorer ces questions. Vues de ce point de vue, elles ne relèvent pas uniquement de l'esthétique. Elles imposent aussi un détour par un théorie du regard, théorie de ce qu'il voit, certes, mais plus encore de ce sur quoi il se rend aveugle en voyant. Darian Leader est ce psychanalyste. Il voulait éclairer l'étrangeté de la tâche qui consiste à écrire sur l'art (...).

Résumons-le autrement. Si chacun veut bien s'interroger sur l'acte de voir auquel il procède lorsqu'il devient spectateur, ce sera pour entrevoir que cet acte n'est rien moins que simple. Livrons la difficulté sous la forme d'un répertoire des manières de voir : voir ce qu'on voit, c'est sans doute le plus simple, mais le voit-on vraiment ? Parfois, nous voyons ce que nous ne remarquons pas. Et qu'en est-il de ce que nous ne voulons pas voir ? Peut-on voir ce qu'on ne voit pas ? Et ce qu'on ne peut voir ? Quant à ce qui est impossible à voir (par exemple parce que cela n'existe pas), qu'en est-il ? Mais la peinture ne consiste-t-elle pas à faire voir ce que nous échouons à voir ? D'autant que voir quelque chose, c'est simultanément n'en plus voir une autre. Et puisque nous parlons peinture, voir un portrait, c'est voir ce qui ne peut nous voir. Enfin, pour clore ce répertoire, n'oublions pas que nous tentons aussi parfois de voir ce qui nous regarde, mais ce qui nous regarde ne se voit pas toujours (...).

S'il y a un plaisir certain à regarder des œuvres d'art, et un plaisir mesquin à regarder le lieu vide laissé par une œuvre d'art volée, il y a aussi un certain plaisir à lire cet ouvrage qui porte, en définitive, sur l'acte de voir, dont chacun sait, qu'il le veuille ou non, qu'il est extrêmement délicat à réaliser.

S nonfiction.fr, par Christian Ruby à propos du livre *Ce que l'art nous empêche de voir* du psychanalyste Darian Leade

a. Relevez les verbes du texte, synonymes de *voir*, signifiant :
- examiner attentivement dans le but de découvrir ce qui est caché : ...
- regarder avec admiration, s'absorber de quelque chose : ...

b. Complétez le tableau suivant pour trouver d'autres verbes synonymes de *voir* :

Définitions	Synonymes de *voir*
Mot familier signifiant jeter un coup d'oeil pour observer quelque chose ou quelqu'un.	
	reluquer
	dévorer qqn / qqch des yeux
Remarquer quelqu'un ou quelque chose.	
Découvrir subitement quelqu'un ou quelque chose.	
	entrevoir
	saisir

c. Donnez des exemples de situations où :
- on peut voir mais ne pas remarquer : ...
- quelque chose nous fait voir ce que nous échouons à voir : ...
- on peut tenter de voir des choses qui ne nous regardent pas : ...

d. Pourquoi, selon l'auteur, *La Joconde* est tant regardée ? ...

e. Et vous, pourquoi vous rendez-vous à des expositions ? Quel regard portez-vous sur les œuvres de peintres ? Qu'y cherchez-vous ? ...

4. Réécrivez chaque phrase en utilisant l'expression adéquate.

voir qqch/qqn d'un mauvais œil | avoir une confiance aveugle en | sauter aux yeux de | avoir le compas dans l'œil | être à voir | n'y voir que du feu | ouvrir les yeux sur | n'avoir rien à voir dans qqch | sous l'œil de | aller se faire voir

a. Elle a compris qu'elle faisait fausse route en continuant de travailler dans ce secteur.

b. Il a passé des années à lui faire du charme mais elle ne l'a jamais considéré autrement que comme un ami.

c. C'est évident qu'il est coupable ! Tous les éléments de l'enquête vont dans ce sens.

d. Ce nouveau directeur, je ne le sens pas du tout !

e. On peut compter l'un sur l'autre. Je ferais tout pour lui et il ferait tout pour moi !

f. Elle l'a mis à la porte, et elle lui a dit de ne plus jamais lui adresser la parole.

g. Arrête de m'accuser ; je ne suis pas impliqué dans cette histoire !

h. Ce film est vraiment bouleversant ; il ne faut pas que tu le rates !

i. Cet enfant expérimente de nouvelles choses sous la surveillance bienveillante de ses parents.

j. Quelle précision ! Vous êtes vraiment doué pour estimer les distances.

La crise sanitaire et la personnification

5. Lisez l'article et répondez aux questions.

Donald Trump : les maux et les mots du virus

De nombreuses semaines durant, le président Trump a minimisé les conséquences probables du coronavirus, le présentant comme une nuisance mineure (...) de crainte que de mauvaises nouvelles affectent les marchés et compromettent ses chances de réélection. Mais alors que Wall Street accélérait sa chute, il s'est finalement adressé à la nation depuis le Bureau ovale le 11 mars pour annoncer la fermeture arbitraire des frontières avec une partie de l'Europe comme moyen de protéger les Américains du « virus étranger ».

L'utilisation du qualificatif «étranger» n'est pas une simple bourde. Selon le site web de base de données Factbase, le président a utilisé l'expression « virus chinois » plus de 20 fois entre le 16 et le 30 mars et la photo du mot «Corona» rayé dans son discours et remplacé à la main par l'adjectif «chinois» montre bien le caractère délibéré de la formule. (...)

Face aux accusations de racisme, il a rejeté les conséquences de ce terme sur les Américains d'origine asiatique. « Ce n'est pas du tout raciste. Non, ce n'est pas du tout raciste », a-t-il déclaré le 18 mars. « Ça vient de Chine. C'est pour ça. Ça vient de Chine. Je veux être précis » (...). Le président Trump n'a peut-être pas eu d'intentions racistes dans cette affaire. Mais l'intention importe moins que l'effet : au début du mois de mars, les actes racistes et le harcèlement anti-asiatique avaient déjà fait un bond aux États-Unis, et ont continué à augmenter depuis. (...) Or, si Donald Trump n'est pas directement responsable de ces actes, lui et d'autres élus républicains ont toutefois une responsabilité dans la façon dont ils parlent du virus. Les mots comptent : depuis 2015, l'OMS a une ligne directrice stricte concernant la dénomination des maladies, laquelle est suivie par les dirigeants mondiaux.

Les expressions « virus chinois » et « virus de Wuhan » personnifient la menace. La personnification est métaphorique : elle vise à aider à comprendre quelque chose d'inconnu et d'abstrait (c'est-à-dire le virus) en utilisant des termes familiers et incarnés (c'est-à-dire un lieu, une nationalité ou une personne). Mais comme l'ont montré depuis longtemps les linguistes cognitifs George Lakoff et Mark Johnson, les métaphores ne sont pas seulement des outils poétiques ; elles sont utilisées constamment et façonnent notre vision du monde. L'adjectif «chinois» pose problème car il associe l'infection à une ethnicité. Parler d'identités de groupe avec un langage explicitement médical est un processus bien étudié d'«altérisation» (...), historiquement employé dans la rhétorique et la politique anti-immigrés, y compris envers les immigrés chinois en Amérique du Nord. Ce type de langage alimente l'anxiété, le ressentiment, la peur et le dégoût envers les personnes associées à ce groupe.

Les métaphores façonnent également notre vision du monde en mettant en évidence certains aspects d'un concept et en cachant d'autres (Lakoff et Johnson). Par exemple, l'expression « virus étranger » implique que la nation est le corps confronté à un virus externe identifié comme étranger. La métaphore de la nation en tant que corps est courante dans la langue anglaise, mais également française : on la retrouve dans les expressions « la tête de l'État », le « bras armé de la loi », etc. (...)

theconversation.com, par Jérôme Viala-Gaudefroy et Dana Lindaman

a. Remplacez les mots soulignés par un synonyme.

b. Reformulez ce qu'ont démontré les linguistes Lakoff et Johnson.

c. Résumez l'article en quelques lignes.

d. Dans votre langue, y-a-t-il des expressions métaphoriques de la nation en tant que corps. Comment les traduiriez-vous en français ?

6. **Pour chaque lettre de l'alphabet, trouvez un mot beaucoup entendu avec la crise sanitaire de la Covid 19. Comparez ensuite vos réponses avec le reste de la classe.**

A comme asymptomatique, B comme...

Le confinement et les différents sens de *partir*

7. **Écoutez ces témoignages sur le confinement et répondez aux questions.**

64

a. Complétez le tableau suivant :

	Sentiment/s dominant/s	Phrase - incluant une proposition infinitive - extraite de son témoignage
Malaika, 21 ans		
Yves-André, nonagénaire		
Ghislaine, 63 ans		
Annie & Habib, quadragénaires		

b. Quel témoignage vous touche le plus ? Pourquoi ? ....

c. Et vous, comment avez-vous vécu le/s confinement/s et la crise sanitaire ? Rédigez votre témoignage ou le témoignage d'un proche en utilisant au moins deux propositions infinitives avec des verbes de perception.

....

8. **Reformulez ces phrases.**

a. Avec l'annonce du couvre-feu, l'espoir d'assister aux feux d'artifice cette année part en fumée.

....

b. Vu la dégradation de la situation, on est partis pour un énième confinement.

....

c. Certains sont partis en vrille à force de solitude.

....

d. Quand ils parlent de la crise, ils partent dans des explications confuses et parfois même contradictoires.

....

Le mot *genre*

9. **Complétez ce dialogue avec la bonne expression formée avec le mot *genre*.**

- Marie, elle est très .... Par exemple, elle ne sort jamais sans son carré de soie et son collier de perles.
- Ah oui, je .... Elle n'oserait jamais se balader avec un jean troué, des baskets et une coiffure «coiffée-décoiffée».
- Non, ce .... en effet ! Selon elle, cette dégaine-là, ça fait vraiment ....
- Et ses frères et sœurs, c'est pareil ?
- Pas du tout ! Mayeul, ... ; il est en mode très décontract' ! Et Castille, elle est toujours en tenue de sport !
- Eh bien ! Quel .... !

La cartographie

10. Lisez le texte et répondez aux questions.

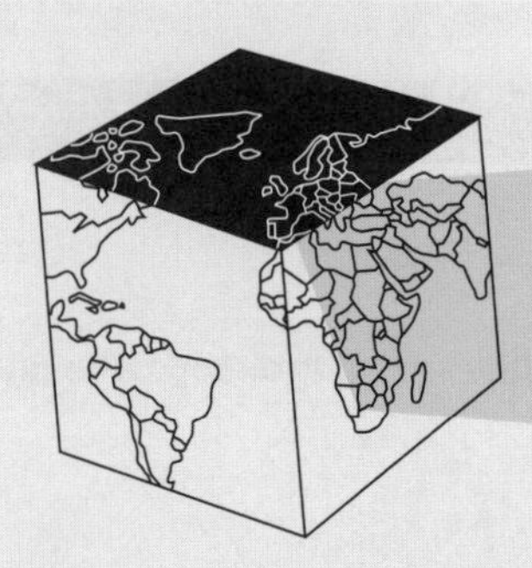

LA MEILLEURE CARTE DU MONDE

C'est entendu, la Terre n'est pas plate. Pourtant, c'est sous cette forme que nous apprenons toujours à la connaître : vous avez probablement une carte du monde toute plate représentée sur les pages de votre agenda. S'ils sont plus pratiques à transporter qu'un globe, ces «planisphères» ont tout de même un gros défaut : ils déforment forcément quelque chose. Pour vous en convaincre, comparez, sur le planisphère de votre agenda, la taille du Groenland et du Mexique : le premier semble beaucoup plus grand. Vérifiez maintenant sur un globe : enfer! Ces deux régions ont en réalité la même superficie (environ 2 millions de km carrés).

Les cartographes s'arrachent les cheveux depuis des siècles sur cette question : comment projeter une sphère à l'identique sur une surface plane ? Autant vous le dire, ce problème de géométrie n'a pas de solution. Les cartographes ont donc adopté, au fil du temps, différents systèmes de projection, tous imparfaits mais adaptés aux besoins de leur époque. Par exemple, aux XVIIe et XVIIIe siècles, la projection de Mercator avait la cote. C'était l'époque des grandes expéditions marines lancées par les Européens. Or, cette projection, œuvre du cartographe flamand Gerardus Mercator, est parfaite pour les marins. Comme l'explique Xavier Della-Chiesa : « Toute ligne droite sur une carte de Mercator est une ligne d'azimut constant, c'est-à-dire la trajectoire d'un navire qui suit un cap constant. » La projection de Mercator appartient à la catégorie des projections conformes, qui conservent les angles. Les pays ont donc la même forme que sur le globe... mais les aires ne sont pas conservées : ils n'ont donc pas la bonne taille.

De nos jours, à l'ère de Google Maps, ce sont les projections «aphylactiques» qui prédominent : un mélange entre une projection conforme et une projection «équivalente», qui conserve les aires mais pas les angles. Quand vous consultez une carte du monde sur téléphone, les angles ne sont pas bons, les aires non plus, mais les déformations sont moins importantes que, respectivement, dans une équivalente ou une conforme.

Ces projections ont l'avantage de ne pas particulièrement favoriser un pays par rapport à l'autre, contrairement à celle de Mercator où plus on approche des pôles, plus les surfaces sont étirées. « Les projections aphylactiques sont donc plus neutres politiquement, ce qui correspond davantage à notre époque ».

Ceci dit, quelques «biais» des siècles passés ont été conservés : ainsi, les planisphères sont encore majoritairement centrés sur l'Europe et placent le nord en haut et le sud en bas.

En 1943, l'Américain Buckminster Fuller invente la carte Dymaxion dont l'objectif est d'offrir le moins de déformation possible des surfaces et de supprimer le biais culturel nord/sud. Elle a toutefois un inconvénient majeur : elle est super biscornue. En 1999, l'équipe du Japonais Hajime Narukawa prolonge le travail de Fuller, avec une contrainte supplémentaire: parvenir à une carte rectangulaire.

Ils divisent la surface du globe en 96 triangles égaux, puis ils «aplatissent» la sphère terrestre pour former un tétraèdre, ce qui conserve les rapports des aires des triangles. Enfin, ils déplient le tétraèdre en un rectangle.

Comme le précise Hajime Narukawa : « Cette technique permet d'équilibrer les quatre types de déformations – forme, taille, direction et distance – pour obtenir un planisphère le plus proche possible du globe. »

En plus d'être presque conforme à la réalité, cette représentation, baptisée «Authagrap», a une autre caractéristique : en la déplaçant et en la faisant pivoter, on peut assembler une mosaïque où les cartes s'emboîtent à l'infini. Partant de cette mosaïque, il est facile de faire glisser le rectangle où l'on veut pour placer n'importe quelle région au centre du monde !

S *Science et vie junior*, nº 365

a. Quels sont les avantages et inconvénients des cartes...
- selon la projection Mercator ? ....
- selon les projections aphylactiques ? ....
- Dymaxion inventées par Fuller ? ....

b. Quelles sont les caractéristiques positives de cette représentation du monde ?
....
....

MÉTHODOLOGIE - Rédiger une synthèse de documents (DALF)

11. En quoi consiste l'épreuve de production écrite du DALF C1 ? Combien de temps dure-t-elle ? Sur combien de points est-elle notée ? ....

12. Avant de rédiger une synthèse de documents, il est conseillé de faire un tableau de confrontation. À quoi sert-il ?

....

13. Relisez les textes des pages 140 et 141 du *Livre de l'élève* et répondez aux questions.

a. Quel est le thème commun de ces deux documents ? ....

b. Complétez ce tableau pour confronter les idées principales des deux documents.

	Document A	**Document B**	**Pistes de réflexion**
Type de document	extrait de journal		
Idée 1 :		une nouvelle réalité > avoir peur tout le temps, réalité loin de celle décrite par Slimani et où les préoccupations liées à la culture et aux loisirs n'ont pas leur place.	
Idée 2 : La responsabilité des médias			Des contraintes ont été imposées. Tout le monde a ressenti peur et tristesse face à ces contraintes.
Idée 3 :			

c. À quelle problématique répondent le mieux les idées de ces différents textes :

☐ Le confinement, a-t-il été vécu de la même façon par toute la population ?

☐ Quel est l'impact de la distanciation sociale sur le moral des Français ?

☐ La vie à la campagne, rend-elle plus heureux ?

d. Élaborez un plan qui vous permettra de répondre à cette problématique, puis rédigez la synthèse de ces deux documents en suivant les conseils du *Livre de l'élève*.

e. À deux, échangez vos synthèses et évaluez celle de votre camarade à l'aide de cette grille.

Synthèse de documents	**Total : 13 points**
Respect de la consigne de longueur Le respect de la consigne de longueur fait partie intégrante de l'exercice (fourchette acceptable donnée par la consigne). Dans le cas où la fourchette ne serait pas respectée, on appliquera une correction négative : 1 point de moins par tranche de 20 mots en plus ou en moins.	
Respect du contenu des documents Peut respecter la règle d'objectivité (absence d'éléments étrangers aux textes)	
Capacité à traiter les textes Peut dégager la problématique commune, sélectionner et restituer les informations les plus pertinentes.	
Cohérence et cohésion Peut organiser les informations sélectionnées sous forme d'un texte fluide et bien structuré. La mise en page et la ponctuation sont fonctionnelles.	
Compétence lexicale / orthographe lexicale • **Étendue et maîtrise du vocabulaire** Dispose d'un vaste répertoire lexical lui permettant de reformuler sans effort apparent*. • **Maîtrise de l'orthographe lexicale** L'orthographe est exacte à l'exception de lapsus occasionnels.	
Compétence grammaticale / orthographe grammaticale Maintient constamment un haut degré de correction. Les erreurs sont rares et difficiles à repérer. **Élaboration des phrases / souplesse** Dispose d'une variété de structures lui permettant de varier la formulation*.	

* Dans le cas où un candidat reprendrait, sans les remanier, des passages entiers des documents (plus des 3/4 du texte final), les notes à attribuer pour les critères « compétence lexicale » et « compétence grammaticale » seraient mises à 0.

PHONÉTIQUE - L'accent expressif ou d'insistance

14. Écoutez cet extrait de la vidéo de HugoDecrypte et soulignez les syllabes prononcées avec un accent qui ne correspond pas à l'accent standard. Puis, complétez l'encadré en bas.

65

En fait, la projection Mercator, c'est une projection qui avait été conçue pour naviguer. Sans rentrer dans les détails, l'objectif n'était pas vraiment de montrer les bonnes dimensions de tous les pays, mais surtout de conserver les angles et les formes des pays pour pouvoir naviguer à l'aide d'un compas, par exemple. Le problème, comme on vient de le voir, c'est que, du coup, ça modifie pas mal la taille des différents éléments de notre planète. Il y a un très bon outil qui permet de voir à quel point les cartes peuvent déformer la réalité : c'est l'indicatrice de Tissot. L'idée, c'est de poser sur la carte des cercles qui ont tous 500 km de rayon, autrement dit, qui ont tous la même taille. En posant les cercles sur la carte, les cercles vont se voir appliquer les mêmes déformations que les pays et on va donc voir comment la carte déforme la réalité.

L'accent remarqué dans le document précédent est l'accent expressif ou d'insistance. Il sert à marquer des éléments considérés importants par le locuteur. Il sert aussi pour marquer les idées lors d'une argumentation et pour attirer l'attention de notre interlocuteur. L'accent d'insistance se place sur la .... syllabe du mot à souligner. Il est plus fort que l'accent régulier du français et il est supplémentaire à celui-ci.

15. Marquez dans le texte les syllabes des mots que vous voulez souligner avec l'accent d'insistance. Puis, lisez le texte à voix haute devant un/e camarade et demandez-lui de marquer les syllabes où il/elle entend l'accent d'insistance. Ensuite, vérifiez si vous avez marqué les mêmes syllabes.

Parfois, je me dis que j'aimerais bien être un homme, juste cinq minutes, pour voir ce que ça fait. Et puis, je me souviens qu'il suffit de visionner certains films pour déjà « regarder comme un homme » ... On parle alors de « male gaze » et, depuis peu, par opposition, de « female gaze », mais késako ? On a toutes (probablement) déjà vu un James Bond. Par exemple, *Meurs un autre jour*, réalisé par Lee Tamahori et sorti en 2002. Il y a dans ce film un exemple parfait de ce qu'on appelle le « male gaze » ou simplement « regard masculin ». Remettons-nous dans le contexte : Pierce Brosnan sirote un verre et fume un cigare, au bar d'une plage paradisiaque. Soudain, il saisit ses jumelles et regarde l'horizon. Comme de par hasard, l'actrice Halle Berry surgit de l'eau telle une naïade, dans un charmant Bikini orange (couteau à la ceinture, s'il vous plaît)... Elle se passe langoureusement les mains dans ses cheveux courts comme le font bien évidemment toutes les femmes sortant la tête de l'eau (faux). [...] il la dévore du regard et la caméra fait de même. C'est ça, le male gaze, lorsqu'on vous fait mater une femme présentée comme objet de fantasme à travers les yeux d'un homme.

PHONÉTIQUE - Quelques prononciations particulières

16. Écoutez les phrases et cochez quand vous entendez le *s* de *plus*. Puis complétez l'encadré.

66

	a. L'Afrique est plus grand que le Groenland.
	b. Vous avez du gâteau, j'en voudrais un peu plus.
	c. Ce film est plus intéressant que celui que nous avons vu hier.
	d. Je ne fume plus depuis 3 ans. J'ai arrêté pour ma santé.
	e. Il a faim, et en plus, il est fatigué.
	f. Plus tu t'entêtes, plus il est difficile de réussir.
	g. C'est Mireille qui travaille le plus dans ce bureau.
	h. La situation est de plus en plus grave.

- On prononce [plys] quand il s'agit d'une ....
- On prononce [ply] quand c'est une comparaison ou une ....
- On prononce [plyz] quand il y a une ....

17. Écoutez et complétez l'encadré.

67

a. Il a inscrit dix étudiants dans ce groupe.
b. Des oncles et tantes, j'en ai plus de dix.
c. Avant les femmes avaient six enfants ou plus.
d. Je suis débordé, je dois lire dix livres pour la semaine prochaine.
e. Voilà vos mouchoirs. Il y en a six exactement.
f. Ils vont embaucher six secrétaires au total.
g. Cette chatte a eu dix chatons adorables !
h. Encore un chocolat ! Tu en as déjà pris six.
i. Il a un salaire de vingt-six mille euros par an.
j. Elle a épluché dix patates, il lui en reste six à faire.

Le *x* de *six* et *dix* peut se prononcer de différentes manières :
- Il se prononce [z] quand il s'agit d'une ....
- Il se prononce [s] quand il s'agit d'un ....
- Il est muet lorsqu'il s'agit d'un ....

Identités et appartenances

12

Parler de communauté et d'appartenance

1. Complétez cet extrait d'une interview de la journaliste activiste Rokhaya Diallo avec les expressions suivantes.

parler de communauté | être issu/e/s d'une histoire commune | être d'origines diverses | former une communauté | vivre ensemble | créer des liens | partager quelque chose de commun | évoquer une communauté d'expérience

Selon vous, existe-t-il une communauté afropéenne, comme il existe une communauté afro-américaine ?

Je ne pense pas que l'on puisse comparer les deux. Une majorité d'Afro-Américain/e/s ...., qui est celle de l'esclavage et de la ségrégation. Ils et elles ont vécu l'esclavage durant des siècles. Puis, il y a eu la ségrégation. C'est une période durant laquelle les Noir/e/s ont été forcé/e/s à ...., à ....
Celle-ci s'est donc constituée sous la contrainte, à cause de la ségrégation qui était très explicite.

En France, les gens qui sont noirs .... (africaine, caribéenne…), certains sont français, d'autres pas. Ce sont des cultures différentes, de la même manière que celles et ceux qui sont d'origine africaine sont issu/e/s de pays divers, avec des langues et des religions différentes… Je ne pense pas qu'ici, on puisse .... au sens culturel du terme. En revanche, on peut .... L'expérience d'être perçu/e en tant que Noir/e dans un pays qui se définit comme blanc .... indépendamment de sa culture personnelle. Là-dessus, je pense en effet que les afrodescendant/e/s de France ....

S deuxiemepage.fr, par Ingrid Baswamina

Les suffixes *-isme*, *-iste*, *-tion*

2. Écoutez l'interview de Tania de Montaigne à l'occasion de la sortie de son essai *Les Noirs n'existent pas*, et répondez aux questions.

68

a. Pour Tania de Montaigne, le problème des lettres majuscules est qu'elles...
- ☐ créent des identités restrictives.
- ☐ divisent les citoyens entre eux.
- ☐ englobent des communautés très distinctes.

b. Pour Tania de Montaigne, le racisme consiste à...
- ☐ dénigrer la nature des personnes différentes.
- ☐ nier la possibilité à une personne d'avoir une culture.
- ☐ évoquer la nature pour expliquer les différences de culture.

c. Le communautarisme, pour Tania de Montaigne, c'est...
- ☐ vouloir défendre les intérêts d'un groupe.
- ☐ définir un groupe pour se protéger du racisme.
- ☐ adopter une posture de groupe semblable au nationalisme.

d. Tania de Montaigne...
- ☐ accepte sa couleur de peau comme marqueur identitaire.
- ☐ considère que sa couleur de peau ne dit rien de son identité.
- ☐ sait que sa couleur de peau l'associe à toute une communauté.

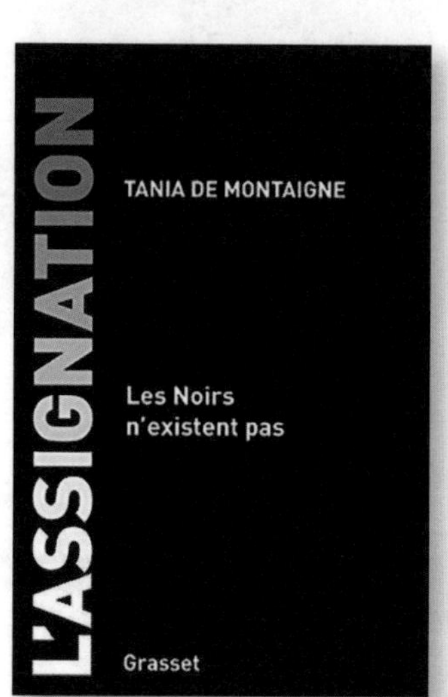

e. Complétez le tableau avec des mots entendus pendant l'interview et avec d'autres de votre choix.

race		**raciste**
	communautarisme	
	nationalisme	

3. **Lisez le texte et répondez aux questions.**

Communautés de fans ? Évolution et affirmation

« Être fan » désigne l'attachement extrême que l'on a pour une star de la musique ou du cinéma, une série télé, ou même une marque. Se dire fan n'est pas une constatation mais une revendication qui place l'individu dans un certain type de rapport à soi-même et aux autres.

Traditionnellement, quand on parlait de fanatisme, c'était en lien direct avec des idéologies religieuses ou politiques. Aujourd'hui, un rapport étroit existe entre ce phénomène et le consumérisme, car les communautés de fans sont de fidèles consommateurs d'objets dérivés.

Dans les années 80, les communautés de fans ont émergé en tant que subcultures marginales, en résistance à la culture dominante. Des groupes de fans de Mylène Farmer, par exemple, voyaient dans la chanteuse et dans ses textes un moyen d'établir une solidarité intra-générationnelle et résister ainsi aux contraintes sociales liées à leur statut.

Ensuite, les fans groupés en collectifs - dits communautés, tribus ou, plus en général, fandoms - commencent à cohabiter avec la société. Au sein de ces collectifs, les fans participent à la création de valeurs alternatives à celle de la culture dominante en détournant le sens des objets et des marques produits par le capitalisme.

Aujourd'hui, on assiste à une forme d'activisme : les fans utilisent les valeurs et la culture développées au sein de leurs communautés pour défier et changer la culture dominante. Beaucoup de communautés de fans éprouvent le besoin de se doter d'un nom. En tant qu'outil de communication, celui-ci porte avec lui un ensemble de significations qui renseignent la société sur l'existence et les caractéristiques du groupe.

Utiliser un nom de fandom participe d'un double mouvement : se sentir fan de manière accomplie en revendiquant un nom qui nous inscrit dans une communauté et dans le même temps attester de l'existence de cette communauté par sa simple affirmation.

L'existence d'un groupe permet aussi d'atténuer en partie la stigmatisation associée à l'attitude fan, souvent associée à une image d'adolescence attardée. Cependant, il convient d'éviter toute forme d'essentialisation, en ne s'envisageant qu'exclusivement sous le prisme de l'appartenance à sa communauté.

a. À l'aide des noms qu'on retrouve dans le texte précédent, complétez le tableau.

Noms qui désignent l'action de quelque chose	*constatation*
Noms qui désignent un courant de pensée philosophique ou politique, ou un mode de vie	

b. Êtes-vous d'accord avec cette affirmation ? Justifiez votre réponse en 100 mots environ.
« ... il convient d'éviter toute forme d'essentialisation, en ne s'envisageant qu'exclusivement sous le prisme de l'appartenance à sa communauté ».

....

....

....

....

Les adverbes en *-ment* (emphatiques)

4. Réécrivez ces opinions exprimées sur un forum pour les renforcer en plaçant ces adverbes au bon endroit. Parfois il y a plusieurs possibilités.

inéluctablement | prétendument | facilement | indubitablement | forcément | profondément

Forum LGBT

mayatre
Deux garçons qui ont la même orientation sexuelle n'ont pas d'atomes crochus.

alias2000
Je trouve dommage que certains homosexuels n'aient d'engagement politique que pour défendre la cause de leur communauté.

cœurbleu
Il y a des gays qui se définissent comme « hors milieu » et mènent une vie normale. Il me semble qu'ils oublient un peu trop leur différence.

enoch
Que des garçons homosexuels rejettent leur propre communauté et leur propre culture pour vivre comme des hétérosexuels provoque un problème d'identité.

xxzz04
Je milite pour plus d'engagement et de convergence des luttes. Car soyons francs : un gay cisgenre, occidental et blanc a une position plus avantageuse que d'autres minorités : les femmes, les racisés, etc...

Forum LGBT

mayatre
....

alias2000
....

cœurbleu
....

enoch
....

xxzz04
....

Les usages de *si*

5. Écoutez et cochez la bonne case.

69

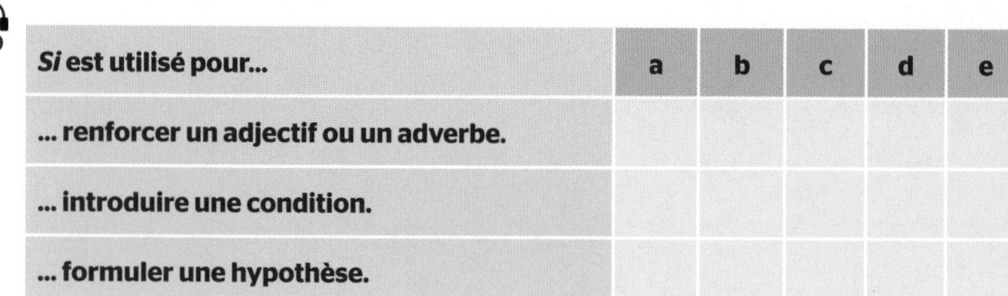

Si **est utilisé pour...**	a	b	c	d	e
... renforcer un adjectif ou un adverbe.					
... introduire une condition.					
... formuler une hypothèse.					

6. Entourez la bonne option. Parfois, les deux mots peuvent être utilisés.

a. J'étais écœuré quand j'ai raté mon année en fac de médecine ! J'avais **si / tellement** étudié !
b. Ils ont fait les mêmes études, mais ils n'ont pas **si / tellement** d'atomes crochus.
c. Le patient était **si / tellement** agité que les infirmiers lui ont donné un calmant.
d. C'est étrange que le mot ethnie ne soit pas **si / tellement** utilisé par les scientifiques, alors qu'ils emploient **si / tellement** le mot «race».
e. Je n'irai pas voir ma sœur à l'hôpital, c'est **si / tellement** loin ! Et ça fait **si / tellement** longtemps qu'on ne se parle plus.

7. Conjuguez les verbes au temps et mode adéquat dans le courriel suivant.

À : Bénédicte_775@mailplus.defi
Objet : Ça pourrait t'intéresser

Je ne sais plus si je .... (déjà te parler) de l'écrivain greco-suédois Theodor Kallifatides ou pas, en tout cas, si tu .... (pas encore le lire), ... (lire) son petit bouquin *Une autre vie*. Je ne sais pas s'il .... (traduire) en français ou pas... Il y a un passage qui devrait t'intéresser, c'est celui où il s'interroge sur la vie qu'il .... (mener) s'il .... (ne pas émigrer). Il appelle ça « le grand " si " de l'émigration », une interrogation qui peut te prendre à n'importe quel moment. Que .... (devenir) s'il .... (ne pas quitter) la Grèce ? Que .... (faire) à l'heure actuelle ? Ce qui est intéressant, c'est qu'il dit qu'il .... (devenir) écrivain en Grèce aussi, mais qu'évidemment, il .... (ne pas épouser) la même femme, et .... (ne pas être) aujourd'hui considéré comme un écrivain suédois. La question de l'identité, je pense que ça peut te donner des pistes pour tes recherches sur la littérature de l'exil, même s'il .... (ne pas écrire) en français. Je me suis un peu documentée. À propos de la langue dans laquelle on écrit, un critique a dit « si Kallifatides .... (être) bien suédois par la langue, son œuvre, elle, ... (s'enraciner) avant tout dans ses racines grecques ». Bref, à creuser...

À plus,

Marion

Exprimer l'opposition avec *si* et *quand*

8. Reformulez les phrases en remplaçant les structures en gras par d'autres structures de concession ou d'opposition.

a. Si le chimpanzé ne cesse de nous étonner par sa proximité avec l'être humain, pour les scientifiques, il n'est pas pour autant un «frère».

....

b. Si le chimpanzé et l'homme partagent 99,4 % d'ADN commun, les 0,6 % restants font toute la différence.

....

c. Si le chimpanzé a la même densité de neurones que l'être humain, c'est l'orang-outan qui possède la structure neuronale la plus similaire à la nôtre.

....

d. Si la mémoire courte du chimpanzé est presque équivalente à celle de l'homme, sa capacité à généraliser est quasiment inexistante : il ne peut retenir que des chiffres **quand** nous mémorisons des nombres complexes, et de simples mots **quand** nous retenons de longues phrases. Impossible pour lui de développer un langage, structure essentielle de la pensée humaine.

....

....

e. Si l'on répète souvent l'antienne selon laquelle l'homme «descend» du singe, en l'état actuel des connaissances, il reste impossible d'établir une généalogie précise.

....

Le conditionnel présent et passé pour exprimer l'hypothèse

9. Lisez cet extrait de la quatrième de couverture du roman *Civilizations* de Laurent Binet et formulez les trois hypothèses imaginaires qui permettent son uchronie.

« Vers l'an mille : la fille d'Erik le Rouge met cap au sud.
1492 : Colomb ne découvre pas l'Amérique.
1531 : les Incas envahissent l'Europe.
À quelles conditions ce qui a été aurait-il pu ne pas être ?
Il a manqué trois choses aux Indiens pour résister aux conquistadors.
Donnez-leur le cheval, le fer, les anticorps, et toute l'histoire du monde est à refaire. »

grasset.fr

LAURENT BINET
CIVILIZATIONS
ROMAN
GRASSET

....

....

....

10. Écoutez cette chronique et cochez la bonne réponse.

70

a. La chronique date...
- ☐ d'après le projet de loi de restitution d'œuvres au Bénin et au Sénégal, d'octobre 2020.
- ☐ d'avant le projet de loi de restitution d'œuvres au Bénin et au Sénégal, d'octobre 2020.

b. En 2017 à Ouagadougou, le président Macron s'était...
- ☐ prononcé pour une restitution définitive des œuvres d'ici 5 ans.
- ☐ engagé pour une restitution temporaire ou définitive des œuvres d'ici 5 ans.
- ☐ déclaré favorable à une restitution temporaire des œuvres d'ici 5 ans.

c. Le rapport Sarr-Savoy a semé la panique dans les musées du monde entier car ils craignaient...
- ☐ d'être dépossédés d'une partie de leurs collections exposées.
- ☐ de ne pas pouvoir faire face à un nombre important de réclamations.
- ☐ de devoir suivre des recommandations du rapport qu'ils jugeaient impossibles.

d. Pour Marie-Cécile Zinsou, le projet de loi d'octobre 2020 est...
☐ historique. ☐ insuffisant. ☐ anecdotique.

e. Quelle expérience a été menée entre la France et la Nouvelle Calédonie, de 1990 et 2014 ?
- ☐ Un retour définitif des œuvres kanak.
- ☐ Une circulation facilitée des œuvres kanak.

f. Les expériences menées par la France et la Nouvelle Calédonie permettait...
- ☐ une valorisation des expositions organisées par la Nouvelle Calédonie.
- ☐ un accès des Kanak à leur patrimoine et une visibilité mondiale des œuvres.
- ☐ une meilleure visibilité des musées français dans la géopolitique mondiale.

11. Imaginez une uchronie comme celle de *Civilizations*, de Laurent Binet (activité 9) : Si des puissances africaines avaient colonisé l'Europe, et non le contraire. Formulez quatre hypothèses sur ce qui aurait pu se passer, et comment les musées et les œuvres d'art auraient été affectés.

....

....

....

....

La concession avec la structure *il n'en... pas moins que...*

12. Écoutez la dépêche de presse et répondez aux questions.

71

a. Complétez la fiche.

Lieu du procès : ....

Nom du principal accusé : *Emery Mwazulu Diyabanza*

Nationalité : ....

Nombre de complices : ....

Lieu du délit : ....

Date du délit : *2020*

Objet du délit : ....

Mobile : ....

Arguments : ....

Verdict de la justice : ....

b. Lisez ces opinions sur l'action d'Emery et notez si elles sont plutôt indulgentes (I) ou condamnatoires (C). Puis reformulez les concessions et les nuances exprimées à l'aide de l'expression *il n'en... pas moins que...* quand c'est possible.

6 commentaires

Nicolodu15 - il y a 28 min
Le caractère militant de l'action me semble évident, et l'intention ne me semble pas mauvaise. Par contre, je crois qu'il existe d'autres moyens pour attirer l'attention de la classe politique et du grand public ! Est-ce qu'il faut nécessairement en passer par là ? Je ne sais pas. Mais il y a des délits bien plus graves à juger, non ?

I *L'intention n'est pas mauvaise. Il n'en reste pas moins que d'autres moyens d'attirer l'attention existent.*

Isa Sauvage - Il y a 3 jours
Si j'ai bien compris, ces gens n'avaient pas l'intention réelle de voler une œuvre, c'était juste une forme de happening militant. Je trouve un peu exagéré de les juger comme de vulgaires cambrioleurs. Ce que je comprends, moi, c'est qu'ils ont fait semblant de voler, pour dénoncer un pillage qui lui était bien réel. C'est assez bien vu quand on y pense.

....

Kris_72 - Il y a 3 jours
J'ai peur que ce geste soit un peu contre-productif. Et répondre au vol par le vol, c'est un peu puéril. Il me semble que la question de la restitution est trop sérieuse pour s'abaisser à ce genre de coups médiatiques. Donc, en les condamnant, on dissuade surtout les prochains illuminés, ça me semble aussi le but de la justice.

....

Yvan Lebec - Il y a 3 jours
Est-ce qu'on peut vraiment considérer ce geste comme une tentative de vol ? Je ne suis pas juriste, mais reprendre quelque chose qui a été volé et qui est gardé depuis des années par des gens qui s'en croient propriétaires, ça ne devrait pas être qualifié d'un vol. Pour moi, c'est plus une forme de réparation, ou juste l'interruption d'un recel. C'est plutôt salutaire qu'il y ait des gens pour dénoncer la dépossession de l'Afrique.

....

Bob Justice - Il y a 4 jours
Je ne suis pas africain, et j'ai des difficultés à envisager la colère ou l'indignation qu'on peut ressentir face à l'histoire coloniale. Que des puissances comme la France ou la Belgique aient volé des œuvres, c'est beaucoup plus répréhensible que les actions de ce monsieur. Il y a un proverbe qui dit « Bien mal acquis ne profite jamais », et j'ai l'impression que les musées occidentaux profitent beaucoup. Donc, ce qui est choquant, ce n'est pas le coup d'éclat de ces militants, c'est plus l'histoire coloniale, non ?

....

GIN - Il y a 4 jours
Ce monsieur et ses amis sont bien sympathiques et ne font de mal à personne, mais vous imaginez la pagaille si tous les visiteurs de musée commençaient à s'emparer d'œuvres qu'ils considèrent comme les leurs ? On verrait des Italiens reprendre la Joconde, et des Grecs attaquer le British Museum. La question de l'appartenance d'une œuvre à un peuple ou à un autre est très complexe, et au risque de passer pour un méchant néo-colonialiste conservateur, je désapprouve ce genre d'actions grand spectacle.

....

c. Rédigez votre propre opinion sur l'acte d'Emery (environ 100 mots).

....
....
....
....
....
....

L'adverbe *là*

13. Complétez ces phrases avec les expressions suivantes.

en avoir jusque là | là où | en passer par là | en rester là | à ce moment-là | d'ici là | loin de là | de là à | en arriver là

a. Tout est appropriation culturelle, c'est ça ? .... si je fais des sushi sans être japonais, je suis un méchant voleur de culture ?
b. Si vous le voulez bien, on va .... pour aujourd'hui.
c. Ok, les marques doivent faire attention avec les références culturelles, mais .... crier au scandale à chaque motif tribal, faut pas exagérer.
d. Je ne sais pas, moi, comment on a pu .... ! ça me désespère.
e. Le boycott est une action radicale, mais il faut .... pour que les gens comprennent.
f. On parlera de tout cela à la prochaine réunion. .... vous pouvez me faire un compte rendu de la précédente ?
g. Sur ce point, vous avez raison. .... vous vous trompez, c'est quand vous prétendez que les militants hystérisent le débat.
h. Je commence à .... de vos débats qui ne mènent à rien.
i. L'Europe n'en a pas fini avec son passé colonial. .... !

MÉTHODOLOGIE - Rédiger un essai argumenté (DALF)

14. Lisez ce texte écrit par un candidat au DALF et répondez aux questions.

MODE : L'APPROPRIATION CULTURELLE EN QUESTIONS

J'ai toujours aimé la mode, partant du principe que la couture, c'est de la culture ! Mais de là à défendre certaines idées qui me choquent, non, car, au-delà de l'esthétisme pur, le vêtement a un rôle primordial dans la construction de représentations sociales et culturelles. Alors, quand la mode occidentale puise son inspiration dans les traditions d'autres cultures, doit-on y voir un hommage créatif ou une appropriation éhontée ?

Quand je lis que certaines marques justifient leur utilisation de tissus africains par le fait que « ça fait très soleil » , les bras m'en tombent ! Je trouve cela d'une bêtise crasse, et symptomatique d'un racisme ambiant dans le milieu de la mode. En effet, celle-ci a toujours été à la traîne en matière de représentation des minorités.

La médiatisation de quelques mannequins noires célèbres ne cache pas une autre forme de racisme auquel il est intéressant de réfléchir, c'est l'appropriation culturelle. Qu'entend-on par là ? Il s'agit tout simplement d'adopter les aspects d'une culture qui n'est pas la sienne, dans un but lucratif. Où est le problème me direz-vous ? Le problème, c'est la dynamique de pouvoirs, reproduisant un système d'oppressés et d'oppresseurs.

Là, vous vous dites que j'exagère. L'oppression, carrément ? Oui, parce qu'il faut recontextualiser. Le monde d'aujourd'hui est lié à son histoire, laquelle a hiérarchisé les cultures, (je vous renvoie aux discours coloniaux...). L'histoire a ancré en nous des hiérarchies qui sont, dans le meilleur des cas combattues, dans le pire simplement gommées. Du coup, qu'une marque occidentale s'approprie des éléments culturels qui ne sont pas les siens pour en faire « la mode actuelle » n'est pas sans rappeler les vols d'œuvres d'art perpétrés au temps des colonies, dans la logique du « on a le droit puisqu'on est supérieurs ».

L'appropriation culturelle dans la mode est flagrante sur les podiums de défilés. Je me souviens qu'en 2016, une collection avait pour thème l'Afrique, et proposait des dreadlocks, ou encore les cicatrices traditionnelles des Karamojong d'Ouganda. Hommage me direz-vous ? Si je vous dis que les mannequins étaient absolument tous... blancs. Ah, là, c'est différent. Parce que ça envoie le message suivant : « On veut bien votre esthétisme, mais sans vous, sans les Noirs ».

Ce type d'emprunts condamne à la superficialité, car encore une fois, il est décontextualisé. La mode présente des styles ou des traditions sans explications, sans référence, et contribue ainsi à perpétuer et à banaliser des hiérarchisations historiques, comme pour dire « ce tissu n'a pas de valeur, il est indigne d'être expliqué ».

Tout cela a des conséquences dans la vie des groupes auxquels ces éléments sont «empruntés», car il existe un réel « deux poids deux mesures » assez dérangeant. Là où le port d'habits traditionnels d'une autre culture par un «blanc» occidental est souvent considéré comme un bel hommage à l'Autre, il est souvent pénalisant pour les «racisés» qui sont automatiquement étiquetés communautaristes, incapables de s'intégrer quand ils portent ce même vêtement qui est celui de leur propre culture...

L'appropriation culturelle est une question complexe, parce qu'on peut, avec les meilleures intentions du monde, offenser une communauté. La frontière est très mince entre l'hommage naïf et le pillage cynique. Là où, pour rendre hommage à la Chine, certaines femmes portent des robes aux imprimés asiatiques stéréotypés et réducteurs, d'autres portent des robes d'un designer chinois conscient de ses références et des codes qu'il utilise. C'est là, selon moi, qu'on peut voir la limite entre l'appropriation et l'appréciation.

a. Reportez-vous aux types de texte dans la page 160 du *Livre de l'élève*. À quel type appartient-il ? Pourquoi ?

....

....

b. Quel est le sujet traité par le candidat au DALF qui a écrit le texte ?

Sujet 1

L'association pour les respect des minorités dans l'industrie de la haute couture a lancé une pétition pour une meilleure prise en compte des questions d'appropriation culturelle dans la création de vêtements et les défilés. En tant que citoyen/ne engagé/e dans la défense de la liberté de créer, vous décidez de réagir, et vous publiez votre contribution sur le forum du site Internet de l'association. (250 mots au minimum)

Sujet 2

Vous êtes auteur/e d'un blog d'opinion sur des tendances culturelles. Après avoir assisté à un débat sur l'appropriation culturelle par les marques de prêt-à-porter, vous décidez d'écrire un article de blog pour partager votre opinion. Vous exprimez votre rejet de certaines pratiques en expliquant les problèmes qu'elles posent, et incitez vos lecteurs à réfléchir à la limite entre l'hommage et le pillage. (250 mots au minimum)

c. Quel plan a suivi l'auteur/e ?

Plan 1

A: Rappel historique
- Les conséquences de la colonisation
- Le système oppressés / oppresseurs

B: Enjeux des emprunts culturels
- La hiérarchie des cultures
- La hiérarchie esthétique

C: Du pillage à l'hommage
- Contextualiser pour mieux honorer
- Promouvoir les créateurs étrangers

Plan 2

A: Du racisme à l'appropriation culturelle
- Le racisme dans le monde de la mode
- Définition de l'appropriation culturelle

B: Les rapports de soumission dans la mode
- La hiérarchie des cultures
- L'esthétisme des autres, sans les autres

C: La violence symbolique
- Décontextualisation et dévalorisation
- Différence de traitement

d. Complétez le tableau avec des exemples qui illustrent les différentes catégories en citant le texte.

	Extraits
Arguments de l'auteur/e	
Racisme et mode (des faits et des exemples)	
État d'esprit de l'auteur/e (marques de sa subjectivité)	
Implication du/de la lecteur/trice (interpellations)	

e. Relisez le sujet de l'activité **b.** qui n'a pas été traité et rédigez l'essai argumenté. Documentez-vous sur Internet.

PHONÉTIQUE - Les accents de la francophonie

15. Écoutez et cochez la bonne case.

72

ACCENT	a	b	c	d	e	f	g	h	i	j
marseillais										
québécois										
standard										

PHONÉTIQUE - Les groupes rythmiques (II)

16. Associez la phrase au schéma rythmique correspondant.

1. Le racisme est un mal de notre temps.	**a.** Da daaa/ da da da daaa/ daaa/ da da da da daaa//
2. Les différences culturelles construisent notre identité.	**b.** Da da da daaa/ da da da daaa/ da da da da daaa/ daaa//
3. Tania de Montaigne lutte contre le racisme.	**c.** Da da da daaa/ daaa/ da da da da daaa/ da da da daaa/ da da da daaa/ da daaa//
4. L'humanité est comme une mosaïque, tous différents, mais nous formons un tout.	**d.** Da da daaa/ da da daaa/ da da da daaa/ da da daaa/ da daaa//
5. Nous devons reconnaître l'altérité pour comprendre l'autre.	**e.** Da da/ da da da da daaa/ da da da da daaa//
6. Plus nous sommes différents, plus nous sommes égaux.	**f.** Da da daaa/ da da daaa/ da da da daaa//
7. Notre défi est de sortir des préjugés que la société nous impose.	**g.** Da da daaa/ da da daaa/ da da daaa/ da daaa//
8. On a peur de ceux qui sont différents de nous.	**h.** Da da da daaa/ da da da daaa/ da da da daaa/ da da da da daaa/ da da daa//
9. La race n'est pas une couleur, c'est une mentalité.	**i.** Da da daaa/ da daaa/ da daaa/ da da da da daaa//
10. Une société égalitaire est une société juste.	**j.** Da da da daaa/ da da daaa/ da daaa/ da da da da daaa//

17. Séparez les groupes rythmiques à l'aide de barres (/) et soulignez les syllabes accentuées. Puis lisez le texte à voix haute.

Pour justifier ce changement, les défenseurs de l'amendement ont avancé - entre autres arguments - que le terme «race» est « scientifiquement infondé ». Une idée que le principal scientifique de l'Assemblée, le mathématicien Cédric Villani, a prudemment nuancé en rappelant que la science « peut toujours évoluer », [...]. Une prudence bienvenue, tant la notion de race embarrasse la communauté scientifique. [...] Car on assiste depuis une quinzaine d'années à un puissant regain de la recherche sur les variations et différences génétiques entre populations humaines. Dans le monde anglo-saxon, nombreux sont les chercheurs qui n'hésitent pas, dans leurs publications, à employer ouvertement le terme - alors que sur le Vieux Continent, où depuis les crimes nazis il est plus souvent proscrit, l'on préfère s'abriter derrière les mots «ethnie», « groupe humain », «population», «origine», «ascendance» et autres substituts pudiques également très employés outre-Atlantique. Mais inutile de se voiler la face : on assiste bel et bien à l'effondrement d'un consensus. Jusqu'aux années 2000, les scientifiques considéraient dans leur grande majorité que l'espèce humaine est extrêmement homogène génétiquement, que les gènes codant pour la couleur de peau ne reflètent presque en rien le reste de la structure génétique, et que le brassage constant des populations a empêché la formation d'identités génétiques locales fortes. [...] Or, si certains chercheurs continuent à défendre cette vision, d'autres considèrent désormais qu'elle est datée et naïve [...]

18. Relisez le texte de l'activité précédente en ajoutant des accents d'insistance sur les mots qui vous semblent importants pour marquer votre position.

DALF

Le DALF

Le Diplôme Approfondi de Langue Française (DALF) est un diplôme délivré par le ministère français de l'Éducation nationale pour certifier les compétences en français des candidats. Ce diplôme est valable à vie ; il est proposé et reconnu dans plus de 170 pays.

Le niveau C1

Le niveau C1 correspond à 600 heures d'apprentissage. Le candidat de niveau C1 est autonome. Il est capable de :
- comprendre une gamme étendue de matériel enregistré ou radiodiffusé, y compris en langue non standard, et identifier les détails fins incluant l'implicite des attitudes et des relations entre interlocuteurs ;
- comprendre dans le détail des textes longs et complexes, qu'ils se rapportent ou non à son domaine, à condition de pouvoir relire les parties difficiles ;
- écrire des textes bien structurés sur des sujets complexes, en soulignant les points pertinents les plus saillants et en confirmant un point de vue de manière élaborée par l'intégration d'arguments secondaires, de justifications et d'exemples pertinents pour parvenir à une conclusion appropriée ;
- produire un discours clair et bien construit sur un sujet complexe, avec l'accent et l'intonation qui transmettent des nuances fines de sens.

Les épreuves

Nature des épreuves	Durée	Note sur
Compréhension orale (CO) Réponse à des questionnaires de compréhension portant sur des documents enregistrés : • un document long (entretien, cours, conférence) d'une durée d'environ 6 minutes : 2 écoutes ; • plusieurs brefs documents radiodiffusés (flashs d'information, sondage, spots publicitaires...) : 1 écoute. Durée maximale des documents : 10 min	40 min	25
Compréhension écrite (CE) Réponse à des questionnaires de compréhension portant sur un texte d'idées (littéraire ou journalistique) de 1500 à 2000 mots.	50 min	25
Production et interaction écrites (PE) Épreuve en deux parties : • synthèse à partir de plusieurs documents écrits (200-240 mots) • essai argumenté sur le thème de l'exercice précédent (250 mots au minimum)	2 h 30	25
Production et interaction orales (PO) Exposé à partir de plusieurs documents écrits, suivis d'une discussion avec le jury.	30 min (Préparation : 1 h)	25
Seuil de réussite pour obtenir le diplôme : 50/100 Note minimale requise pour chaque épreuve : 5/25	Durée totale des épreuves collectives : 4 h	Note totale : 100

COMPRÉHENSION ORALE

POINTS **25**

Cette épreuve dure environ 40 minutes. Vous allez écouter plusieurs documents sonores correspondant à 3 exercices. Vous allez écouter 2 fois le premier document et 1 fois les deuxième et troisième documents. Pour répondre aux questions, cochez (X) la bonne réponse à chaque question.

73

Exercice 1

POINTS **12,5**

Lisez les questions. Écoutez le document. Vous avez ensuite 3 minutes pour répondre aux questions en cochant la bonne réponse (X) ou en écrivant. Puis, réécoutez le document et complétez vos réponses.

1. En quoi le film *Hold-up* se différencie-t-il d'une œuvre de fiction ? POINT **1**

....

....

2. Selon la journaliste, quelle thèse le film en question défend-il ? POINT **2**

....

....

3. Quel mot-valise est employé pour qualifier *Hold-up* ? POINT **0,5**

....

....

4. D'après Thomas Huchon, sur quel aspect peut-on critiquer la thèse défendue ? POINT **1**

☐ Elle affiche de nombreux contresens.
☐ Elle exagère les chiffres liés aux malades.
☐ Elle n'est pensée que pour un public aisé.
☐ Elle détourne plusieurs témoignages.

5. Comment s'appelle la technique argumentative décrite par Thomas Huchon ? POINT **0,5**

....

....

6. En quoi consiste la technique argumentative décrite ? POINT **1,5**

☐ À multiplier des exemples infondés.
☐ À grossir des faits connus de tous.
☐ À juxtaposer des informations déraisonnables.
☐ À rassembler de célèbres discours accusateurs.

7. Selon Thomas Huchon, d'où vient cette croyance à une telle théorie ? POINT **1,5**

☐ D'une colère envers les dirigeants actuels.
☐ D'une volonté de faire partie d'un groupe.
☐ D'une nécessité de se démarquer.
☐ D'une peur de l'incompréhensible.

8. Les libelles étaient des écrivains de l'époque de Voltaire. POINT **0,5**

☐ Vrai.
☐ Faux.
Justification :

....

....

9. Quel était l'objectif des libelles ? POINT **1,5**

☐ Censurer les auteurs modernes.
☐ Condamner les mœurs légères.
☐ Inciter à la manifestation.
☐ Faire douter de l'autorité.

10. Pour Thomas Huchon, pourquoi ces « fariboles et balivernes » sont-elles potentiellement dangereuses ? POINT **1,5**

☐ Elles sont présentées comme des faits avérés.
☐ Elles restreignent l'action des gouvernements.
☐ Elles rassemblent des partisans enflammés.
☐ Elles tournent en dérision la crise sanitaire.

11. Sur quel aspect du film la journaliste et l'intervenant sont-ils en désaccord ? POINT **1**

....

....

Exercice 2 — 74 — POINTS 5

Lisez les questions. Écoutez le document puis répondez en cochant (X) la bonne réponse.

1. L'extrait radiophonique traite d'un événement : POINT 0,5
- ☐ annuel.
- ☐ mensuel.
- ☐ hebdomadaire.

2. Pourquoi les consommateurs changent-ils leurs habitudes pour le vendredi décrit ? POINTS 1
- ☐ Ils craignent la pénurie d'articles.
- ☐ Ils redoutent les files d'attente.
- ☐ Ils ont peur de tomber malade.

3. Comparé à l'édition précédente, que feront les consommateurs canadiens lors du vendredi en question ? POINT 1
- ☐ Ils resteront plus dans leur pays.
- ☐ Ils dépenseront plus en voyages.
- ☐ Ils paieront plus en carte bancaire.
- ☐ Ils achèteront plus de médicaments.

4. Quel conseil les grandes enseignes ont-elles donné ? POINT 1
- ☐ S'y prendre en avance.
- ☐ S'armer de patience.
- ☐ Réserver ses articles.
- ☐ Faire les magasins seul.

5. Selon la journaliste, les Canadiens ont prévu de : POINT 0,5
- ☐ diminuer leurs dépenses.
- ☐ conserver le même budget.
- ☐ augmenter la somme allouée.

6. D'après ce reportage, quel secteur est en plein essor ? POINT 1
- ☐ Le paiement sans contact.
- ☐ Les achats sur Internet.
- ☐ Le commerce de proximité.
- ☐ Les produits écologiques.

Exercice 3 — 75 — POINTS 7,5

Lisez les questions. Écoutez le document puis répondez en cochant (X) la bonne réponse.

1. Le reportage fait référence à : POINT 0,5
- ☐ de la volaille *in vitro*.
- ☐ du bœuf de synthèse.
- ☐ du porc de laboratoire.

2. Le produit créé a été servi : POINTS 1
- ☐ Dans plusieurs institutions culinaires.
- ☐ Dans un restaurant asiatique français.
- ☐ À un petit groupe d'adolescents.
- ☐ À une équipe de scientifiques.

3. Quelle est la position du ministre français Julien de Normandie face à cette création ? POINT 1
- ☐ Il est ouvert à sa popularisation en Europe.
- ☐ Il est réservé quant à sa commercialisation.
- ☐ Il s'oppose fermement à sa consommation.
- ☐ Il manque encore de recul pour se prononcer.

4. Le ministre français se range du côté : POINT 1
- ☐ des agriculteurs.
- ☐ des scientifiques.
- ☐ des restaurateurs.
- ☐ des entrepreneurs.

5. Cette création a été faite à partir : POINT 1
- ☐ d'un extrait d'un animal vivant.
- ☐ d'un morceau de viande crue.
- ☐ d'un fragment d'os humain.
- ☐ d'un spécimen végétal rare.

6. Que souhaite faire le développeur de ce produit ? POINT 1
- ☐ Diversifier sa gamme.
- ☐ Vendre à l'international.
- ☐ Promouvoir le véganisme.
- ☐ Lutter contre l'obésité.

7. Selon la journaliste, l'élevage est en partie responsable : POINT 1
- ☐ des gaz à effet de serre.
- ☐ de la raréfaction de l'eau potable.
- ☐ de la pollution marine.
- ☐ de l'épuisement des ressources.

8. Pour ce produit, les personnes les plus riches du monde : POINT 1
- ☐ ont réservé plusieurs exemplaires.
- ☐ ont placé de grosses sommes.
- ☐ ont fait une promotion médiatisée.
- ☐ ont proposé leur conseil financier.

COMPRÉHENSION ÉCRITE

POINTS **25**

Cette épreuve dure environ 50 minutes.
Lisez cet extrait littéraire puis répondez aux questions en cochant (X) la bonne réponse ou en écrivant l'information demandée (dans ce cas, formulez votre réponse avec vos propres mots ; ne reprenez pas de phrases entières du document, sauf si cela vous est précisé dans la consigne)

Il y a une différence d'essence entre, d'un côté, le roman, et, de l'autre, les Mémoires, la biographie, l'autobiographie. La valeur d'une biographie consiste dans la nouveauté et l'exactitude des faits révélés. La valeur d'un roman, dans la révélation des possibilités jusqu'alors occultées de l'existence en tant que telle ; autrement dit, le roman découvre ce qui est caché en chacun de nous. Un des éloges courants à l'adresse du
5 roman est de dire : je me retrouve dans le personnage du livre ; j'ai l'impression que l'auteur a parlé de moi et me connaît ; ou en forme de grief : je me sens attaqué, dénudé, humilié par ce roman. Il ne faut jamais se moquer de cette sorte de jugements, apparemment naïfs : ils sont la preuve que le roman a été lu en tant que roman.

C'est pourquoi le roman à clés (qui parle de personnes réelles avec l'intention de les faire reconnaître sous des noms fictifs) est un faux roman, chose esthétiquement équivoque, moralement malpropre. (...)

10 Bien sûr, tout romancier puise bon gré mal gré dans sa vie ; il y a des personnages entièrement inventés, nés de sa pure rêverie, il y en a qui sont inspirés par un modèle, quelquefois directement, plus souvent indirectement, il y en a qui sont nés d'un seul détail observé sur quelqu'un, et tous doivent beaucoup à l'introspection de l'auteur, à sa connaissance de lui-même. Le travail de l'imagination transforme ces inspirations et observations à un point tel que le romancier les oublie. Pourtant, avant d'éditer son livre, il devrait penser à rendre introuvables les clés
15 qui pourraient les faire déceler ; d'abord à cause du minimum d'égards dû aux personnes qui, à leur surprise, trouveront des fragments de leur vie dans un roman, puis, parce que les clés (vraies ou fausses) qu'on met dans les mains du lecteur ne peuvent que le fourvoyer ; au lieu des aspects inconnus de l'existence, il cherchera dans un roman des aspects inconnus de l'existence de l'auteur ; tout le sens de l'art du roman sera ainsi anéanti comme l'a anéanti, par exemple, ce professeur américain qui, armé d'un immense trousseau de passe-partout, a
20 écrit la grande biographie de Hemingway :

par la force de son interprétation, il a transformé toute l'œuvre de Hemingway en un seul roman à clés ; comme s'il l'avait retournée, telle une veste : subitement, les livres se retrouvent, invisibles, de l'autre côté et, sur la doublure, on observe avidement les événements (vrais ou prétendus) de sa vie, événements insignifiants, pénibles, ridicules, banals, bêtes, mesquins ; ainsi l'œuvre se défait, les personnages imaginaires
25 se transforment en personnes de la vie de l'auteur et le biographe ouvre le procès moral contre l'écrivain : il y a, dans une nouvelle, un personnage de mère méchante : c'est sa propre mère que Hemingway calomnie ici ; dans une autre nouvelle il y a un père cruel : c'est la vengeance de Hemingway à qui, enfant, son père a laissé faire sans anesthésie l'ablation des amygdales ; dans *Un chat sous la pluie* le personnage féminin anonyme se montre insatisfait « avec son époux égocentrique et amorphe » : c'est la femme de Hemingway, Hadley, qui se
30 plaint ; (...) Et ainsi de suite, et ainsi de suite, d'une délation à une autre.

Depuis toujours les romanciers se sont défendus contre cette fureur biographique, dont, selon Marcel Proust, le représentant-prototype est Sainte-Beuve avec sa devise : « La littérature n'est pas distincte ou, du moins, séparable du reste de l'homme... » Comprendre une œuvre exige donc de connaître d'abord l'homme, c'est-à-dire, précise Sainte-Beuve, de connaître la réponse à un certain nombre de questions quand bien même elles
35 « sembleraient étrangères à la nature de ses écrits : Que pensait-il de la religion ? Comment était-il affecté du spectacle de la nature ? Comment se comportait-il sur l'article des femmes, sur l'article de l'argent ? Était-il riche, pauvre ; quel était son régime, sa manière de vivre journalière ? Quel était-il son vice ou son faible ? ». Cette méthode quasi policière demande au critique, commente Proust, de « s'entourer de tous les renseignements possibles sur un écrivain, de collationner ses correspondances, d'interroger les hommes qui l'ont connu... ».

40 Pourtant, entouré « de tous les renseignements possibles », Sainte-Beuve a réussi à ne reconnaître aucun grand écrivain de son siècle, ni Balzac, ni Stendhal, ni Flaubert, ni Baudelaire ; en étudiant leur vie il a manqué fatalement leur œuvre car, dit Proust, « un livre est le produit d'un autre moi que celui que nous manifestons dans nos habitudes, dans la société, dans nos vices » ; « le moi de l'écrivain ne se montre que dans ses livres ».

La polémique de Proust contre Sainte-Beuve a une importance fondamentale. Soulignons : Proust ne reproche
45 pas à Sainte-Beuve d'exagérer ; il ne dénonce pas les limites de sa méthode ; son jugement est absolu : cette méthode est aveugle à l'autre moi de l'auteur ; aveugle à sa volonté esthétique ; incompatible avec l'art ; dirigée contre l'art ; hostile à l'art.

L'œuvre de Kafka est éditée en France en quatre volumes. Le deuxième volume : récits et fragments narratifs ; c'est-à-dire : tout ce que Kafka a publié durant sa vie, plus tout ce qu'on a trouvé dans ses tiroirs : récits non
50 publiés, inachevés, esquisses, premiers jets, versions supprimées ou abandonnées. Quel ordre donner à tout cela ? L'éditeur observe deux principes : 1) toutes les proses narratives, sans distinguer leur caractère, leur genre, le degré de leur achèvement, sont mises sur le même plan et, 2) rangées dans l'ordre chronologique, c'est-à-dire dans l'ordre de leur naissance.

C'est pourquoi aucun des trois recueils de nouvelles que Kafka a lui-même composés et fait éditer (*Méditations*,
55 *Un médecin de campagne*, *Un champion de jeûne*) n'est présenté ici dans la forme que Kafka lui a donnée ; ces recueils ont tout simplement disparu ; les proses particulières les constituant sont dispersées parmi d'autres proses (parmi des esquisses, des fragments, etc.) selon le principe chronologique ; huit cents pages de proses de Kafka deviennent ainsi

> un flot où tout se dissout dans tout, un flot informe comme seule l'eau peut l'être, l'eau qui coule
> 60 et entraîne avec elle bon et mauvais, achevé et non-achevé, fort et faible, esquisse et œuvre.

Brod, déjà, avait proclamé la « vénération fanatique » dont il entourait chaque mot de Kafka. Les éditeurs de l'œuvre de Kafka manifestent la même vénération absolue pour tout ce que leur auteur a touché. Mais il faut comprendre le mystère de la vénération absolue : elle est en même temps, et fatalement, le déni absolu de la volonté esthétique de l'auteur. Car la volonté esthétique se manifeste aussi bien par ce que l'auteur a écrit que
65 parce qu'il a supprimé. Supprimer un paragraphe exige de sa part encore plus de talent, de culture, de force créatrice que de l'avoir écrit. Publier ce que l'auteur a supprimé est donc le même acte de viol que censurer ce qu'il a décidé de garder.

Ce qui est valable pour les suppressions dans le microcosme d'un ouvrage particulier est valable pour les suppressions dans le macrocosme d'une œuvre complète. Là aussi, à l'heure du bilan, l'auteur, guidé par
70 ses exigences esthétiques, écarte souvent ce qui ne le satisfait pas. Ainsi, Claude Simon ne permet plus la réimpression de ses premiers livres. Faulkner a proclamé explicitement ne vouloir laisser comme trace « rien d'autre que les livres imprimés », autrement dit rien de ce que les fouilleurs de poubelles allaient trouver après sa mort. Il demandait donc la même chose que Kafka et il fut obéi comme lui : on a édité tout ce qu'on a pu dénicher. J'achète la Symphonie n° 1 de Mahler sous la direction de Seiji Ozawa. Cette symphonie en quatre mouvements
75 et comportait d'abord cinq, mais après la première exécution Mahler a écarté définitivement le deuxième qu'on ne trouve dans aucune partition imprimée. Ozawa l'a réinséré dans la symphonie ; ainsi tout un chacun peut enfin comprendre que Mahler était très lucide en le supprimant. Dois-je continuer ? La liste est sans fin.

La façon dont on a édité en France l'œuvre complète de Kafka ne choque personne ; elle répond à l'esprit du temps : « Kafka se lit tout entier, explique l'éditeur ; parmi ses différents modes d'expression, aucun ne peut
80 revendiquer une dignité plus grande que les autres. Ainsi en a décidé la postérité que nous sommes ; c'est un jugement que l'on constate et qu'il faut accepter. On va parfois plus loin : non seulement on refuse toute hiérarchie entre les genres, on nie qu'il existe des genres, on affirme que Kafka parle partout le même langage. Enfin se réaliserait avec lui le cas partout cherché ou toujours espéré d'une coïncidence parfaite entre le vécu et l'expression littéraire. »

85 « Coïncidence parfaite entre le vécu et l'expression littéraire. » Ce qui n'est qu'une variante du slogan de Sainte-Beuve : « Littérature inséparable de son auteur. » Slogan qui rappelle : « L'unité de la vie et de l'œuvre. » Ce qui évoque la célèbre formule faussement attribuée à Goethe : « La vie comme une œuvre d'art. » Ces locutions magiques sont à la fois lapalissade (bien sûr, ce que l'homme fait est inséparable de lui), contrevérité (inséparable ou non, la création dépasse la vie), cliché lyrique (l'unité de la vie et de l'œuvre « toujours cherchée et partout
90 espérée » se présente comme état idéal, utopie, paradis perdu enfin retrouvé), mais, surtout, elles trahissent le désir de refuser à l'art son statut autonome, de le repousser là d'où il est surgi, dans la vie de l'auteur, de le diluer dans cette vie, et de nier ainsi sa raison d'être (si une vie peut être œuvre d'art, à quoi bon des œuvres d'art ?). On se moque de l'ordre que Kafka a décidé de donner à la succession des nouvelles dans ses recueils, car la seule succession valable est celle dictée par la vie elle-même. On se fiche du Kafka artiste qui nous met dans
95 l'embarras avec son esthétique obscure, car on veut Kafka en tant qu'unité du vécu et de l'écriture, le Kafka qui avait un rapport difficile avec le père et ne savait pas comment s'y prendre avec les femmes. Hermann Broch a protesté quand on a mis son œuvre dans un petit contexte avec Svevo et Hofmannsthal. Pauvre Kafka, même ce petit contexte ne lui a pas été concédé. Quand on parle de lui, on ne rappelle ni Hofmannsthal, ni Mann, ni Musil, ni Broch ; on ne lui laisse qu'un seul contexte : Felice, le père, Milena, Dora ; il est renvoyé dans le mini-mini-mini-
100 contexte de sa biographie, loin de l'histoire du roman, très loin de l'art.

Milan KUNDERA, extrait de *Les Testaments trahis* (1992)

1. Quelle thèse Milan Kundera défend-il dans ce texte ? Résumez-la en une phrase. POINT **3**

....

2. Par quoi se caractérise un roman lu comme tel ? POINT **3**

☐ Il est susceptible de toucher l'ensemble des lecteurs.
☐ Il trouve son origine dans des événements réels.
☐ Il a pour vocation d'être le genre le plus lyrique.
☐ Il dénonce ce que les élites sociales veulent dissimuler.

3. Pour Milan Kundera, le roman dit « à clés » incarne ce à quoi un romancier doit aspirer. POINT **1,5**

☐ Vrai. ☐ Faux.

Justifiez en citant un court extrait du texte, entre guillemets, en indiquant les lignes:

....

....

4. Un écrivain n'est pas conscient de ce qui est à l'origine de ses personnages. POINT **2**

☐ Vrai. ☐ Faux.

Justifiez en citant un court extrait du texte, entre guillemets, en indiquant les lignes:

....

....

5. Selon Milan Kundera, pourquoi un romancier devrait-il camoufler les clés de ses œuvres ? Expliquez avec vos propres mots POINT **2**

....

6. Quelle théorie Sainte-Beuve défend-il ? A-t-elle fait ses preuves ? POINT **3**

....

....

7. En quoi l'œuvre de Kafka éditée en France diffère-t-elle de l'œuvre qu'il souhaitait laisser ? POINT **2**

☐ Aucun tri n'a été opéré.
☐ Personne ne l'a appréciée.
☐ Rien n'a été ajouté.
☐ Nul ne l'a approuvée.

8. Que font les éditeurs en vénérant fanatiquement un auteur ? POINT **2**

☐ Ils ignorent ses choix artistiques.
☐ Ils effacent ce qu'ils jugent superflu.
☐ Ils écartent les extraits censurés.
☐ Ils refusent de citer ses collaborateurs.

9. Qu'avaient en commun Faulkner et Kafka ? POINT **2**

☐ Le désir de contrôler leurs publications posthumes.
☐ La volonté de rester anonymes jusqu'après leur mort.
☐ Le besoin de défier la censure de leur époque.
☐ L'envie de s'associer à des compositeurs contemporains.

10. À qui renvoie le « on » de « on se fiche du Kafka artiste... » (ligne 94) ? POINT **2**

☐ Aux éditeurs français.
☐ Aux écrivains modernes.
☐ Aux lecteurs de l'époque.

11. « Ces locutions magiques (...) trahissent le désir de refuser à l'art son statut autonome (...), de nier ainsi sa raison d'être » (lignes 87-92). Expliquez cette citation avec vos propres mots. POINT **2**

....

12. Quel titre donneriez-vous à cet extrait ? POINT **2**

....

PRODUCTION ET INTERACTION ÉCRITES

POINTS **25**

Cette épreuve dure 2h30 et comporte deux exercices.

Exercice 1 Synthèse de documents

POINTS **13**

Rédigez une synthèse des documents proposés. Pour cela, dégagez les informations essentielles, classez-les en fonction du thème commun à tous les documents, puis présentez-les avec vos propres mots sous forme d'un nouveau texte suivi et cohérent. Attention, vous ne devez ni introduire d'idées ou informations autres que celles qui se trouvent dans le document ni ajouter de commentaires personnels. 200 à 240 mots.

Règle de décompte des mots : est considéré comme mot tout ensemble de signes placé entre deux espaces. « C'est-à-dire » = un mot ; « un livre intéressant » = 3 mots ; « Il ne m'a pas parlé depuis avant-hier » = 7 mots.

Attention, le respect de la consigne de longueur fait partie intégrante de l'exercice. Dans le cas où la fourchette indiquée dans la consigne (200-240 mots) ne serait pas respectée, on appliquera une correction négative : 1 point de moins par tranche de 20 mots en plus ou en moins.

Document 1

Qu'est-ce que le CO2-score, le joker du gouvernement pour le climat ?

(...) C'est une des propositions de la Convention citoyenne pour le climat déjà quasi-adoptée sur le principe. Le « CO2-score » ou score carbone, permet de classer produits et services selon leur impact environnemental. Le ministre de l'Économie, Bruno Le Maire, s'est ainsi prononcé pour «l'information» contre «l'interdiction» : « Je suis convaincu que si on informe très clairement les Français sur les dommages que causent à l'environnement certains véhicules très polluants, ils changeront leurs habitudes de consommation ».

La CCC propose de « développer puis mettre en place un score carbone sur tous les produits de consommation et les services ». Elle veut notamment rendre obligatoire l'affichage sous forme « compréhensible et visible par tous » du Bilan des émissions de gaz à effet de serre (BEGES, que sont déjà tenus de réaliser entreprises, collectivités et services de l'État), pour informer les consommateurs et usagers.

(...) Outre son affichage, ce CO2-score servirait à « réguler la publicité », avec présence obligatoire dans toutes les annonces et « en interdisant la publicité de certains produits qui atteignent un seuil maximum ». Cette proposition d'un encadrement de la publicité et une taxation au poids des voitures a déjà été écartée du projet de budget par le gouvernement. Mesures qui frapperaient par exemple de plein fouet les SUV, chouchous de la pub - et des acheteurs - mais honnis par les défenseurs de l'environnement.

Un affichage facile et lisible

La CCC propose qu'il soit élaboré par un organisme public « sur la base des normes existantes et/ou du bilan carbone de l'Ademe », l'agence de la transition écologique. Il devra « prendre en compte l'entièreté du cycle de vie d'un produit ou d'un service et intégrer les émissions directes et indirectes. Ainsi, chaque étape devra être évaluée : fabrication / extraction et acheminement de matières premières, fabrication, stockage, transport vers le lieu de distribution, distribution, consommation, jusqu'à son traitement en tant que déchet ou son recyclage ». C'est ce qu'on appelle une « analyse en cycle de vie » (ACV).

Son affichage devrait être « facilement et intuitivement lisible avec un code couleur clair » et « suffisamment visible en représentant plus de 50 % de l'étiquetage ». (...)

Le premier secteur à expérimenter la démarche est l'habillement, industrie particulièrement polluante. Ameublement, hôtellerie et produits électriques et électroniques font également partie des filières pionnières.

Mesure valorisée (...) mais jugée insuffisante

« Le score carbone ne remplace pas d'autres mesures, donner de l'info aux gens ne suffit pas », abonde Benoît Leguet, directeur de l'I4CE, l'Institut de l'économie pour le climat. « Prenez l'exemple du tabac, il y a aussi une incitation fiscale sur le prix, une interdiction liée à l'âge, tout un système de prévention ».

« (...) Le score carbone n'est pas l'alpha et l'oméga, on peut en même temps mettre un "signal-prix". Et on peut en tirer des co-bénéfices », poursuit cet expert. (...) Par exemple, la vente de véhicules moins polluants aurait un effet bénéfique sur la qualité de l'air, cause de près de 50 000 décès prématurés par an en France.

Les ONG environnementales sont quant à elles particulièrement méfiantes. « Le score carbone n'est pas du tout la mesure la plus structurante de la Convention », relève Clément Sénéchal, porte-parole Climat Greenpeace, qui s'inquiète : « Il va servir de joker contre les autres mesures nettement plus structurantes et qui conduisent vraiment à des baisses d'émissions ».

lexpress.fr avec AFP

Document 2

Bientôt un « score carbone » sur les produits de consommation ? (...)

« Développer puis mettre en place un score carbone sur tous les produits de consommation et les services. » C'est l'une des 146 propositions émanant de la Convention citoyenne pour le climat retenues par le Président de la république. Sur un format similaire à celui du Nutriscore, qui attribue une «note» en fonction de la valeur nutritionnelle d'un produit alimentaire, le score carbone permet au consommateur de connaître les émissions de CO_2 émises par les produits qu'il achète.

Pour atteindre les objectifs fixés par l'Accord de Paris, l'empreinte carbone moyenne d'un Français devrait être de 2 tonnes par an, contre 11,2 tonnes en 2019. (...) L'I4CE, un think tank pour la transition écologique et énergétique, estime qu'entre 22 et 37 % des émissions de gaz à effet de serre proviennent du secteur alimentaire mondial. (...)

En France, La Fourche, un distributeur de produits bio en ligne, s'engage depuis l'été 2019 à calculer l'empreinte carbone des produits alimentaires vendus afin de privilégier ceux ayant l'impact le plus faible. (...) Une note de « climat-score » allant de A+ à E est ensuite attribuée en fonction de l'empreinte carbone indiquée en grammes de CO_2 rejetés pour 100 g de produit. Ainsi les fruits et légumes ont la note A alors que le riz et le café obtiennent une note moyenne. Les produits laitiers et d'origine animale ont un score bien plus bas, allant jusqu'à E. (...)

Ce système permet également de comparer plusieurs produits « en un coup d'œil, explique Lucas Lefebvre, cofondateur de La Fourche. Une tomate bio qui a poussé sous serre en France a une empreinte carbone sept fois supérieure à une tomate espagnole et cinq fois supérieure à une banane de Guadeloupe puisqu'elle est chauffée au gaz naturel. »

Dans une démarche long-termiste, La Fourche proposera à partir d'octobre 2020 un « éco-score » prenant en compte 13 facteurs différents, dont l'empreinte carbone, afin de fournir l'information la plus complète possible. Lucas Lefebvre en est convaincu : « C'est par sa consommation alimentaire que l'individu peut avoir le plus grand impact ».(...)

Des applications smartphones permettent également de calculer l'empreinte carbone d'un produit alimentaire. Parmi elles, Open Food Fact permet à l'utilisateur de scanner le code-barres d'un produit pour en connaître son impact carbone en plus de son Nutriscore et de son groupe NOVA (indique le degré de transformation d'un produit).

Plus récemment, l'application Greenly propose de calculer l'empreinte carbone de l'utilisateur en analysant automatiquement la catégorie, les montants des produits achetés et le type d'enseigne en connectant l'application à la banque de l'utilisateur via une interface sécurisée. Bien que leur utilité soit évidente, ces applications impliquent de la part du consommateur de commencer lui-même cette démarche de diminution de l'empreinte carbone alors qu'un score carbone pourrait la généraliser.

Joséphine MAUNIER, ouest-france.fr

Exercice 2 Essai argumenté POINTS **12**

En lisant les actualités, vous découvrez la proposition du score carbone. Vous écrivez une lettre ouverte au ministère de la Transition écologique pour présenter votre point de vue sur cette question de manière argumentée. Vous proposez une ou plusieurs mesures pour aider la cause de la Convention citoyenne pour le climat et vous en défendez les mérites. 250 mots au minimum.

PRODUCTION ET INTERACTION ORALES

POINTS 25

Cette épreuve dure environ 30 minutes.
Vous disposez d'une heure de préparation. Cette préparation a lieu avant le déroulement de l'épreuve.
À partir des documents proposés, vous préparerez un exposé structuré (introduction, 3-4 parties, conclusion) sur le thème indiqué et vous le présenterez à l'examinateur.
Attention : les documents sont une source documentaire pour votre exposé : vous devez y puiser des pistes de réflexion et des exemples, mais vous devez également introduire des commentaires, idées et exemples qui vous sont propres afin de construire une véritable réflexion personnelle.

Sujet 1

POINTS 13

Thème de l'exposé : Le volontariat : Le bénévolat, a-t-il toujours une utilité avérée ?
Document 1

« Volontourisme » : le juteux business de l'humanitaire sur catalogue

(...) « Volontariat international. Départ dernière minute accepté ». Les publicités de l'entreprise Projects Abroad sur Internet ont l'apparence et la mélodie des alléchantes offres all inclusive. L'entreprise, qui se définit comme une «organisation», vend, à l'instar des agences de voyages, des séjours clés en main dans des contrées exotiques pour des « missions de volontariat » sans aucun prérequis du côté des bénévoles, pas même la majorité.

Répondant à une forte demande des jeunes Occidentaux pour « partir faire de l'humanitaire » à l'étranger, Projects Abroad est un acteur d'un secteur en pleine expansion depuis les années 1990 dans les pays anglo-saxons : celui du tourisme humanitaire, ou voluntourism («volontourisme» en français), qui s'implante en France depuis 2006.

De telles entreprises envoient des jeunes Occidentaux à l'étranger dans des structures partenaires locales et, moyennant une coquette somme (en moyenne 2 000 euros la semaine), garantissent leur sécurité, des activités et un encadrement.

(...) Si l'intention des bénévoles est louable, le recours à ce genre d'offres est pourtant largement critiqué. Depuis une dizaine d'années, les associations humanitaires à but non lucratif formulent des inquiétudes.

Elles dénoncent entre autres la monétarisation du bénévolat, le peu d'impact sur les populations locales (les volontaires n'apportant généralement pas de compétences spécifiques et qui s'inscriraient dans un projet de développement à long terme), voire un impact négatif : la pratique d'actes médicaux par des personnes non diplômées, les troubles psychologiques d'orphelins nouant des liens affectifs avec des volontaires aussitôt repartis, et parfois la création pure et simple de faux orphelinats. En ligne de mire, la logique commerciale de ces entreprises : plutôt que de répondre à un réel besoin sur place, elles épouseraient la demande de leurs clients.

(...) Si ces entreprises ont à ce point fait parler d'elles, comment expliquer leur succès croissant, en France notamment, où Projects Abroad revendique en 2018 près de 10 000 volontaires attendus ? Plusieurs éléments semblent concorder pour expliquer leur séduction.

Tout d'abord, un flou lexical utilisé à leur avantage : ces structures se présentent non comme des agences ou des entreprises mais comme des «organisations» – ce terme ne recouvre aucune réalité juridique mais évoque à l'oreille l'acronyme ONG (par ailleurs, le champ des organisations non gouvernementales est lui-même vaste et peu réglementé). Elles parlent aussi de « missions de volontariat » ou de «bénévolat», difficiles à distinguer des missions proposées par des associations à but non lucratif ou des missions de service civique.

La sociologue du travail Alizée Delpierre, auteure d'un mémoire de recherche sur le marché des missions de volontariat international, met également en avant les nombreux avantages que retirent les volontaires de tels séjours clés en main. Sa lecture en termes bourdieusiens souligne combien, venus pour la plupart des classes supérieures aisées, ils inscrivent leur voyage dans une stratégie d'adaptation au marché éducatif et du travail français. (...)

Le succès tenace de telles entreprises malgré l'ampleur des dénonciations tient aussi, semble-t-il, à leurs moyens : aux campagnes de publicité de grande ampleur répondent des dépenses en frais judiciaires extrêmement importantes, inscrites dans le bilan financier de l'entreprise. Projects Abroad a ainsi attaqué en diffamation l'association belge Service volontaire international – Solidarité Jeunesse Vietnam (SVI-SJV), qui dénonçait vigoureusement les abus du volontourisme. Le procès, perdu en première instance en 2016, vient d'être gagné en appel par l'entreprise, empêchant l'association de s'exprimer publiquement à leur sujet.

Ajoutez enfin à cela la propension des anciens volontaires, sur laquelle insiste Alizée Delpierre, à ne pas dénoncer une supercherie dont ils prennent conscience sur place afin de ne pas en perdre les bénéfices une fois de retour, et vous obtenez une prospérité dont l'indécence ne lasse pas de surprendre.jeunes étrangers puissent dépenser de fortes sommes d'argent pour s'occuper d'orphelins français, sans aucune qualification...

Marion DUPONT, lemonde.fr

Document 2

Pénurie de bénévoles : le réseau était mal préparé

Depuis le début de la crise sanitaire causée par le coronavirus, les gouvernements multiplient les appels au bénévolat. Que ce soit à l'aide des différentes plateformes web (...) ou des discours des dirigeants, des vedettes et des artistes, tous les citoyens et citoyennes sont appelés à donner de leur temps pour aider les plus vulnérables, appuyer les organismes communautaires ou encore venir à la rescousse des systèmes de santé débordés. Pourtant, quoique généreuse, la réponse à ces appels n'a pas suffi. Pourquoi ? (...)

Il faut d'abord mentionner la forte tendance qu'ont les grands organismes à vouloir «professionnaliser» le bénévolat. Au lieu d'être considéré comme un don de soi à long terme, le bénévolat y est perçu essentiellement en termes de compétences, de performance et de carrière professionnelle. (...) Résultat : l'engagement bénévole devient hautement formalisé et orienté vers le développement ou la mobilisation d'expertise, fragilisant ainsi ses socles relationnel, solidaire et politique. (...)

À cela il faut rajouter l'individualisation des pratiques bénévoles. Depuis le début des années 2000, de multiples formes de bénévolat sont en effet apparues, déconstruisant l'engagement classique à long terme. Le micro-bénévolat (...) désigne, par exemple, l'engagement à court terme. Les bénévoles dits «USB» se branchent et se débranchent quand ils veulent dans les projets qui les motivent sans se soucier de s'engager auprès d'un organisme à long terme. Ensuite, le bénévolat dit réflexif désigne le fait que l'individu est au centre de l'implication : c'est un moyen d'exprimer ses talents et d'en recevoir les éloges ou encore de vivre une « expérience bénévole » chère à l'épanouissement de soi. (...)

L'impact de ces nouvelles formes de bénévolat, plus volatiles, se fait déjà ressentir par les organismes communautaires, et encore plus en temps de crise.(...)

Samuel LAMOUREUX et Consuelo VASQUEZ, lesoleil.com

Sujet 2

Thème de l'exposé : Devons-nous imposer des restrictions vestimentaires dans les établissements scolaires ?
Document 1

Les femmes plus enclines à interdire le crop top et autres « tenues non républicaines » que les hommes

(...) Qu'est-ce qu'une « tenue correcte » pour une fille au lycée ? Cette question divise ces derniers jours le gouvernement et les lycéennes. À travers le hashtag #Lundi14septembre, ces dernières ont d'ailleurs lancé un mouvement pour dénoncer des règles vestimentaires dépendantes de la seule appréciation du personnel éducatif et revendiquent le droit de s'habiller comme elles l'entendent, sans pour autant être considérées comme des objets sexuels. Se dirige-t-on vers une révolution des mentalités ? Pas vraiment, à en croire la dernière enquête d'opinion menée par le pôle « Genre, sexualités et santé sexuelle » de l'Ifop*. (...)

Cachez ce haut du corps que je ne saurais voir. Quand on leur demande s'ils souhaiteraient que les lycées publics autorisent ou interdisent aux filles le port d'un haut laissant deviner les tétons, ou révélant le décolleté ou le nombril, les Français ne cachent pas leur désapprobation. Deux personnes sur trois (66 %) se montrent défavorables à la pratique du « No Bra », c'est-à-dire au non-port du soutien-gorge. Exit aussi toute tenue au décolleté plongeant (pour 62 % des sondés) et le crop-top (pour 55 % des répondants). « Le rejet que ce dernier suscite semble l'expression d'un puritanisme qui impose aux femmes - et seulement à elles - de cacher leur chair du regard des autres au nom d'un principe de "décence" que l'on retrouve également, chez certains, envers les cheveux, par exemple via le port du voile », analyse François Kraus, directeur du pôle « Genre, sexualités et santé sexuelle » de l'Ifop.

Sans grande surprise, l'enquête met en valeur un conflit générationnel opposant les aînés aux jeunes. 79 % des personnes âgées de plus 65 ans souhaitent que le « No Bra » cesse, alors que 51 % des jeunes entre 18 et 29 ans le plébiscitent. (...) La morale religieuse participe également de ces prises de positions - par exemple, les sondés de confession catholique (69 %) et musulmane (73 %) sont plus nombreux que ceux sans religion (61 %) à désirer interdire le port du « haut sans soutien-gorge au travers duquel la pointe des tétons est visible ». (...)

L'enquête dresse un autre constat, plus surprenant : il existe « un clivage de genre très net révélateur de l'ancrage des injonctions à la pudeur dans la gent féminine. » 73 % des femmes interrogées refusent le non-port du soutien-gorge au lycée, contre 58 % des hommes sondés. Des chiffres étonnants, soulignent les auteurs de l'étude, au regard du combat des féministes des années 1960 qui voulaient, au contraire, brûler le symbole de l'oppression vestimentaire imposée aux femmes. (...)

En juillet dernier, l'institut de sondage avait amorcé un début de réponse à ces freins, révélant la peur des jeunes femmes de moins de 25 ans qui redoutent d'être l'objet d'agression physique ou sexuelle (...). « Pour ces adultes qui comptent nombre de parents dans leurs rangs, ce mouvement semble plutôt soulever la difficulté à gérer le droit des filles à afficher leur féminité dans un cadre où ils estiment – à tort ou à raison – que l'institution scolaire ne sera pas en mesure de les protéger des agressions que leur liberté vestimentaire pourrait susciter », conclut François Kraus de l'Ifop.

*Ifop : Institut français d'opinion publique.

Tiphaine HONNET, madame.lefigaro.fr

Document 2

Tenue « républicaine » : « Il faut éduquer les jeunes et non couvrir les filles », répondent des lycéennes à Jean-Michel Blanquer

Depuis plusieurs jours, de nombreux lycéens manifestent leur désaccord vis-à-vis des règlements intérieurs de leur lycée interdisant certaines tenues vestimentaires. Ils souhaitent que ce mouvement de contestation perdure.

« Je suis sidérée qu'au XXIe siècle, on nous dise que l'on doit s'habiller "normalement", au lieu d'éduquer les jeunes sur le respect et la sexualité consentie. » Isis, 17 ans, lycéenne dans un établissement des Yvelines, a comme de nombreux camarades, revêtu une tenue dite «indécente», lundi 14 septembre. Cette date avait été retenue par les jeunes qui ont lancé un mouvement de protestation sur les réseaux sociaux. Ils dénoncent les injonctions et sanctions de certaines directions d'établissements à l'égard de jeunes filles qui, notamment en raison des températures élevées de septembre, ont porté des tenues jugées «provocantes».

« Vous n'allez pas à l'école comme vous allez à la plage ou en boîte de nuit. Vous allez à l'école dans une tenue correcte (...) Chacun peut comprendre qu'on vient à l'école habillé d'une façon républicaine », a réagi lundi le ministre de l'Éducation nationale, Jean-Michel Blanquer sur RTL. De son côté, Marlène Schiappa, ministre déléguée chargée de la Citoyenneté, avait auparavant défendu la liberté pour chacune de s'habiller comme elle le souhaite. (...)

Sur les réseaux sociaux, l'idée de tenue «républicaine» a suscité les moqueries. Certains ont cité le buste dénudé de Marianne comme exemple vestimentaire républicain à suivre.

S'il n'y a pas de chiffre officiel sur le suivi du mouvement contestataire dans les lycées le 14 septembre, l'Union nationale lycéenne (UNL) affirme avoir reçu plus de 250 témoignages de jeunes filles faisant état de répressions administratives vis-à-vis de leur tenue vestimentaire ce jour-là. « Cela va du simple rappel à l'ordre à la convocation en conseil de discipline, en passant par le refus de l'accès à l'établissement, ce qui est illégal », précise Mathieu Devlaminck, président de l'UNL, contacté par franceinfo. Ce dernier dénonce un flou juridique autour des règlements internes, et le manque de concertation. « L'Éducation nationale laisse aux chefs d'établissements le soin de préciser ou non dans leur règlement intérieur ce qu'est une tenue décente exigée. Or nous, lycéens, on ne nous a jamais demandé quelle était notre vision. Les jeunes ne sont pas écoutés » constate-t-il. (...)

Ce haut qui laisse entrevoir une partie du ventre est « interdit depuis le début de l'année, car il exciterait la population masculine, selon l'administration du lycée », souligne Isis. (...) « Nous sommes tous victimes de discrimination. Nous, les filles, sommes discriminées en raison de nos vêtements et par extension de notre corps. Et les garçons sont animalisés car ils ne peuvent soi-disant pas retenir leurs pulsions sexuelles en nous voyant. ». (...)

Pour les instances éducatives, deux raisons majeures justifient le refus de certaines tenues au sein des établissements. D'une part, cela prépare les élèves à la réalité de leur future vie professionnelle. (...) D'autre part, ces tenues jugées inappropriées peuvent gêner la conduite de la classe ainsi que le bon déroulement des activités pédagogiques, selon les règlements intérieurs des établissements. (...)

Guillemette JEANNOT, francetvinfo.fr

AUDIO - UNITÉ 1

Piste 1

• Dans *Modes de vie*, aujourd'hui, nous allons parler du yoga avec Carole Serrat, sophrologue, spécialiste bien-être au magazine *Top santé*. Bonjour Carole.
◦ Bonjour Virginie.
• Alors, peut-être que les dirigeants, qui arrivent en France aujourd'hui et demain pour les commémorations du débarquement, auront bien besoin de quelques conseils pour être un peu plus zen, mais le yoga, ce n'est pas la méditation.
◦ Non, le yoga, c'est une pratique de plus en plus en vogue. Le succès du festival du yoga au 104 à Paris en octobre dernier, auquel sept mille personnes ont participé, prouve que cette discipline devient très populaire. D'ailleurs, cet été, de nombreux festivals auront lieu dans toute la France : le festival européen du yoga du 2 au 10 août à Fondjouan, le festival de Chamonix, de Bordeaux. On estime, Virginie, qu'en France, les pratiquants du yoga sont actuellement plus de deux millions et leur nombre ne fait qu'augmenter chaque année. Alors, le yoga c'est vraiment une discipline qui a été créée il y a plus de deux mille cinq cents ans et qui capte des publics très divers en fait : les jeunes adultes mais aussi les seniors, les enfants, les sportifs, les cadres stressés. Il est fondé sur la pratique de postures appellées Asanas, sur le travail du souffle, Pranayama, et sur la méditation. Alors, il est vrai que dans un monde caractérisé par le stress, la compétition, le questionnement existentiel, le yoga permet vraiment de se poser, d'écouter son corps, et ce qui séduit également ce sont les valeurs qu'il véhicule : une meilleure relation avec soi-même, le respect des autres et de l'environnement, une alimentation plus saine, bref, un autre mode de vie pour être mieux dans sa tête et mieux dans son corps.
• Alors, quels sont les bienfaits réels du yoga ?
◦ Alors, le mot sanscrit yoga signifie unir, relier, équilibrer. On relie le plan physique, énergétique, émotionnel, mental, c'est-à-dire tous les éléments nécessaires pour avoir une vie harmonieuse. Les Asanas sont des postures qui permettent à la fois d'assouplir et de tonifier le corps tout en procurant un massage aux organes internes. C'est excellent pour les articulations et la colonne vertébrale. Les techniques respiratoires, le Pranayama, permettent d'avoir un meilleur apport en oxygène et aussi, elles agissent sur nos émotions en équilibrant le système nerveux. Et la méditation parce qu'elle développe, bien sûr, la concentration, la conscience du moment présent. Donc, en alliant les postures, la respiration et la méditation, on tonifie son corps et on élimine les toxines tout en calmant son mental, et de nos jours on en a tous besoin.
• Et donc, il existe plusieurs formes de yoga.
◦ Tout à fait, alors, le plus répandu c'est le Hatha-yoga. Il signifie "Ha" soleil et "tha" lune. Il intègre des postures statiques et dynamiques avec des niveaux de difficulté variables. Alors, ces postures, d'ailleurs, portent souvent des noms évocateurs : le lotus, l'arbre, la charrue... Et leur degré de difficulté est progressif. Vous avez aussi l'Ashtanga, lui, qui est plus physique. Il commence par une série de salutations au soleil, puis des postures pratiquées debout. C'est un yoga qui requiert de l'adresse, de l'endurance, mais il est vraiment très bien. Il y a le Yoga Nidra qui est adapté aux personnes qui sont plus en recherche de détente. Il se pratique principalement allongé. Il est très relaxant. Vous en avez bien d'autres. En fait, chaque professeur est tenté d'inventer son style et de nouvelles méthodes fleurissent chaque jour. Alors, on voit ainsi apparaître le Power yoga qui s'inscrit dans un courant très fun, l'Acro yoga qui est carrément acrobatique, le Fly yoga vous invite à prendre des postures en apesanteur. Il y a même le yoga du rire et, bien entendu, on trouve de nombreuses disciplines inspirées du yoga telles que le Pilates, la sophrologie et bien d'autres. En fait, ce qu'il faut retenir, Virginie, je crois, c'est : toutes les formes peuvent mener, si le pratiquant le souhaite, à une maîtrise, au calme intérieur et à l'harmonie corps-esprit.
• Alors, comment se déroule une séance classique de yoga ?
◦ Alors, en général le cours dure une heure. On commence par faire un peu d'échauffement puis une demi-heure de postures, des asanas, puis des respirations, Pranayama, et on finit souvent par une relaxation en position allongée.
• Et à partir de quel âge est-ce qu'on peut pratiquer ?
◦ Oh, à tout âge, à partir de cinq ans jusqu'à cent ans. En fait, l'enfant apprend des postures ludiques comme celle du chat qui s'étire, l'arbre... Pour mieux se concentrer. Les personnes âgées adopteront un yoga plus doux qui leur permettra de maintenir une bonne souplesse du corps et une tonicité des organes.
• Et est-ce qu'il y a des contre-indications ?
◦ Alors, en fait, le yoga que vous pratiquez doit être adapté à vous, vous devez toujours le pratiquer dans le confort, ne jamais forcer. Il y a donc peu de risques. Néanmoins, il faut toujours signaler au professeur de yoga si vous avez un problème de santé. Par exemple, les postures inversées avec la tête en bas ne sont pas du tout recommandées aux personnes ayant un glaucome. Si vous êtes enceinte, il y aura un yoga pour vous, si vous avez une sciatique, il faut que vous soyez guidé par le professeur.
• Alors, quand on fait du yoga, on sait qu'il faut contrôler sa respiration mais comment est-ce qu'on respire justement ?
◦ Alors, au yoga on inspire par le nez et on expire par le nez. Vous avez la respiration abdominale qui va amener calme, confiance ; la respiration alternée qui nous apporte équilibre et stabilité. Alors là, avec le pouce et l'annulaire, on ferme la narine droite, on inspire par la narine gauche, et inversement, on ferme la narine gauche, on inspire par la narine droite.
• Alors, je sais pas si on peut dire que le yoga, c'est un sport mais en tout cas, c'est une philosophie.
◦ Tout à fait, c'est à la fois une pratique de santé et une philosophie où l'on observe certaines règles de vie qu'on appelle les Yamas et les Niyamas. Alors, les Yamas sont des règles morales en société qui permettent au yogi d'être en harmonie avec ses semblables, comme la non-violence ; et les Niyamas sont des disciplines plus personnelles pour vraiment progresser sur le chemin du yoga, comme la pureté, l'ardeur ou l'étude.
• Alors, vous avez cinq secondes pour nous dire, exactement, où est-ce qu'on doit regarder si on veut pratiquer le yoga.
◦ Alors, vous avez plusieurs sites. Alors, moi, je vous conseille lannuaireduyoga.com où sont référencés mille cinq cents professeurs sur toute la France, et vous avez aussi un bi-mensuel *Esprit yoga*, que vous trouverez en kiosque, et, pour les plus convaincus, le *Journal du yoga*, mensuel uniquement disponible sur abonnement, et *Esprit yoga*, voilà, là vous avez toutes les infos.
• Merci Carole Serrat, à jeudi prochain.

Piste 2

• Tu le comprendras peut-être à la lecture de *Happycratie* qui paraît chez Premier Parallèle. Pourquoi cette obsession du bonheur ? De plus en plus d'ouvrages surfent aujourd'hui sur cette tendance, donnant la recette d'un bonheur sans illusions, les clés d'un Narcisse retrouvé, un bonheur qu'on nous invite à trouver en nous-mêmes, une injonction, presque à l'introspection. Devenue grande cause nationale aux États-Unis, le bonheur s'est mondialisé et industrialisé, faisant des émotions des marchandises comme les autres. Heureux qui comme « Moi, Je », invitée aujourd'hui de *La grande table des idées*, la sociologue Eva Illouz, professeure à l'université hébraïque de Jérusalem. Elle est notamment l'auteure en 2006 de *Les sentiments du capitalisme*, en 2012 elle signe *Pourquoi l'amour fait mal* : l'expérience amoureuse dans la modernité toujours au Seuil, un livre de sciences sociales sur les contours de l'expérience amoureuse dans les sociétés modernes. Et elle revient donc avec Edgar Cabanas, professeur en psychologie, et cet ouvrage, son nouvel essai *Happycratie* : comment l'industrie du bonheur a repris le contrôle de nos vies. Bonjour Eva Illouz.

- Bonjour.
- Que prêche la psychologie positive et de loin quelle est la promesse tenue par ces marchands de bonheur ?
- Alors, il s'agit d'un ouvrage qui est critique sur l'idée du bonheur, mais il ne s'agit pas pour nous de contester l'importance de l'idée du bonheur. C'est une vieille idée dans la philosophie occidentale mais il s'agit de comprendre les usages sociaux de cette idée du bonheur et, en particulier, il s'agit de comprendre le fait que cette idée du bonheur qui a été développée en particulier par les psychologues, à la fois les psychologues cliniques et les psychologues cognitifs, cette idée du bonheur s'est mise au service du pouvoir, c'est-à-dire au service des États, au service de l'armée, au service des multinationales comme Coca Cola, et a créé des moyens, finalement, pour rendre la population, c'est-à-dire les citoyens, plus contents, contents de leur expérience, sans vraiment leur permettre de se poser des questions sur la nature même de leurs situations sociale et économique, donc il s'agit de créer des travailleurs plus heureux, il s'agit de créer des soldats qui ne seraient pas traumatisés par la mort qu'ils ont infligée, ou dont ils auraient été les témoins. Il s'agit donc, véritablement, pour nous, de créer une façon d'anesthésier, je dirais, la souffrance sociale.
- Et au nom de quoi ? Quelle est la promesse si on trouve ce bonheur ?
- La promesse, c'est d'être très adapté, d'essayer d'être très adapté à toutes les situations sociales. En fait, c'est ce que les psychologues positifs essayent de faire avancer, c'est l'idée que, quelle que soit la situation dans laquelle on est, si on a été licencié, qu'on ait divorcé, etc... C'est que dans toutes ces situations, on soit capable de surmonter la souffrance, et non seulement de la surmonter, il s'agit en fait, même, de voir ses expériences comme des opportunités, comme des occasions pour nous renforcer, pour renforcer sa structure psychique et pour, en quelque sorte, démontrer, donc faire preuve de positivité là où il n'y aurait que de la négativité comme, par exemple, dans une situation de guerre.
- Voilà, alors ce monde dans lequel nous vivons, cette «happycratie», ce monde, c'est un monde où les pensées négatives n'auraient plus leur place.
- Alors, précisément, il s'agit pour nous aussi de créer ce que j'appellerais des nouvelles hiérarchies émotionnelles, où ceux qui râlent, ceux qui sont déprimés et ceux qui sont en colère sont pathologisés. Donc, il s'agirait de transformer vraiment le négatif, les sentiments négatifs, en sentiments pathologiques dont il faudrait se débarrasser. Alors, il faudrait quand même rappeler qu'une grande partie de la contestation sociale et de l'expérience sociale consiste justement à ressentir des sentiments négatifs, donc si on pathologise ces sentiments négatifs on fait deux choses : d'abord on rend inintelligible la relation que notre expérience peut avoir à des institutions et à la façon dont ces institutions ne répondent pas à nos besoins, ça c'est la première chose, je dirais, et la deuxième chose, c'est de nous sur-responsabiliser dans le fait de ne pas se sentir bien. Donc, ce culte du bonheur a créé ce que j'appellerais des méta-émotions, c'est-à-dire une émotion sur une émotion parce qu'on peut être en colère ou être déprimé et avoir tout à coup honte de cette colère ou de cette déprime. On en a honte donc on en parle plus et, ou alors, si on en parle, c'est simplement dans le cadre privé d'une consultation psychologique, donc il y a ce que j'appellerais une privatisation de la souffrance sociale. C'est un des grands effets de la psychologie en général, mais c'est un effet encore plus marqué de ce culte du bonheur, c'est de privatiser la souffrance.

Piste 3

- L'urbanisme demain, c'est avec vous, bonjour Olivier Marin.
- Bonjour Éric.
- Rédacteur en chef au *Figaro Immo*. Les Français et les villes moyennes, voilà une étude, une enquête menée par La Fabrique de la Cité. C'est un groupe de réflexion sur la place de la ville et les innovations urbaines. Olivier, quels sont les principaux enseignements de cette enquête sur les villes moyennes ?
- Et bien Éric, tout d'abord une confirmation, sans doute renforcée par la crise sanitaire et ses impacts, c'est d'abord une sorte d'appel de la fôret : les Français ont envie de nature, de calme, sans doute liée au confinement, mais l'enquête donne le sentiment que c'est beaucoup plus profond et que cela correspond à un besoin de longue date. Deuxième enseignement sur cette envie de bouger, de s'installer dans une ville moyenne : elle est beaucoup plus forte chez les Parisiens qu'ailleurs. Un Français sur cinq dit qu'il a envie de changer. Quand un Parisien est interrogé, cela monte à 36 %. Et puis, les Français voient la ville moyenne comme une ville charnière, perçue comme plus dynamique qu'il y a dix ans, loin de l'image de la ville sur le déclin, où l'on s'ennuie.
- Et pourquoi les villes moyennes sont si attrayantes ?
- Alors, c'est avant tout la tranquillité, vient ensuite la proximité avec la nature ainsi que le coût de la vie accessible et des logements plus spacieux. S'il faudra sans doute attendre 2021 pour savoir si la confinement a joué un rôle d'accélérateur, tout comme les possibilités de travailler à distance, il y a un mouvement, il y a des envies, pas encore de confirmation, en tout cas l'élément déterminant pour s'installer dans une ville moyenne, nous dit l'étude, c'est de trouver un emploi. Et parmi ceux qui ont franchi le pas et vivent désormais dans une ville moyenne, la raison professionnelle est le premier motif, vient ensuite le rapprochement familial et ensuite les mêmes atouts que ceux qui rêvent de quitter les grandes villes. Alors, vivre dans une ville moyenne d'accord, mais pas n'importe où, c'est ce que souligne Cécile Maisonneuve, qui est la présidente de La Fabrique de la Cité.
- Quand les Français nous disent « oui, j'ai envie d'aller habiter dans une ville moyenne ou même dans une petite ville », ils répondent d'abord la périphérie de la ville moyenne, la périphérie de la petite ville avant le centre de celle-ci. Donc ça, ça nous dit quelque chose de très important par rapport à tous les débats qu'on a en ce moment sur l'étalement urbain par rapport aux objectifs fixés par les pouvoirs publics sur la zéro artificialisation nette. On en est loin parce que les Français sont allergiques à la densité ou à ce qu'ils perçoivent comme de la densité.
- La Fabrique de la Cité a également interrogé des maires des villes moyennes sur les enjeux et les perspectives. Alors,

il en ressort que les villes moyennes ont un potentiel de développement si elles sont correctement raccordées aux métropoles autour d'elles. La mobilité est un enjeu majeur : covoiturage domicile-travail ou l'autopartage... Tout faire pour faire rester et attirer les jeunes et répondre au défi du logement.

▪ La question du logement, de la qualité du logement est un point, on le sait, très important dans l'esprit des Français et notre enquête l'a prouvé à 150 %. Le logement accessible, le logement agréable, si possible avec de la nature autour, est plébiscité, y compris par les jeunes.

◦ Des élus qui attendent que l'on mette les villes moyennes sur la carte de la France qui bouge. Alors, cela passe par : avoir de bonnes connexions, les moyens de se retrouver, mais aussi accéder aux bornes électriques, éviter les fractures territoriales, répondre aux attentes en matière de services publics, être aussi au cœur des innovations. Des villes moyennes, plus que jamais, qui doivent être impliquées dans la transition écologique et numérique.

• Olivier Marin, rédacteur en chef du *Figaro Immo*, merci beaucoup Olivier et à samedi prochain.

Piste 4

• L'urbanisme demain, c'est avec vous Olivier Marin, bonjour.

◦ Bonjour Éric.

• Rédacteur en chef du *Figaro Immo*, avec ce matin des alternatives pour en finir avec ces villes, ces villes qui n'en finissent plus de s'étendre. Et bien, il existe un concept, notamment, c'est l'urbanisme circulaire. Ça ressemble à quoi ?

◦ Et bien l'urbanisme circulaire, c'est l'idée de construire la ville sur elle-même en partant du constat que depuis des années l'étalement urbain a montré ses limites : le fait de s'éloigner de la ville avec la voiture, le fait de construire des logements neufs en périphérie des grandes villes. C'est la prise de conscience de la fin d'un système. L'urbanisme circulaire, ce n'est pas un concept théorique mais une alternative à l'étalement urbain, c'est concevoir, organiser, reconstruire en permanence la ville sur elle-même, c'est se demander si l'on a besoin de construire à tel ou tel endroit. Si l'on ne peut pas déjà mieux utiliser l'existant, éviter de démolir des bâtiments. On peut transformer des bureaux en logements, on peut construire des bâtiments qui seraient évolutifs dans le temps, créer des espaces de stationnement qui soient démontables, et puis, c'est le recyclage du foncier, des sols avec des espaces inutilisés. L'urbanisme circulaire, c'est le fait de dire qu'il y a énormément de ressources dans la ville qui ne sont pas exploitées.

• Donc, c'est faire plus avec ce qui existe déjà dans la ville. Par exemple ?

◦ Alors, il y a des temps morts dans la vie d'un bâtiment : c'est une ou deux années pendant lesquelles un bâtiment attend d'être déconstruit ou réhabilité. Plutôt que de rester vide et inoccupé, de laisser des mètres carrés inutilisés, le bâtiment peut être occupé légalement, temporairement par des associations, par exemple. Alors, ça se développe dans des quartiers à Paris, à Marseille ou à Lyon. Et puis, il y a d'autres utilisations possibles, comme le souligne l'urbaniste Sylvain Grisot, auteur du *Manifeste pour l'urbanisme circulaire*.

▪ C'est par exemple l'après-midi d'un restaurant universitaire. On a le cas avec un restaurant universitaire du CROUS, un restaurant parisien, qui, l'après-midi est occupé par une nouvelle équipe, à 14 h 30. Il y a un espace de coworking qui est créé en lieu et place du restaurant, tous les jours. Alors, évidemment, il y a des compromis, notamment des compromis horaires, mais ça crée un espace de travail qui est présent en plein cœur de Paris et l'un des moins chers de Paris, ouvert à tous et pas qu'aux étudiants. Il y a des grandes réhabilitations de bâtiments, il y a cette idée qu'on peut construire sur les toits, qu'on peut faire pousser quelques étages et, par exemple, créer de la surface habitable. Ça a été réalisé, alors certes à Paris, en région parisienne, mais à Saint-Nazaire, par exemple.

◦ Voilà, des démarches similaires se développent à Nantes, à Rennes, à Angers, à Grenoble, par exemple, mais aussi à l'étranger : en Italie ou au Québec. L'urbanisme circulaire, c'est une somme de bonnes pratiques. Il s'agit d'en finir avec la construction de bâtiments mono-usages, mono-fonctionnels. On ne compte plus les bâtiments vides, les bureaux qui ne servent à rien. On peut mutualiser, recycler. Alors, Il y a bien sûr des freins : la peur du changement, avec une seule façon de faire la ville. L'urbanisme circulaire n'est pas industrialisable, c'est du cas par cas.

• Ouais, mais est-ce que cette période de confinement et de pandémie, est-ce qu'elles ne favorisent pas une prise de conscience pour transformer cette ville ?

◦ Oui, Éric, la pandémie et le confinement accélèrent la prise de conscience, notamment de nos fragilités. Ça nous impose de repenser, refaire la ville. Une ville plus proche, plus mixte, une ville qui doit s'adapter en continu à tous les bouleversements : sanitaires, économiques, démographiques, mais aussi tenir compte du vieillissement de la population. L'urbanisme circulaire passe par une volonté politique, des élus locaux, des professionnels mais aussi des habitants, des citoyens qui s'engagent pour leur quartier. Avec, pour enjeux, de rendre la ville plus ouverte, où la ville de demain serait prête au changement, plus flexible. Et faire une ville pour tous. S'adapter aux changements climatiques et à nos usages. Une ville plus attrayante et plus agréable.

• Oui, et pour aller plus loin et bien je renvoie au livre *Manifeste pour un urbanisme circulaire* signé de Sylvain Grisot, c'est aux éditions Dixit.net. Merci Olivier Marin du *Figaro Immo* et à la semaine prochaine.

Piste 5

• L'urbanisme demain, c'est avec vous, bonjour Olivier Marin.

◦ Bonjour Éric.

• Du *Figaro Immobilier*. Alors, voilà, ce matin, deux jeunes que vous allez nous présenter, deux jeunes architectes. Ils présentent un nouvel habitat constructible en seulement quelques jours.

◦ Oui, c'est une petite maison nomade, mobile. Elle est facilement montable en cinq jours par trois personnes. On peut la démonter, la déplacer. Elle est fabriquée en bois. Son nom : Proto-Habitat, « Proto » comme prototype. À l'origine, le travail de deux architectes, Frédérique Barchelard et Flavien Menu, en résidence à la villa Médicis à Rome, et qui ont vécu plusieurs années à Londres. Proto-Habitat, et bien, c'est le fruit de leur réflexion sur nos modes de vie, sur les aspects environnementaux, juridiques, économiques, sur l'usage du logement et la notion d'habiter. On peut dissocier le foncier du bâti, créer des logements évolutifs. Et bien, Proto-Habitat, c'est une maison avec des espaces modulables pour vivre et travailler, une surface au sol de 30 m² qui peut s'étendre jusqu'à 90 m² en fonction des besoins et des budgets. Frédérique Barchelard

▪ Un module de base, il faut cinq jours pour le monter. Bien sûr, le prototype est dimensionné pour pouvoir être empilable et juxtaposable, donc on peut avoir deux modules accolés qui forment une grande maison ou un espace de vie, un espace de travail conjoint. On peut les mettre en triple, on peut avoir des séries en fait, à juxtaposer côte à côte pour faire du bâtiment collectif de petite échelle et horizontal. On

peut aussi l'empiler en hauteur, avoir des bureaux par-dessus lesquels viennent des duplex, par-dessus lesquels viennent du logement, des éléments plus mixtes. Le tout étant toujours montable et démontable.
◦ Et le premier prototype visible, on peut le voir, il est installé au Jardin public de Bordeaux dans le cadre de l'exposition du centre d'architecture Arc en rêve. L'habitat vient d'une source locale, il est réalisé en élément préfabriqué, en atelier et tout est entièrement conçu depuis la filière bois, les matériaux sont sourcés près du site de fabrication en Nouvelle Aquitaine. Les caissons en bois sont recouverts de panneaux de peupliers. Lumière naturelle, qualité de l'air, qualité des matériaux. Intérieur comme extérieur, l'aspect écologique est primordial. Flavien Menu.
♦ On sait aussi que le secteur de la construction est un secteur extrêmement polluant et puis on a la chance, alors en Nouvelle Aquitaine mais aussi en France, d'avoir un domaine forestier, des domaines forestiers extrêmement importants et une filière bois qui se structure. Et on voit, à travers aussi cette innovation dans Proto-Habitat, qu'il est possible de construire des habitats qui sont sains et durables et qui respectent aussi toutes les normes, à la fois environnementales mais aussi thermiques, acoustiques, de sécurité, avec des matériaux qui sont sourcés à moins de 400 km.
◦ Et pour Proto-Habitat qui suscite les convoitises, les pistes de développement sont multiples : l'habitat intergénérationnel, bureaux, ateliers, étudiants, intégrer des futurs quartiers à petite échelle, occuper temporairement des terrains disponibles dont les opérations ne sont pas encore finalisées... Pour les deux architectes, il est possible de provoquer le changement par la multitude de petites interventions. Ici la question n'est pas le nombre mais la qualité. L'avenir est peut-être aussi à un immobilier plus durable, plus agile et plus mobile.
• Et vous pouvez retrouver les visuels et les informations de ce Proto-Habitat sur franceinter.fr à la page de L'Urbanisme demain. Olivier Marin, rédacteur en chef du *Figaro Immo*, merci et à samedi prochain.

Piste 6
• L'urbanisme demain, c'est avec vous, bonjour Olivier Marin.
◦ Bonjour Éric.
• Rédacteur en chef du *Figaro Immo*, avec, ce matin, une idée qui est dans l'air du temps. Ça s'appelle la ville du quart d'heure, mais quel est donc ce concept Olivier, la ville du quart d'heure ?
◦ La ville du quart d'heure, et bien, c'est le principe de trouver près de chez soi tout ce qui est essentiel pour faire ses courses, pour travailler, pour pratiquer des loisirs, pour se cultiver, pour se soigner... À moins de cinq minutes à vélo et à quinze minutes au maximum à pied, donc, sans prendre la voiture. L'idée, considérée comme utopique il y a quelques années, a été lancée par l'urbaniste et chercheur franco-colombien Carlos Moreno, professeur à la Sorbonne. Il est à l'avant-garde de ce qu'on appelle la Ville intelligente et du concept de la Ville du quart d'heure. Habiter, travailler, voire télétravailler, s'approvisionner, se soigner, s'éduquer, profiter des loisirs : ce sont les piliers de la ville du quart d'heure. L'hyper proximité. Mettre en place des quartiers entièrement conçus et pensés pour faire gagner du temps aux habitants.
• Alors, ce concept de la ville du quart d'heure, est-ce que ça marche ?
◦ Alors, la dynamique, en tout cas, elle est lancée, le concept commence à s'appliquer un peu partout dans le monde : à Copenhague au Danemark, à Melbourne en Australie, à Ottawa au Canada. Ce sont des villes qui s'engagent dans cette voie et s'approprient cette nouvelle urbanité, tout comme Utrecht au Pays-Bas ou Édimbourg en Écosse. Et puis en France aussi, ça existe : la ville de Nantes va développer le concept au fur et à mesure dans de nombreux quartiers. C'est déjà opérationnel à Prairie-au-Duc. Dans la capitale, il y a des délégués au Quart d'heure qui vont recueillir les besoins. À Pantin, en Seine-Saint-Denis, les réflexions avancent en ce sens. La métropole de Dijon et Mulhouse sont des territoires d'expérimentations.
• Est-ce que pour autant ça peut s'appliquer partout ?
◦ Alors, évidemment, c'est beaucoup plus compliqué dans les petites villes où la voiture est encore indispensable pour se déplacer, pour se rendre dans un centre commercial. Le modèle est plutôt pensé pour les quartiers en devenir des grandes métropoles. Pour arriver à concrétiser la Ville du quart d'heure, il faut une volonté politique : du maire, des élus locaux. Ça veut dire aménager des espaces, des routes pour les vélos, des équipements en conséquence, mais ça ne doit pas forcement coûter cher. Il ne s'agit pas de construire de nouveaux équipements mais mieux utiliser l'existant, ce que Carlos Moreno appelle les ressources cachées de la ville. Beaucoup de choses du domaine public sont disponibles, par exemple : les écoles qui ne sont ouvertes qu'une partie de la journée et une partie de l'année pourraient ouvrir pour des associations. Les gymnases libres pourraient servir à autre chose que faire du sport comme, par exemple, proposer des cours de langues. Mieux partager les espaces, les mètres carrés. Les infrastructures sont là, on peut les utiliser, et pour Carlos Moreno, c'est la voie de l'avenir.
▪ Moi,ce que je propose avec la Ville du quart d'heure, ce n'est pas une baguette magique. Je propose un voyage, je propose un chemin, je propose une voie qui rééquilibre le volet écologique, économique et social, c'est-à-dire une ville qui soit vivable, viable et équitable.
◦ Voilà donc pour les clés que propose cet urbaniste aux décideurs économiques et politiques : inventer collectivement de nouveaux modes de vie, répondre aux besoins d'une meilleure qualité de vie. Ce concept de la Ville du quart d'heure, c'est un engagement pour mieux apprécier la vie dans son quartier, un quartier qui doit offrir à ses habitants des commodités et des services à portée de main.
• Avec plaisir même, Olivier Marin, rédacteur en chef du *Figaro Immo*, merci et bonne journée. À samedi prochain.

Piste 7
Je suis née à Marseille, la plus ancienne ville de France. Située dans le sud de la France, c'est une ville d'un climat doux en hiver et chaud en été. J'aime beaucoup ma ville, il y a plein de choses intéressantes à voir : La basilique de Notre-Dame-de-la-Garde, le Vieux-Port. Mais ce qu'il y a de plus agréable à Marseille, c'est les gens : des gens sympas et accueillants. Alexandre Dumas, dans son livre du Comte de Monte-Cristo, parle de l'un des monuments à visiter à Marseille : le château d'If. Si vous venez à Marseille, ne le ratez pas.

Piste 8
a. J'aime bien Marseille.
b. Nous pouvons aller à la plage ensemble.
c. Tu as bien de la chance !
d. Elle a commencé à faire du yoga.
e. J'aime les projets de Le Corbusier.
f. L'architecture est indispensable à notre bien-être.
g. Un coopérative d'habitat est un bon moyen de résoudre les problèmes de logement.
h. Il est important de trouver l'harmonie.
i. Le yoga peut servir comme une thérapie.
j. Le train devrait arriver dans dix minutes.

AUDIO - UNITÉ 2

Piste 9

- Hier, le *Guide Michelin* a rendu public son palmarès pour l'année 2020. Il y a trois nouveaux chefs qui ont trois étoiles. Et puis, il y a des chefs qui commencent à hausser le ton contre ce *Guide Michelin*. On les entend petit à petit mais rares sont ceux qui acceptent de le dire clairement sur un plateau télé. Babette de Rozières.
- Bonjour, moi, je dis les choses, de toute façon.
- Vous, vous dites les choses, c'est clair. Merci d'être avec nous. Vous qui êtes chef, quel est votre regard sur le *Guide Michelin* ?
- Je veux d'abord dire, quand je suis arrivée, je représentais ma présidente, personne ne m'a présenté le président. Y a quelqu'un qui est venu me dire, il faut me lever pour aller saluer le président. Voilà, une parenthèse.
- Le président de ?
- Le président du *Guide Michelin* !
- Ah oui !
- Ben oui. Je suis arrivée en train de...
- Ca, c'était hier soir ?
- C'était hier soir. Je représentais ma présidente et puis, la dame m'a dit : « Levez-vous. Allez voir le... Allez voir le président. »
- C'est-à-dire qu'il bouge pas ?
- Ah ben non ! C'est le prince consort. Ah non, il bouge pas.
- Vous pensez quoi, vous, du *Guide Michelin* ?
- Alors moi, je pense... Franchement, je pense que c'est un coup de bluff. Et aussi, c'est aussi 22 millions de chiffre d'affaires ! C'est ça que je veux dire.
- C'est un business.
- Ah ben évidemment, C'est un business ! De quel droit on se permet de juger le travail d'un cuisinier ? J'aimerais bien savoir quelle est l'équipe d'inspecteurs et s'ils sont professionnels pour aller voir, juger le travail d'un cuisinier et critiquer le travail d'un cuisinier. Moi, je pense que c'est une histoire de copain-copain parce que ce n'est pas possible autrement. Moi, en ce qui me concerne, je reçois du *Guide Michelin* un questionnaire me demandant de remplir le nom de mon restaurant, l'adresse, le téléphone, le mail, d'envoyer des photos des plats, des photos de l'ambiance, de mettre un commentaire. Et en plus on me bouscule. Si je ne réponds pas assez vite, on me bouscule en me disant « oui, oui, faut envoyer »... Pour m'inscrire dans le *Guide Michelin*. Alors, est-ce que c'est comme ça qu'ils ont le goût avec le papier rempli ? Ils ont... ils peuvent maîtriser le goût ? Mais le goût est subjectif. De quel droit ? De quel droit ils font ça ? Je veux pour preuve encore, tellement c'est bidon, que, ils ont.. ils ont donné deux fourchettes et un Bib euh, un Bib Gou euh... Gourmand à un restaurant qui est à Ostende. Le restaurant, il était pas ouvert.
- Vous, vous en avez contre tous les guides au fond ?
- Mais moi, je ne crois pas aux guides.
- Vous dites que c'est la même chose avec tous les guides.
- Moi, je ne crois pas aux guides. Évidemment, je comprends les cuisiniers, ça leur fait plaisir. Évidemment que c'est économique aussi parce que le *Guide Michelin* il peut t'assassiner, il peut te tuer, il peut t'élever et te tuer. Ils ont pris un pouvoir incroyable alors qu'au départ c'était des pneus, c'était des plans pour aller... C'était des plans pour conduire sa voiture. C'était des pneus Michelin. T'as vu un Michelin là ?
- Ouais.
- C'était ça avant. Maintenant ils ont pris... Je sais pas par rapport à quoi.
- Mais on voit des...
- Ils ont pris une autorité.
- Ouais.
- Ils t'imposent des choses.
- On voit des chefs qui sont effondrés quand ils perdent une étoile.
- Ben je comprends qu'ils soient mal mais faut pas l'accepter, ces étoiles-là. S'il n'y a pas de chefs qui s'inscrivent dans le *Guide Michelin*, le *Guide Michelin* n'existe pas. Il faut refuser. D'ailleurs, y a des chefs qui ont refusé.
- Bien sûr, de plus en plus.
- Hein des grands chefs et y a des chefs qui se sont suicidés par rapport à ça et, en plus, ce que je déplore, c'est que le *Guide Michelin* s'est acoquiné avec Tripadvisor, et c'est quoi Tripadvisor ?
- Avec Tripadvisor ouais c'est ça.
- Et c'est quoi Tripadvisor ? C'est quelqu'un qui détruit les restaurants dans l'anonymat le plus absolu. Impuni. Et ils viennent chez... Même moi, on m'a fait une critique en disant que je vendais des crêpes. Les crêpes, ce n'est pas ma spécialité. Mais tout ça c'est... Tout ça c'est bidon. Moi, ça n'a aucune... Moi pour moi, ça n'a aucune légitimité ! La seule chose que moi, à laquelle je crois, c'est que le client, quand il vient chez toi, c'est lui le seul qui peut donner un avis sur ta cuisine. Y a des petits restaurants qui payent pas de mine mais ils font une cuisine exceptionnelle. On parle pas d'eux. Les gens viennent, le restaurant est bondé, ils travaillent. Le travail d'un chef doit être respecté. On ne peut pas se permettre de détruire, de donner. C'est un marchand d'étoiles quoi ! Il faut que ça cesse. De toute façon, je suis contre ça et il faut que ça cesse ! Évidemment, les chefs qui m'entendront seront pas contents, mais je ne suis pas là pour faire plaisir. Je suis là pour dire ce que je pense et ce que je pense, je pense qu'il y en a plein qui pensent comme moi mais qui n'osent pas le dire. Ah ben moi, je le dis pour tous les chefs qui veulent le dire.
- Mais vous, vous refusez les étoiles.
- Ah ben moi, même si on veut me proposer je refuserai parce que...
- Vous refusez ?
- En m'envoyant un questionnaire. Michelin m'envoie un questionnaire pour demander de raconter mon histoire, de raconter mon restaurant, le nombre de tables, le plat, les photos des plats, les photos du restaurant, et tout ça. De remplir bien le questionnaire, d'envoyer sinon je serai pas dans le guide et avec ça on me donne de... Mais attends mais c'est n'importe quoi. Alors vous pouvez me dire qui peut mesurer le goût ? Mais sur quels critères ils mesurent le goût ? Sur quoi ils se basent ? Parce qu'il peut goûter un plat X là, quelqu'un d'autre passe derrière mais c'est deux trucs différents.
- Mais comment vous expliquez que ça a autant d'importance pour les chefs alors ce *Guide Michelin* ?
- Ben écoutez, je sais pas. Moi-même je me pose la question mais en tout cas je ne les critique pas, ces chefs. On te donne une étoile, tu l'acceptes. Mais en tout cas...
- À part que vous, vous la refusez.
- Mais moi, je veux pas et si moi je gratte un peu et bien je vois que tout ça c'est rien, c'est rien, c'est se faire voir, c'est se faire paraître et, en tout cas, quand les chefs perdent leur étoile, c'est une grosse catastrophe. C'est là, la puissance du *Guide Michelin*. Ils te donnent une étoile, il peuvent reprendre l'étoile, ils te coulent, ils te montent. Mais pourquoi ?
- Et sans expliquer pourquoi ?
- Le chef... Le travail de chef, c'est compliqué un travail de chef. Est-ce que vous croyez qu'un chef va monter son restaurant pour faire du mauvais ? Un chef qui monte un restaurant, c'est son travail, c'est son gagne-pain. Automatiquement il soigne, il travaille, il a envie de gagner de l'argent, il a envie de faire plaisir à ses clients. Mais non, ils viennent, voilà, ils décident.

Mais, en tout cas, qu'ils viennent pas chez moi parce que je vais les envoyer balader, je n'ai rien à faire de leurs commentaires. Ça, ça m'intéresse pas. Pour l'instant, le seul commentaire qui m'intéresse, c'est le commentaire de mes clients qui viennent chez moi depuis des années, qui goûtent ma spécialité et qui me disent que c'est bon. Est-ce qu'ils ont le palais international les... ceux qui goûtent ?

- Parce qu'on sait pas, on ne sait pas qui sont ces gens qui viennent dans les restaurants et qui goûtent.
- ◦ Est-ce que c'est un collectif de chefs qui goûtent ? Si c'est un collectif de chefs qui goûtent ça a un sens mais c'est pas ça, c'est des inspecteurs, on peut... Comment on les recrute, ces inspecteurs ? Mais il faut chercher, gratter un peu. Il faut commencer à gratter pour voir l'envers du décor. En tout cas, c'est 22 millions. D'accord ? C'est 22 millions de chiffre d'affaires.

Piste 10

- Samedi matin, j'ai dû prendre rendez-vous chez le médecin pour ma fille, mais pas moyen de retrouver le numéro de mon docteur. Je tape sur Google et juste au-dessus de son numéro, c'est là que je vois des petites étoiles. Vous savez, celles qui correspondent à une note entre 1 et 5. À ma grande surprise, je découvre que la sienne est mauvaise. Il n'a que trois étoiles sur cinq.
- ◦ « Incapable de poser un diagnostic mais capable d'encaisser l'argent pour une consultation qui a duré moins de deux minutes. »
- En regardant de plus près sur Google, je m'aperçois que tout le monde peut voir sa note...
- ◦ « Médecin antipathique. »
- Mais aussi, le commentaire qui va avec.
- ◦ « Médecin extrêmement incompétent. Je suis sortie de mon rendez-vous avec du Doliprane. »
- Je commence à lire les commentaires qui accompagnent ses notes et je n'en reviens pas.
- ◦ « Archi nul mais très sûr de lui. Mon père a failli mourir à cause de sa négligence. »
- Il faut savoir que c'est mon médecin et celui de ma famille depuis des dizaines d'années.
- ◦ « Une faute professionnelle comme ça, ce n'est pas possible. »
- Je le connais depuis que je suis toute petite. Je l'aime beaucoup et je lui ai toujours fait confiance.
- ◦ « Moins à encaisser votre argent mais pas à vous soigner. Très décevant. »
- À première vue, c'est de la diffamation pure et simple. C'est vrai qu'il est un peu à l'ancienne mon médecin, qu'il prescrit souvent du Doliprane et qu'il refuse de faire beaucoup d'arrêts de travail, mais est-ce que ça suffit pour ce déchaînement ? Il y a des accusations très graves, carrément d'homicide. Je me décide alors à l'appeler pour lui demander timidement ce qu'il en pense. Il me dit que je lui apprends tout ça et qu'il ne regarde pas ces choses-là. J'insiste un peu pour qu'on en parle mais il n'a pas très envie. Je crois qu'au fond, ça ne l'intéresse pas. Moi, ça me donne envie d'en savoir plus sur cette histoire d'étoiles. Je pense alors au docteur Jérôme Marty qui s'exprime volontiers dans les médias.
- ▪ C'est un métier et pas un commerce.
- Je lui demande si ces notes ont vraiment un impact sur la profession et jusqu'où ça peut aller.
- ◦ Dès l'instant où l'on commence à noter les médecins comme des hôtels ou des restaurants, c'est qu'on considère que la médecine est un bien qui s'achète comme un autre.
- Jérôme Marty, est-ce que vous avez entendu parler de cabales qui ont pu avoir lieu, justement ?
- ▪ Bah, allez sur ma page Google, vous allez voir ce que c'est qu'une cabale.
- Vous avez beaucoup d'avis négatifs ? Ah oui, je vois là, donc, là, on est en train de se connecter, ouais, c'est ça, on est en train de se connecter à Google.
- ▪ Vous verrez.
- On a tapé docteur Jérôme Marty. Effectivement, vous avez deux virgule trois étoiles sur cinq. Ah oui, vous avez soixante-douze avis et effectivement...
- ▪ Si vous voulez, comme je fais partie des médecins un peu médiatisés, bah... j'ai des gens qui se vengent de tout ce que je peux dire sur les antennes, sur ma fiche Google. Donc, c'est absolument pas des patients à moi mais c'est des gens qui écrivent et, la plupart du temps, sous anonymat, et vous verrez les torrents d'insultes qu'il peut y avoir et les abominations qu'il peut y avoir sur ces pages Google. Moi, il se trouve que j'ai du cuir donc ce genre de choses, je laisse faire, un peu habitué, mais un médecin qui pourrait être fragilisé, vous allez avoir un médecin qui peut très bien être amené à claquer avec ce genre de choses ou à faire un geste malheureux. Dans la majorité des cas, c'est quand même des gens qui, en conscience, sont pas contents du service qu'ils ont reçu. Alors, ça part de rien. Vous pouvez très bien avoir quelqu'un qui va vous coller une mauvaise note parce qu'il a été mal assis dans la salle d'attente, parce qu'il y avait du bruit au moment où il était là ou parce que le médecin n'a pas souri quand il est entré dans la salle. Imaginez la personne qui a mal au ventre depuis deux ou trois jours, qui vient dans la salle d'attente et qui attend deux heures, en ayant mal au ventre. Est-ce que vous croyez que même si elle est bien reçue, elle va bien noter le médecin ?
- Dans le cas de mon médecin et maintenant de ce Jérôme Marty, je trouve ce procédé révoltant et dangereux. Mais maintenant, je me souviens, et vous aussi sûrement, que je regarde souvent les notes et les avis avant de consulter un spécialiste, de prendre un rendez-vous sur Doctolib et évidemment, de réserver un hôtel. C'est pratique les notes, ça donne au moins des indications ou une tendance. Quand j'achète un produit en ligne ou que je réserve un AirBnB, je regarde les notes. Je trouve ça plutôt fiable. Parfois, j'imagine à quoi ressemblerait une journée, à quoi ressemblerait ma vie si je devais noter toutes les personnes que je croise et si elles me notaient aussi. Après tout, depuis l'école primaire, on est classé selon des notes et tout le monde accepte ça. Les parents sont rivés sur Pronote et informés en temps réel des résultats de leurs enfants. Évidemment, la différence, c'est que les gens qui notent sont censés être compétents, impartiaux et formés à ça. N'empêche que les Finlandais, eux, ont décidé de changer les mentalités dès l'école primaire. Dans leur système scolaire, le zéro n'existe pas. Quoi que fasse l'élève, il aura au moins 4 et le 8 est considéré comme une bonne note. En plus les écoliers et collégiens ne sont pas notés régulièrement et on ne rend pas toujours la note publique. Le petit Finlandais grandit avec confiance en lui et ne prend pas la mauvaise habitude de tout évaluer tout le temps.

Piste 11

- Y a les résultats du partiel d'anglais, t'as vu ?
- ◦ Ouais, ouais, j'ai vu. T'as eu combien toi ?
- 17 !
- ◦ Whaouh, t'as déchiré quoi !
- Ouais ! J'suis trop saucé ! Et toi, t'as eu combien ?
- ◦ Ben, moi par contre, j'me suis bien planté... J'ai eu 6...
- Aïe ! Ouais, pas cool...
- ◦ J'ai trop le seum.
- Bah... Faut pas. Ça se rattrape un 6, t'sais. T'avais eu combien au dernier partiel ?

◦ 12.
• Ben tu vois. Suffit que t'aies un autre 12 et t'auras la moyenne.
◦ Et si j' me déchire encore ?
• Ben y a pas de raison. Faut pas bader comme ça.
◦ Facile à dire... C'est pas toi qu'as eu 6.
• Allez, t'es pas un bolosse. Tu t' rattraperas la prochaine fois. Si tu veux, on pourra réviser ensemble.
◦ Ouais, ch'sais pas, on verra. Là j'ai trop envie de m'enfermer et de pleurer.
• Oh arrête ça ! Tu t'es planté ok mais l'année est pas finie, quoi. Tu vas voir, tu vas déchirer la prochaine fois. Allez, j'crois que t'as grave besoin de te changer les idées. Ça te dit d'aller boire un verre quelque part ?

Piste 12

a.
Mais ne cours pas si vite mon chéri ! Oh la la ! Fais attention, Bastien ! Sinon tu vas tomber à coup sûr !

b.
Je vais passer un coup de fil au labo pour savoir si je peux aller chercher les résultats d'analyse. Je n'ai pas envie d'y aller pour rien.

c.
Pardon, maman. Je retire ce que je t'ai dit. J'ai parlé sous le coup de la colère. Je ne le pensais pas vraiment. Je regrette, tu sais ? Tu m'en veux pas trop ?

d.
Je m'en veux tellement de lui avoir cassé son téléphone. Mais je ne peux pas lui en racheter un en ce moment, je suis vraiment limite question budget. Je sais pas comment rattraper le coup... T'as pas une idée ?

e.
Oh, j'ai un gros coup de mou. Tu veux pas qu'on fasse une petite pause ?

f.
Antoine ? Je le supporte pas. Il te dit devant qu'il t'adore et par derrière, il te critique dès qu'il peut. C'est le spécialiste des coups bas. Tu imagines : il a dit à notre chef que mardi, j'étais partie cinq minutes avant la fin du service et le pire, c'est que c'est même pas vrai ! C'est lui qui est parti plus tôt.

g.
• Alors, comment ça va ?
◦ Oh, j'en ai marre et puis je suis vraiment crevée ! Vivement les vacances !
• Allez, tiens le coup ! Plus que deux semaines et tu pourras dormir autant que tu veux !

h.
Plutôt que d'imposer des règles arbitraires au coup par coup, vous feriez mieux de rédiger un règlement une bonne fois pour toutes ! Ce serait beaucoup plus clair pour tout le monde.

i.
Je ne commanderai plus jamais chez eux. J'ai attendu ma batterie pendant des semaines alors qu'il annonçait une livraison en 24 heures. Au final, je ne l'ai jamais reçue. J'ai dû harceler le site à coup d'e-mails pendant trois mois pour obtenir un remboursement.

j.
Mais ne bois pas ton verre d'un coup ! Tu vas te rendre malade !

k.
Désolé, je ne viens pas avec vous ce soir. Ma mère a poussé un gros coup de gueule hier soir et je n'ai plus le droit de sortir jusqu'à ce que mes notes s'améliorent.

l.
Quand le patron lui a signifié son licenciement pour faute grave, il a juré qu'il n'avait jamais rien volé, et que c'était un coup monté de ses collègues. Tu te rends compte, il est allé jusqu'à dire que ses collègues avaient eux-mêmes caché l'argent de la caisse dans ses poches !

Piste 13

a. Lisa pense avoir réussi ses examens mais attend d'avoir ses notes pour se réjouir.
b. Je n'ai pas pu régler ma note d'hôtel parce que j'avais égaré ma carte bancaire.
c. Dans ce groupe, les étudiants prêtent volontiers leurs notes à ceux qui ont été absents, mais ce n'est pas toujours le cas quand on prépare un concours.
d. La directrice de l'école a fait passer une note aux parents pour les informer de la fermeture d'une classe.
e. Dans l'album *Le Fil* de Camille, toutes les chansons commencent et finissent sur la même note, le *si*.
f. Je vous recommande ces rideaux qui apporteront une note très gaie à votre intérieur.

Piste 14

a.
• Qu'est-ce que tu fais tout de suite ? Tu as un petit moment ?
◦ Non, je suis désolé. Je dois absolument rappeler le client qui a téléphoné ce matin.

b.
• Je peux venir chez toi ce soir ?
◦ Non. Mes parents, ils seront jamais d'accord. Mais demain si tu veux. Ils ont un dîner de prévu.

c.
• Je sais bien que tu es occupé, mais tu voudrais pas venir me donner un coup de main quand tu auras fini ?
◦ Attends. Je finis ça si je peux mais je crois que je vais pas y arriver.

d.
• Il fait quoi dans la vie ton frère ?
◦ Médecin. C'est le seul qui a réussi dans la famille !

Piste 15

a. Mais qu'est-ce que tu fais.
b. L'homme qui habite à côté de chez moi, il sort de prison.
c. Je sais bien que tu es très occupé mais j'ai vraiment besoin de toi !
d. Les Français, ils croient qu'ils font la meilleure cuisine sauf qu'ils ont pas goûté la nôtre !
e. Tu es triste ? Allez, viens, on va prendre un petit café. Je t'invite.
f. Je crois que je dois partir. Il se fait tard.
g. Tu as vu le docu sur le crime parfait ? Non ! Ben, il repasse ce soir si tu veux le voir.
h. C'est mon médecin qui est de garde ce soir.

Piste 16

a. Vous serez là ce soir ?
b. Je voudrais bien vous parler.
c. Le type qui est là-bas, il s'appelle comment ?
d. Ils font grève à l'école lundi.
e. C'est quand que tu arrêtes la cigarette ?
f. Je peux venir ce soir mais avant, je dîne avec mes parents.
g. C'est bien là que tu es tombé et que tu t'es cassé la jambe ?
h. Qu'est-ce que tu as dans la tête ?
i. Tu as vu le film qui est sorti sur la vie de Simone Veil ?

AUDIO - UNITÉ 3

Piste 17

• *Esprit sport*, bonjour Laëtitia Bernard.
◦ Bonjour.
• Il est question de sport extrême et de fondus de vélo ce matin avec le Bikingman qui s'est terminé ce week-end, à Taïwan. Alors, le Bikingman, c'est le championnat du monde d'ultra-cyclisme. Ce sont des courses très longues distances et en autonomie, et c'est un Français qui a remporté cette dernière étape à Taïwan.
◦ Il s'appelle Brice Bénat, il a mis plus de 70 heures et il n'a dormi que 3 heures en 3 jours pour boucler cette dernière étape. Alors, je vous explique le principe de cette compétition : 6 étapes de 800 à 1 800 km, entre février et novembre, pour un total de 6 200 km et plus de 100 000 m de dénivelé positif. Alors, ça s'est passé à Oman, en Corse, au Laos, au Pérou, au Portugal et donc là, à Taïwan, autrement dit : désert, montagne, jungle tropicale, les conditions climatiques les plus extrêmes, la chaleur, le vent, le froid, etc... En sachant que ces courses se font en autonomie, c'est-à-dire sans assistance pour les réparations, par exemple, et que les concurrents doivent surtout gérer leurs réserves d'eau et de nourriture.
• Alors, parmi les concurrents il y a quelques professionnels aventuriers, mais il y a surtout des amateurs, et leur point commun, c'est qu'ils recherchent tous des sensations fortes.
◦ Et dans la rubrique « jusqu'où peut-on repousser ses propres limites, la recherche d'aventure et d'exploration, se retrouver face à soi-même ? », alors, pour tenter d'être plus précise, j'ai lu un témoignage assez parlant sur un blog après la course de Oman, un témoignage d'un Français qui s'appelle Steven Le Hyaric : pour lui, le sens de sa participation est apprendre, grandir, découvrir un pays par la route en touchant du doigt ses limites physiques et mentales, et à la fin de son récit il précise, après avoir franchi la ligne d'arrivée, qu'il a été rassuré sur ses conditions physiques. Jusque là on est d'accord avec lui.
• Oui, et c'est un Français qui a inventé le Bikingman, l'aventurier Axel Carion.
◦ Axel Carion, 34 ans, un mordu de sport en général et de cyclisme et de haute altitude en particulier, qui a, entre autres, traversé l'Amérique latine à vélo, en vélo pardon, à deux reprises. Il détient, d'ailleurs, le record de vitesse de cette traversée en autonomie en backpacking : 49 jours pour réaliser plus de 10 000 km entre Carthagène et Ushuaïa, et je ne vous parle même pas du dénivelé. C'est dans la cordillère des Andes qu'il a eu l'idée de créer une course pour faire découvrir et partager sa passion, mais une course au format adapté, qui pourrait s'adresser au public le plus large possible : à des personnes qui travailleraient, qui auraient une famille. Et voilà comment a été imaginé le Bikingman il y a un peu plus de 3 ans maintenant.
• C'était *Esprit sport*, de Laëtitia Bernard.

Piste 18

a. Ce soir, j'ai envie d'un film qui ne soit pas trop violent, sinon j'aurai du mal à dormir ensuite !
b. Ces tuiles aux amandes, ce sont vraiment les meilleures que j'aie jamais mangées.
c. Ah là là, si je pouvais avoir un chien qui arrête d'aboyer à chaque fois que quelqu'un passe devant la porte d'entrée... Je serais un maître heureux.
d. Elle a un vélo de route qui coûte 4 200€, le dernier Lapierre... Une petite fortune, mais il a l'air incroyable !
e. La seule qui puisse vaincre le dragon d'or, c'est la jeune Rika.

Piste 19

a.
• Si la nageuse sud-africaine est la première à terminer ce 400 mètres nage libre, elle se qualifiera pour les JO !
◦ Un enjeu énorme pour elle ; si elle n'emporte pas la course, elle peut dire adieu à son rêve olympique.

b.
• Pfff, je n'en peux plus des emails incessants du PDG pour qu'on finisse ce projet à temps.
◦ Si c'était juste les emails ! Les remarques incessantes, les coups de fil... il ne nous lâche pas !
• C'est trop, ça en devient contre-productif !

c.
• L'ambiance au bureau était super tendue après les annonces des syndicats...
◦ Oui, c'est pour ça que Jeanne a essayé de faire quelques blagues, histoire qu'on se détende un peu.

d.
• Depuis ce matin, plusieurs milliers de manifestants défilent devant le siège du gouvernement belge. Ils affirment qu'ils resteront tant que le gouvernement n'aura pas annoncé le retrait de la réforme.

Piste 20

• Merde, merde, oh putain, oh le con !
◦ Les gros mots, c'est pas bien. D'ailleurs, c'est tellement pas bien que pour faire une vidéo dessus on est obligé d'en censurer certains.
▪ Putain il me casse les #bip ce #bip de merde !
◦ Reste qu'ils sont tout de même très utiles. Ils permettent de signifier qu'on n'aime pas.
♦ C'est vous qui êtes un branleur, pas moi !
◦ Ou, au contraire, qu'on aime beaucoup. Ils servent à insulter.
◊ Casse-toi alors, pauvre con !
◦ Ou encore à se soulager d'une frustration.
◦ Ça, tout le monde le sait mais le gros mot a aussi une fonction qu'on connaît moins. En 2009, Richard Stephens, docteur en psychologie à l'université de Keele, en Angleterre, a dirigé une expérience. Il a pris deux groupes de personnes et il leur a demandé de tremper leur main dans de l'eau glaciale, ce qui fait très mal, et de la laisser le plus longtemps possible. Mais les deux groupes avaient des indications différentes. Les membres du premier groupe devaient répéter un mot neutre. En l'occurence, un mot qui puisse servir à décrire une table, comme par exemple...
◗ Plate.
▸ Lisse.
◗ Plate.
◦ Les membres du second groupe devaient faire la même chose mais avec un juron.
▫ Merde.
◖ Putain.
▫ Merde.
◖ Putain.
▫ Merde.
◖ Putain.
◦ Résultat : ceux à qui on avait dit de dire des gros mots ont déclaré avoir eu moins mal que les autres.
◖ Putain.
◦ Ils avaient aussi tenu leur main dans l'eau glacée pendant une minute et vingt secondes, soit quarante secondes de plus que ceux qui avaient dit des mots neutres. Les gros mots ont donc une fonction d'antidouleur. Mais alors, pourquoi ? Pour le savoir, des chercheurs ont visionné ce qui se passait dans le cerveau des gens lorsqu'ils prononçaient des gros mots.

◖La salope.
◦ Ils ont remarqué quelques chose d'étrange : généralement, lorsqu'on parle, c'est l'hémisphère gauche du cerveau qui est sollicité, celui de la pensée rationnelle et du langage, mais lorsqu'on prononce des gros mots, c'est l'autre hémisphère, celui où se loge plutôt les émotions, qui s'active, et l'une des zones qui s'agite particulièrement, c'est l'amygdale, une petite poche en forme d'amande pleine de neurones, qui, lorsqu'ils sont activés, déclenchent chez nous une sorte de mode d'urgence face au danger ; une alarme ancestrale qui nous permet de fuir ou de nous battre plus facilement. L'une des conséquences physiques de cette stimulation de l'amygdale, c'est la diffusion dans le corps d'un antidouleur naturel, l'endorphine, ce qui peut expliquer que, lorsqu'on dit des gros mots, on a moins mal. Mais ce n'est pas tout, lors d'une autre expérience, l'équipe du Dr Stephens a remplacé l'eau glacée par le fait de pédaler jusqu'à épuisement sur un vélo. Un groupe pédalait en disant des mots neutres, l'autre en disant des gros mots. Et, à chaque fois, ceux qui disaient des gros mots plutôt que des mots neutres, obtenaient de meilleures performances. Les chercheurs ne savent pas encore pourquoi, mais reste, qu'en plus de nous rendre moins douillets, les gros mots augmentent notre endurance et notre force. Alors, si vos enfants voient cette vidéo, ils vous diront sûrement, que, comme les gros mots c'est très utile, il faut donc arrêter de les interdire. À cela, vous pourrez répondre que pour que le gros mot reste un gros mot, il doit rester tabou. Or, plus on dit de gros mots, plus ils deviennent comme des mots neutres, et les mots neutres, on l'a vu, n'ont aucun effet ni sur la douleur, ni sur l'endurance ou la force.
Merde.

Piste 21
Bonjour, je m'appelle Thomas et je vous présente la belle ville de Québec. C'est la capitale de la province de Québec, au Canada. Elle est située au bord du Saint Laurent. Si vous venez en train, vous pourrez admirer la belle gare de la ville, elle est magnifique ! La ville est divisée en deux parties : la haute ville et la basse ville. Le quartier de Saint-Roch, dans la basse ville, est plein de petits restos très sympathiques. C'est moins touristique que le vieux Québec, mais là, vous pourrez déguster les plats québécois typiques. Il faut visiter le Vieux Québec, plein de touristes, avec ses maisons anciennes et ses remparts. L'un des emblèmes de la ville est le Château Frontenac, l'hôtel le plus photographié du monde. Moi, j'adore monter à pied vers la haute ville, c'est fatigant, mais la vue est magnifique. Québec est la seule ville fortifiée du Canada. C'est une ville très appréciée du tourisme international.

Piste 22
a. C'est un journaliste très connu.
b. Tu veux aller au cinéma ?
c. Ne mange pas avec les mains ! Ce n'est pas beau.
d. Ils arrivent à Paris lundi matin.
e. Comment pourrais-je te dire ? Je ne sais pas.
f. C'est un problème insurmontable ! Vraiment !
g. Elles vont travailler avec toi ?
h. C'est une idée magnifique, je suis partant !
i. Je voudrais partir à la campagne pour le week-end.
j. Vous voulez boire quelque chose ?
k. Mais vous avez enfin fini ?

Piste 23
C'est vrai qu'en tant que juriste, je pense qu'agir en violant le droit risque de produire l'effet inverse de celui qui est recherché. Je pense que le fait de se saisir du droit comme d'une arme, de l'opposer à l'État, par exemple, est beaucoup plus pragmatique que de faire des manifestations, dont, objectivement, je ne vois pas les débouchés à très court terme. Aujourd'hui, je pense que le principal problème, c'est pas d'avoir de nouvelles lois, d'avoir de nouvelles normes. Le principal problème, c'est d'appliquer l'ensemble des textes existants, c'est d'avoir des moyens humains et matériels, des fonctionnaires, des policiers, des juges, qui puissent appliquer ce droit de l'environnement, c'est ça notre priorité aujourd'hui. Lorsqu'on est militant, on peut aller rencontrer son député, son maire, pour lui faire part de ses préoccupations environnementales, en restant dans le cadre du droit. Si je regarde l'histoire : qui a fait progresser la protection de l'environnement ? Je pense que ce sont des associations qui ont saisi le juge, grâce à cette saisie du juge et à toutes les décisions de justice qu'ils ont obtenues, ils ont fait progresser la loi, ils ont fait progresser l'application du droit, ils ont eu des résultats extrêmement concrets et surtout ils n'ont pas clivé, ils n'ont pas créé de polémique, ça s'est fait de manière beaucoup plus consensuelle et beaucoup plus pragmatique.

AUDIO - UNITÉ 4

Piste 24
Jusqu'à ce que le musée de l'Homme à Paris ferme ses portes pour cause de coronavirus, l'exposition en cours s'intitulait « Je mange donc je suis ». Il est probable que cette épidémie, comme l'écrit Elisabeth Martin dans son édito du site Alimentation générale rebatte les cartes. Nous sommes aujourd'hui ce que nous mangeons. Que nous dit cette épidémie sur notre rapport à l'alimentation ? Et bien, peut-être, déjà, nous permet-elle de redécouvrir les besoins élémentaires, se soigner et se nourrir, et par conséquent, ce que manger veut dire. Il y a un beau mot de la langue française que le coronavirus remet peut-être à l'ordre du jour. Ce mot c'est celui de «commensalité». Est commensal, nous dit le dictionnaire, celui qui mange à la table des autres. Or, en ces temps de confinement forcé, nous sommes bien obligés de manger les uns avec les autres. Encore faut-il, me direz-vous, ne pas vivre seul. La commensalité exige la pluralité. Et si on vient de s'engueuler, que la table de cuisine est petite et qu'on décide de faire mangeaille à part, la commensalité reste au placard. Seulement, nous sommes bien obligés de nous attabler trois fois par jour, seul ou en famille, et le repas vient scander la journée comme autant de rendez-vous immanquables. Finis les sandwichs et autres burgers avalés sur le pouce dans la rue ! On se prend alors à rêver que les « À table ! » ou « Ça va refroidir ! » sonnent comme un cri de ralliement dans tous les foyers, autant de rappels à l'ordre correspondant au moment du repas, si cher aux Français. Avec les possibilités infinies qu'offrent les tutos et autres recettes de cuisine qui se multiplient sur Internet, la cuisine est devenue un de nos seuls espaces de liberté, d'exploration, d'expérimentation autant qu'une manière de structurer nos journées, de casser la routine. Le coronavirus nous permettrait-il de redécouvrir l'importance du repas pris ensemble ? Et bien, joint par téléphone, le sociologue de l'alimentation Claude Fischler en doute. Il y a des gens, nous dit-il, qui prennent soin de ne pas manger ensemble pour ne pas risquer de se contaminer au sein d'une même famille. Les médecins, par exemple, se tiennent à distance de leurs

proches. Côté convivialité, pour ceux qui sont seuls, on a des apéros ou déjeuners virtuels, ce qui ressemble au mouvement coréen. Au fond, ajoute Claude Fischler, la véritable question est : la commensalité de nécessité existe-t-elle en période de crise ? Et puis, manger n'est pas cuisiner. Souvent, rappelle Claude Fischler, les femmes disent qu'elles font à manger la semaine et que leurs maris cuisinent le week-end. Sans compter la question des particularismes alimentaires. Vont-ils être mis à mal par le confinement ? Est-ce le moment où le végétarien va renoncer à imposer son végétarisme ou le carnivore son steak du midi ? Au moins, celui qui fait ses courses a l'avantage de les faire selon ses propres critères. Ce qui est intéressant, nous dit l'auteur de *L'Homnivore*, c'est plutôt d'observer la fonction horloge sociale du repas. En prison, il est le seul moment collectif. On sait quelle heure il est en fonction du repas, et inversement. On peut penser qu'avec le confinement, il retrouve sa fonction essentielle de grand synchronisateur de la société. Déjà, en temps normal, à 12 h 30, 54 % de la population française est en train de manger, statistiques éclairantes, certes, mais l'individualisation de l'alimentation que l'on connaît depuis un demi-siècle n'agit-elle pas contre ? Quand on est confiné, répond Claude Fischler, il y a une nécessité d'organisation collective. Le repas est la grande activité sociale autour de laquelle tout s'organise. C'est une communion où tout le monde se retrouve. Est-ce à dire que les Français vont mieux manger ? Il semble que, pour l'instant, ce soit la peur qui domine. Si les fruits et légumes frais restent dans les rayons, cela va contre l'idée que les gens se font de la bonne cuisine. Pour le moment, la sécurité l'emporte sur la qualité. Reste la valeur éducative qui peut être utile en ces temps où l'on fait appel à la solidarité, car le repas implique le respect de l'autre : on ne se sert pas en premier, on ne se sert pas trois fois plus que les autres, etc... Le repas est un moment où se manifeste l'ordre social dans une collectivité. On distribue et on partage.

Piste 25

a.
À la chorale, il y a un peu de révolte parce que le chef veut nous faire chanter du slam !

b.
Avec toutes les photos compromettantes qu'il a de moi, il a les moyens de me faire chanter.

c.
Elle achète plein de matériel informatique qu'elle ne sait pas faire marcher.

d.
Ils savent que je suis crédule, alors dès qu'ils peuvent me faire marcher, ils en profitent !

e.
Dans ma recette, ils disent qu'il faut faire mariner le poulet une heure dans de la sauce soja.

f.
Je dirai à mon mari notre destination de vacances au dernier moment, ça m'amuse de le faire mariner.

g.
C'est le vent qui est censé faire tourner les ailes d'un moulin à vent, c'est pas un moteur !

h.
Pendant les repas, on a l'habitude d'avoir un seul pot de moutarde et de le faire tourner.

Piste 26

• On parle des plaisirs de la pêche aujourd'hui, avec un témoin, Patrick, qui travaille dans le marketing, mais qui est aussi pêcheur, c'est bien ça ?
◦ C'est ça !
• Avec vous on va parler du *no killing*, autrement dit, de la pêche sans tuer, cette nouvelle pratique qui fait de plus en plus d'adeptes. Vous, vous pratiquez ce type de pêche ?
◦ Moi non, parce que le *no kill*, personnellement, je trouve ça très hypocrite, une façon de se donner bonne conscience par rapport à ceux qui tuent le poisson pour le manger. Comme si on était moralement un meilleur pêcheur quand on ne mange pas ce qu'on pêche. Il ne faut pas oublier une chose, si on pêche des poissons, à la base, c'est pour les manger, pas juste pour le plaisir.
• Vous pêchez pour le plaisir de manger du bon poisson? Il n'y a pas de plaisir sans dégustation ?
◦ Bien sûr que si ! Il n'y a pas que l'aspect prise de poisson, la pêche, c'est aussi un art. Pour certains, le fait d'être au bord de l'eau, dans le silence et souvent la solitude, est une façon de méditer, de s'extraire du rythme du travail. Moi, j'ai vraiment cette impression quand je vais pêcher, de voler du temps au temps, d'oublier les soucis du quotidien, les ordinateurs, les factures, tout ça ! Je m'évade d'une vie aliénante pour revenir à plus de naturel.
• Pour vous la pêche, c'est donc une forme de méditation pour déconnecter ?
◦ Pas que ! Parce qu'il y a aussi de l'action, enfin de la réflexion plutôt. Deviner où est le poisson, le piéger doucement, le traquer, l'attirer, tout un tas de réflexes et de plaisir de la traque un peu primitif, que nous partageons avec nos ancêtres chasseurs les plus lointains, et même certains animaux, quand on y pense.
• Et qu'est-ce que vous répondez à ceux qui considèrent la pêche comme une mutilation animale justifiée par le seul plaisir de tuer, et animée par la même pulsion morbide que dans la chasse ou la corrida ?
◦ Je plaide coupable !
• Coupable de quoi ?
◦ Je suis coupable d'appartenir à une espèce dominante, les humains, et qui inflige à d'autres espèces une souffrance éventuelle, uniquement parce qu'elle en a le pouvoir. Je connais par cœur le discours des anti-pêche, anti-chasse et compagnie, que voulez-vous que je leur dise ? Je ne vais pas les faire changer d'avis. Sur certains points, ils ont raison. Effectivement, l'espèce humaine se croit supérieure aux autres espèces, et c'est bien pour ça que nous nous accordons le droit de tuer des animaux pour les manger. Je ne suis pas fier d'être un pêcheur, mais je n'en ai pas honte.
• Votre discours est assez inhabituel pour un pêcheur...
◦ On peut aimer la pêche et réfléchir. La notion de culpabilité dans le plaisir, pour ceux qui comme moi ont été élevés dans la religion, c'est assez évident, presque inévitable. Oui, le plaisir de la pêche est coupable, indépendamment du fait de tuer ou pas le poisson que l'on pêche. Car prendre du plaisir en faisant sortir un poisson de l'eau, alors qu'il n'avait rien demandé, c'est un peu égoïste et malsain. Je le reconnais d'autant plus facilement que nous, les humains, nous sommes des animaux dotés d'une conscience, capables de ressentir du plaisir, d'être triste, et de se sentir coupable ! Ça va avec. C'est d'ailleurs pour moi tout ce qui fait la différence entre nous et les poissons. Je veux bien admettre que les animaux souffrent ou aient du plaisir, mais je ne pense pas que les poissons ou les lapins se sentent coupables quand ils tuent d'autres animaux.
• Donc en fait, c'est comme si vous vous accordiez le droit de pêcher en le payant d'un sentiment de culpabilité ?
◦ Appelez-ça comme vous voulez, mais soyons honnêtes, il y a des choses bien plus graves que le sort des poissons, non ? Parce que si on veut faire culpabiliser les pêcheurs, on trouve

toujours quelque chose ! Par exemple, même les pêcheurs qui relâchent leurs prises, ils utilisent des appâts animaux, les vers par exemple. Vous trouverez toujours quelqu'un pour vous dire qu'en mettant un asticot au bout d'un fil, vous êtes un humain dominant qui détruit la nature pour assouvir un désir personnel ! Donc oui, j'assume d'être un méchant pêcheur mangeur de poissons.
- Merci Patrick pour ce témoignage, qui, j'imagine, fera réagir sur les réseaux sociaux et la page de notre émission.

Piste 27
- *La vie des autres*, Benjamin Luis. Votre « autre » ce matin, Benjamin, s'appelle Johanna Clermont.
- Oui, étudiante en droit des affaires de vingt-trois ans, devenue la plus influente des militantes pro-chasse en France, à vingt-trois ans. Alors que nous nous apprêtons, ici, à voter une nouvelle loi, le 27 septembre prochain, les partisans de la chasse en France lancent, en cette rentrée, une grande campagne pour moderniser leur image, mise à mal, notamment, par les défenseurs de la cause animale qui sont eux, souvent, jeunes, cools et connectés. Les chasseurs veulent sortir du cliché du vieux viandard rougeaud qui déglingue des galinettes cendrées dans les sous-bois, et Johanna Clermont, son maquillage et sa manucure nickel, c'est un peu du pain béni. Elle défend sa passion qui lui fait vivre, dit-elle, des émotions fortes et lui permet de s'évader d'une société qu'elle estime trop modernisée. Alors, sans transition, on va faire un petit tour sur son profil Instagram : 125 000 abonnés, elle se présente comme « french entrepreneur » et *pride hunteress*, fière chasseresse. Tout est là, tout est pro, glamour, chic, sexy, jeune et en même temps terroir, flingues et gibiers sanguinolents. Héros et Thanatos, le fard à paupières et la poudre à canon. Johanna peut aussi bien porter un haut en dentelle noir, qui fait ressortir sa crinière blonde dans les salons feutrés d'un palace, et poser sur la photo d'après en treillis en pleine montagne. Puis, entre deux selfies au soleil couchant, on découvre qu'elle se rend à Las Vegas pour tester des gros calibres. La revoilà, le lendemain, en bikini sur le pont d'un bateau au large de Collioure. Plus tard, elle prend la pause dans le métro parisien sous l'immense campagne d'affichage à laquelle elle prête son image pour le lancement d'un Netflix de la chasse, oui oui, il y en a un ; ou alors Johanna jouant un jeu de chasse sur une console d'une marque partenaire. Johanna Clermont, c'est un pseudo le nom de famille, ratisse très large avec son hashtag « chassez vos préjugés » qu'elle décline aussi sur Facebook, Snapchat, etc... La société trop modernisée a donc quand même un peu de bon. Johanna gagne très bien sa vie comme ça et ses clients, des grands marchands d'armes, notamment, atteignent grâce à elle, des publics jeunes et connectés.
- D'ailleurs le président de la puissante Fédération nationale des chasseurs la couvre d'éloges.
- Oui, ils voient en elle une magnifique ambassadrice de l'art de la chasse auprès des jeunes générations mais aussi auprès des femmes qui représentent aujourd'hui à peine 2 % des détenteurs de permis de chasse. Parmi les chasseurs pur sucre, certains conservateurs se moquent d'elle, et bien elle, elle s'en moque en retour. Une authentique passionnée qui obtient son permis à seize ans, abat son premier animal quelques mois plus tard, alors que ses parents n'étaient, eux, même pas du tout chasseurs. Aujourd'hui à vingt-trois ans, sa passion l'emmène jusqu'en Afrique du Sud chasser l'impala ou le kudu. Elle dit recevoir des centaines de mails peu courtois, par jour, dont des menaces, mais elle fait abstraction. Chasseuse 2.0 totalement décomplexée.
- Benjamin Luis pour *La vie des autres*.

Piste 28

a. Qu'est-ce que vous faites ici ? Vous n'étiez pas censé être en congé maladie cette semaine ?
b. La potion qu'il m'a vendue était censée me libérer de la femme de nuit, ça ne marche pas du tout ! Au contraire, je fais de plus en plus de cauchemars.
c. Votre texte est très mal mis en page, à votre poste, vous êtes censé maîtriser les outils informatiques.
d. À cette heure-ci, j'étais censé être en Martinique sur une plage, mais à cause des grèves d'avion, je suis bloqué à Paris.

Piste 29
- Un parc. Un truc. C'est blanc. Mon sac. À l'estomac. C'est du porc. Va au tabac.
- Un œuf. Il est sportif. Il est actif. C'est mon chef. Il a du nerf. Du bœuf. Voilà la clef.
- Il va dormir. Tu dois parler. Je vais monter. C'est du fer. Le boulanger. Du thé amer. Tu vas chanter.
- Voilà mon chat. C'est à l'ouest. Du champagne brut. Un seul pot. En août. Près du désert. J'aime ce dessert.
- Prends le bus. Au mois de mars. Voilà son fils. Il fait du tennis. C'est un ours. J'ai du temps. Tu pars ?

AUDIO - UNITÉ 5

Piste 30
- Le phénomène touche plusieurs pays du monde, depuis quelques jours, à l'occasion de manifestations contre le racisme, organisées suite au décès de Georges Floyd aux États-Unis, de nombreuses statues à l'effigie de personnalités controversées, notamment pour leur lien avec la colonisation ou l'esclavage, ont été détruites ou vandalisées. Ça a été le cas à Richmond aux États-Unis, mais aussi à Bristol au Royaume-Uni ou encore à Anvers en Belgique, par exemple. Pourtant, ces gestes de colère bien compréhensibles, et bien, ils suscitent le débat. Pour en parler, nous sommes avec Pascal Blanchard, qui est en ligne avec nous, bonjour.
- Bonjour.
- Vous êtes historien, directeur de recherche au CNRS, spécialiste...
- Non, non, je suis membre.
- Membre, excusez-moi.
- Membre du CNRS au laboratoire communication et politique, c'est pas grave, avec l'institutionnel c'est toujours compliqué.
- Vous faites bien de corriger. Vous êtes spécialiste de l'histoire de la colonisation, de l'immigration, des discriminations et du racisme, et pour finir, je rappelle aussi que vous êtes, aussi, le co-auteur d'un ouvrage qui s'intitule *Fracture coloniale*. Pascal Blanchard, la vague de déboulonnage à laquelle on assiste depuis quelques jours un peu partout dans le monde, c'est un simple geste de colère finalement, une réaction émotionnelle à ce qu'il s'est passé ou bien elle témoigne d'une vraie prise de conscience du racisme enraciné dans certaines sociétés ?
- Elle témoigne surtout du lien que fait cette nouvelle génération, parce que l'on voit que c'est beaucoup de personnes qui sont issues de cette nouvelle génération, du lien qu'il y a entre le passé esclavagiste, colonial, et le présent et les actions racistes. C'est très clair puisqu'ils vont chercher dans le passé des symboles de ce passé en considérant que le fait qu'ils soient toujours visibles dans nos espaces publics, renforce bien le fait que nos mentalités n'ont pas changé. Ils font un lien causal immédiat. Je pense que c'est pas du tout quelque chose qui est lié à l'émotionnel, c'est vraiment quelque chose qui est lié à la raison. En disant : nos États, la France, l'Allemagne, l'Angleterre, la Belgique, les États-Unis, le Canada, ne font pas assez pour faire que cette histoire

soit regardée en face. Et là, on a quelque chose qui dépasse la nature même de nos sociétés respectives, c'est que nous avons tous des passés coloniaux, différents certes, mais esclavagistes. Différents aussi mais qui, quelque part, résonne encore dans le présent. Pourquoi ? Parce que les populations, maintenant issues de toutes les diversités, vivent dans ces différents pays et n'ont pas le même récit, n'ont pas le même rapport à l'histoire, parce que certains pays ont mieux fait le travail que d'autres. D'autres sont en retard, comme la France, très en retard.

- Alors, on va y venir.
- Ils sont sur le chemin. Donc voilà, je ne jugerai pas ces, je dirais des destructions car je les appelle destructions, comme quelque chose d'émotionnel, non, non. C'est une manière de dire : voilà ce que nous voulons, comment nous voulons que l'histoire revienne à l'endroit !
- On va y venir Pascal Blanchard. Une question avant : ces statues, pourquoi est-ce qu'elles avaient été érigées ? Parce qu'on imagine que ce n'était effectivement pas toujours pour glorifier l'esclavage.
- Non, mais pour glorifier les hommes qui avaient enrichi ces pays grâce à l'esclavage. Quand vous avez des musées ou des lieux ou des lycées ou des rues qui s'appellent Gallieni en France, Bugeaud, Colbert pour les lycées, c'est parce qu'on rend hommage à ces grands hommes qui auraient fait la grandeur de la France. Aux États-Unis, c'est pareil, et Christophe Colomb, qui n'a rien découvert puisque des gens vivaient aux États-Unis, est considéré comme un des pères fondateurs de l'Amérique moderne. On rend hommage, avec une certaine vision de l'histoire, à certains héros entre guillemets de l'histoire, et on érige des statues, on donne des noms de rue, on appelle des bâtiments pour rendre hommage dans le présent. C'est pas un petit détail de donner un nom de rue ou d'ériger des statues. Ça veut bien dire qu'on tient un message. Vous savez, une statue c'est souvent plus pertinent, plus visible qu'un musée ou qu'une exposition ou qu'un film. Elle est tout le temps là, un siècle, deux siècles, vous vous rendez compte de lycées Colbert ou de collèges Colbert qu'il y a ?! Et pourtant Colbert a été l'inspirateur du Code noir, et le Code noir disait, ce code, que l'homme noir et la femme noire n'était qu'un bien meuble. Et bien oui, aujourd'hui il y a une lecture critique, et vous savez, c'est pas nouveau. Quand le mur est tombé à l'Est, on a déboulonné les statues de Lénine et de Staline. Et à la fin de la Seconde Guerre mondiale, on a changé des noms de rue du Maréchal Pétain, la dernière c'était en 2013. Ce n'est pas nouveau. Ce n'est pas nouveau de regarder l'espace public et de voir comment l'espace public fonctionne à travers ces héros qui sont mis en scène. Pourtant, la question qui peut se poser, c'est : faut-il détruire, faut-il déboulonner ou faut-il les utiliser ?
- Alors effectivement, j'y viens, Pascal Blanchard. Effectivement, certains disent que ce déboulonnage, et bien, n'est pas forcément très opportun, que peut-être il faudrait les conserver ces statues, justement, à but pédagogique pour la mémoire. Vous en pensez quoi ?
- Je suis entièrement d'accord. Je suis historien donc si on commence à effacer les traces, dans vingt ou trente ans, certains nous diront que tout cela n'a jamais existé, et les fake news l'emporteront sur le travail de l'histoire. Nous, les historiens, nous avons besoin de preuves, d'archives, de documents, pour pouvoir expliquer ce qu'il s'est passé hier. Si vous faites tout disparaître, certains arriveront un jour en vous disant : tout ça est une fantasmagorie, ça n'a jamais existé. Banania n'a pas existé et Colbert n'a pas existé, Jules Ferry n'était pas sur nos bâtiments. Les gens regarderont autour d'eux et ne verront rien et croiront, d'une certaine manière, de nouvelles utopies qui leur raconteront une autre histoire qui ne sera pas le reflet de la réalité. Gardons ces sculptures, ces statues, gardons ces noms de rue et écrivons systématiquement, à côté, qui ils sont. C'est fondamental parce que l'œuvre de pédagogie, vous le savez, c'est de répéter, à l'école nous l'avons appris, un certain nombre de choses, pour les retenir. Et comme on a du mal à raconter cette histoire, nos enfants peuvent pas aller au musée. Il n'y a pas de musée d'Histoire coloniale en France ! Ils ne peuvent pas avoir un plein et entier regard sur cette histoire, cette histoire est encore taboue, c'est le dernier grand tabou de l'histoire en France. Et bien, ces statues, ces sculptures, c'est une première démarche, une première manière de faire preuve de pédagogie et d'une certaine manière, de parler d'histoire.
- Merci beaucoup Pascal Blanchard d'avoir été avec nous sur RFI à la mi-journée. Je rappelle que vous êtes historien, membre du CNRS et spécialiste de l'histoire de la colonisation, de l'immigration, des discriminations et du racisme, co-auteur de l'ouvrage qui s'intitule *Fracture coloniale*.

Piste 31

- Dimitri ? C'est toi ?
- Oui, oui. C'est moi man'.
- Viens à la cuisine s'il te plaît... Assieds-toi. Tu veux manger ou boire quelque chose ?
- Nan merci.
- Ça s'est bien passé ta séance aujourd'hui avec le Dr. Vanderbrein ?
- Mouais. Rien de spécial.
- Ah bon ? Parce qu'il vient de m'appeler pour me prévenir que cela faisait deux fois de suite que tu n'allais pas à ta séance... Eh bien ? Tu as une explication ?
- Eh ben... J'avais pas trop envie de parler, alors j'y suis pas allé.
- Dimitri, je comprends que ce soit difficile d'en parler, mais il est essentiel que tu puisses te confier à quelqu'un. Si tu veux, je cherche un autre thérapeute.
- Lui ou un autre, ça m'est égal. Tu comprends rien....
- Eh bien explique-moi ! Je veux t'aider, mais si tu ne me parles pas, je n'y arriverai pas...

Piste 32

Cléo, elle a treize ans en 1984 quand, à la sortie de son cours de danse, elle est abordée par une femme très chic qui la complimente et qui lui parle d'une bourse qu'elle pourrait obtenir de la fondation Galaté. Donc, Cléo va se lancer dans ce dossier, et c'est une fausse bourse, c'est un piège. Cléo, c'est une jeune fille qui est à la fois menée par une grande passion puisqu'elle veut devenir danseuse de Modern jazz. Elle est issue d'une famille d'une classe intermédiaire, je dirais, c'est-à-dire, elle habite en lisière de Paris dans un grand ensemble, dans une famille qui ne manque de rien d'un point de vue matériel, mais qui manque beaucoup de discussions, qui manque d'échanges, d'accès à la culture, et Cléo, elle a le désir d'un autre chose. Peut-être c'est ça qui me fascine, c'est à quel point ce désir-là peut être, peut être dévoyé, et surtout, ce qui me fascine, c'est, je tenais à ce qu'elle soit ce qu'on est un peu tous, c'est-à-dire, à la fois un peu victime et un peu coupable. Elle, elle est franchement victime, et coupable, puisqu'elle va être victime de la fondation Galaté, et coupable, en entraînant d'autres filles du collège derrière elle. Cette ambivalence, pour moi, elle est importante, parce que, comme je disais, on est un peu tous dans cette position ambiguë, en général. On participe tous à des choses qui nous font du mal, on est, on peut traîner des hontes toute sa vie, des non-dits toute sa vie, se reprocher des choses, ne jamais se pardonner des choses toute sa vie, tout en continuant à nourrir ce qui nous a fait du mal, encore

une fois. Donc, voilà, je m'intéresse aux ambivalences. Je crois que le roman c'est la place de l'ambivalence, c'est pas un tract politique.
Cléo, elle n'a pas les mots pour raconter son histoire. À partir du moment où, à l'âge de treize ans, elle est comme ça, elle tombe dans cette histoire, je crois qu'on met du temps à trouver les mots, on met du temps à pouvoir nommer, et, finalement, souvent, j'ai l'impression qu'on se constitue grâce à nos rencontres, et j'avais envie, effectivement, que Cléo soit racontée. C'est un peu un miroir brisé, c'est un peu comme la couverture aussi, il y a plusieurs images. J'avais envie qu'elle soit vue, racontée, parfois comme une énigme, aussi par les gens qui l'ont rencontrée, parfois qui l'ont aimée, parfois qui l'on juste croisée, parce qu'il me semble que si on était raconté par, sur trente ans, par les gens qui nous on croisés, ça serait un portrait composite, sans doute d'une richesse incroyable.
Ce sont les coulisses, toujours, puisqu'il n'y a pas de spectacles dans *Chavirer*, donc les coulisses de la danse, mais c'est pas n'importe qu'elle danse puisque j'ai choisi de situer *Chavirer* das le milieu du Modern jazz et des revues des années quatre-vingt-dix, parce que je voulais voir la danse comme un travail. Un travail qui ressemble à beaucoup d'autres, c'est-à-dire, modeste, sans rétributions très importantes, sans gloire ; Le Modern jazz de ces filles qui étaient derrière les chanteurs dans les émissions de variétés des années 80 ou 90, les revues ou les filles font des rangées absolument ordonnées, similaires, les grands cabarets où il y a des contrats terribles, où il y a des mouvements sociaux. Moi, j'avais vraiment envie de m'attaquer à la façon dont ces corps-là sont des corps de travailleuses, et d'aller voir le travail des habilleuses, le travail du corps, aussi, qui est celui d'une transformation, c'est-à-dire, oui, être danseur, c'est se métamorphoser, c'est se construire. Le corps d'une femme est sans arrêt jugé.

Piste 33

1. Le Pr Laurent Toussaint a démontré que refuser de pardonner multipliait jusqu'à six le risque de maladie psychiatrique et doublait le risque de maladie cardio-vasculaire.
2. Le philosophe français Jacques Derrida estimait que « possible ou impossible, le pardon nous tourne vers le passé ». Mais il a ajouté « qu'il y a aussi de l'à-venir dans le pardon ».
3. « Je ne lui pardonnerai jamais. » Vous vous êtes tous déjà dit ça au moins une fois, non ?
4. J'ai grandi dans une famille très croyante. Mon père nous emmenait à confesse une fois par mois. Je confessais au prêtre mes menus délits : manger des bonbons en cachette avant le dîner, faire accuser mon petit frère à ma place pour un vase cassé, aller jouer à la rivière plutôt que d'aller à l'école... Une fois que le prêtre m'avait absous, je récitais ma prière de contrition et l'affaire était réglée. Pensée bien naïve d'un garçon de 9 ans...

Piste 34

Le pardon est un processus : on ne pardonne pas du jour au lendemain. Il s'agit d'un parcours plus ou moins long et difficile selon la nature de l'offense et la sensibilité de chacun. La voie vers le pardon se fait en plusieurs étapes, certains praticiens en comptent dix, d'autres cinq. Comme vous pouvez le voir sur la diapositive, moi, j'en ai dénombré sept. Sept, le nombre qui symbolise notamment l'achèvement et la perfection. Je vais maintenant développer les sept étapes du pardon.
Suite à une offense, il faut tout d'abord reconnaître avoir été blessé et accueillir cette blessure. Son accueil permet de passer à la deuxième étape qui consiste à reconnaître l'agresseur comme coupable d'une faute.
Retourner la culpabilité à l'agresseur, c'est « renouer un lien avec soi-même » comme le précise la psychanalyste Gabrielle Rubin. Il faut souligner que la reconnaissance de cette culpabilité peut éviter de développer des maladies psychosomatiques ou des conduites d'échecs professionnels et affectifs à répétition.
Une fois qu'on reconnaît sa blessure et la faute de l'agresseur, il est fondamental d'exprimer sa colère. Dans un premier temps, l'agressivité et la haine sont des émotions salutaires. Elles sont un signe d'une bonne santé psychique. Pourtant, il ne faut pas ressasser une offense à long terme. En effet, la rancœur pousse à entretenir une blessure, ce qui revient à s'appliquer une double peine : on souffre une première fois de l'offense lorsqu'elle vient d'être infligée et on entretient cette souffrance. Remarquez donc qu'il est essentiel de ne pas rester dans la douleur afin de retirer à l'offenseur le pouvoir de continuer à nous faire souffrir.
La plupart des victimes se sentent paradoxalement coupables de ce qui leur est arrivé. Durant la cinquième étape, la victime doit évacuer cette culpabilité en tentant de savoir quelle part d'elle-même a été blessée : son orgueil, sa réputation, son honneur, son intégrité physique ? Répondre à cette question peut aider à se disculper, c'est-à-dire à reconnaître qu'elle n'est pas responsable de ce qui lui est arrivé.
La sixième étape vise à se mettre dans la peau du coupable. Cela donne du sens à l'acte qui nous a fait mal, et dans une certaine mesure, le rend « acceptable ». Comprendre les motivations du coupable n'a pas pour but de l'excuser, mais de reconnaître ses faiblesses. Nous sommes tous coupables, à un moment ou un autre de notre vie. Victime et bourreau, nous offensons tous et nous sommes tous offensés. Le reconnaître peut aider à mieux supporter nos faiblesses et celles des autres. J'attire néanmoins votre attention sur le fait que comprendre son offenseur ne signifie pas le pardonner ni à oublier l'offense.
L'étape finale aboutit à notre libération. Comment savoir si nous avons vraiment pardonné ? Lorsque nous ne ressentons plus ni colère ni rancœur à l'encontre de celui qui nous a fait souffrir. Le pardon est souvent un acte libérateur dans lequel la douleur se dissout. L'offensé redevient acteur de sa vie, il ne subit plus le passé et il en ressort plus fort.
Que faut-il retenir de tout ça ? Pardonner ne signifie pas passer l'éponge, mais refuser de continuer à consacrer ses pensées et son énergie à ce qui fait mal. Toutes les victimes qui ont pardonné s'accordent à dire que cette démarche les a libérées et leur a permis de revivre. Ainsi, le pardon sert avant tout à se libérer soi-même.

Piste 35

a. Qu'est-ce que tu fais là ? Tu es censé terminer le travail pour demain !
b. Si vous n'alliez pas venir, vous auriez dû nous le signaler !
c. Il aurait fallu commencer plus tôt, vous ne trouvez pas ?
d. Tu arrives maintenant ? nous étions censés commencer il y a 20 minutes !
e. Tu arrives les mains vides ? Tu étais censé apporter le vin !
f. Elle est malade ? Elle aurait dû nous prévenir !
g. Tu n'es pas allé au marché ? Tu étais censé m'apporter des pommes !

Piste 36

a. Il n'était pas venu, car il était censé aller chez le médecin.
b. Tu ne l'as pas vu ? Tu étais censé lui donner mon message !
c. Si tu ne voulais pas le faire, tu aurais dû me dire avant.
d. Fais attention ! Tu risques d'avoir des problèmes si tu continues comme ça.
e. Nous sommes censés faire tout ce travail en deux jours !

f. Si tu ne voulais pas venir, tu n'avais qu'à ne pas le faire !
g. Elle m'a dit qu'elle en avait marre.
h. Mais, qu'est-ce que vous faites ici ? Rentrez chez vous ! Vous êtes censé être en congé cette semaine.

AUDIO - UNITÉ 6

Piste 37

- La violence pratiquée ou éprouvée, exercée sur le corps ou sur l'esprit, la domination de l'autre qui laisse comme trace la douleur, voilà ce que nous avons tous connu, alternativement bourreau et victime de notre propre sort. Il est aussi de ces violences insidieuses, si petites qu'on aimerait les ignorer, et qui, pourtant, empilées les unes sur les autres, nous meurtrissent jusqu'au plus profond de la chair : des micro-violences ordinaires qui nous empêcheraient d'être. Ce sont d'elles dont nous allons parler aujourd'hui, en compagnie de Simon Lemoine, bonjour.
◦ Bonjour.
- Vous êtes enseignant et chercheur en métaphysique et philosophie à l'université de Poitiers, et auteur de *Micro-violences* -au pluriel- *le régime du pouvoir au quotidien* aux éditions du CNRS. Alors, ces micro-violences, comment est-ce qu'on pourrait tenter de les définir, au moins par opposition à la notion « macro » ?
◦ Alors, justement elles sont difficilement perceptibles et c'est là en fait, c'est ça qui fait leur efficacité. On arrive pas bien à les voir où quand on s'en aperçoit, quand on se dit : « Mais là, quand même, je suis violentée. » Finalement, ça n'a l'air de rien et puis, si on se retourne vers les autres et qu'on leur demande : « Là, penses-tu que j'ai été violenté ? » On nous répond : « Mais, non, tu te fais des idées, c'est pas grand chose, etc... » Et peu à peu, on fini par ne plus y faire attention. Ça a l'air d'être dans l'ordre des choses, quelque chose d'assez naturel. Et en étudiant quand même ça de plus près, en faisant attention, en remarquant qu'elles sont combinées, et bien, c'est là qu'on se dit que finalement elles ne sont pas du tout anodines, et qu'il faut donc les traquer, les cartographier, et montrer qu'elles ne font pas que nous blesser mais que, finalement, et c'est ça qui est très étonnant, et que Foucaud a déjà dit, qu'elles nous constituent finalement comme individu, comme sujet, bien plus, peut-être que les violences manifestes. C'est ce qu'on retrouve notamment chez des témoignages de femmes qui sont violentées par du harcèlement moral par des hommes et c'est très frappant puisque certaines expliquent que, au début de ces micros-violences, on a tendance à penser que c'est nous qui sommes le problème en fait, que : « Oui, je lui ai peut-être pas parlé comme il faut ; oui, peut-être que mes jupes sont trop courtes ; oui, peut-être que je suis pas à sa hauteur, peut-être qu'il est fatigué, que j'ai pas su le voir, etc... »
- C'est un renversement ?
◦ Oui, oui, et qui produit de la subjectivité. Il faut se poser la question : « Est-ce que nous mêmes on se construit pas aussi comme ça depuis toujours ? ». C'est-à-dire par une intériorisation des micro-violences, alors cette fois dans ce qu'elles ont de négatif et d'aliénant. Une intériorisation qui, en fait, nous constitue comme sujet et... On peut faire un lien avec Freud, déjà, le surmoi est une intériorisation de figure d'autorité. On est vraiment construits avec ça et bon, parfois...
- Et il est nécessaire aussi, il faut dire, un peu de cadre, vous parlez des enfants, vous parlez de l'éducation...
◦ Voilà, oui.
- Vous parlez des élèves.
◦ C'est ça.
- Il y a un moment où n'importe quel cadre peut être vécu comme de la micro-violence.
◦ Tout à fait. En fait, s'il s'agit de ce que j'appelle simplement une micro-action, effectivement, là, c'est pas forcément positif ou négatif, mais quand il s'agit de micro-violences...
- Alors c'est quoi la différence entre les deux ?
◦ Alors, la micro-violence c'est quand, en fait, la micro-action est faite envers l'individu dans un but d'instrumentalisation.
- Donc il se met à servir des interêts qui ne sont pas les siens.
◦ Et non pas ceux du sujet, effectivement, c'est-à-dire on le modifie comme sujet, mais comme sujet ergonomique pour quelqu'un d'autre, utile pour quelqu'un d'autre.

Piste 38

- Moi, je suis Arielle Clemfeld et je milite pour le respect des droits des animaux. Avec le collectif que j'ai créé, on fait pas mal d'opérations coup de poing devant les abattoirs, les supermarchés ou devant certaines grandes enseignes de vêtements qui vendent de la fourrure ou des cosmétiques testés sur les animaux. J'ai été harcelée sur mes réseaux sociaux suite à des articles que je publiais et des photos chocs montrant la barbarie de certains humains sur les animaux. Des détracteurs, on ne peu plus «civilisés», sont venus en messages privés et ont commencé à me balancer des phrases du genre : « On va te trouver et on va te tabasser, grosse vache », « je vais te saigner »... Bref, beaucoup de propos très haineux. Franchement, au début, ça m'a mis une sacrée claque ! Je ne pensais pas que certaines personnes pouvaient être à ce point irrespectueuses envers les animaux et envers les humains. Moi, tout ce que je voulais, c'était briser l'omerta et montrer la triste réalité que connaissent nos amis les animaux. Mais j'ai tenu le choc, et plus j'étais insultée ou menacée plus j'avais la rage et plus j'étais obstinée à défendre ces êtres sans défense ! Cher auditeur, garde bien cette phrase de Gandhi en tête: « On reconnaît la grandeur et la valeur d'une nation à la façon dont celle-ci traite ses animaux. »
◦ Je m'appelle Damiana Lupo et je me bats contre la grossophobie et pour l'égalité pour toutes et tous. Je me suis engagée, car j'ai moi-même été victime de discrimination et de harcèlement, notamment à cause de mon poids, et en témoignant, je souhaite conscientiser la population sur ce que vivent les personnes comme moi. Tout a commencé avec la publication sur Internet de mes photos transformées en photomontages souvent pornographiques. Suite à cela, j'ai reçu des tonnes de commentaires qui m'ont vraiment meurtrie. Au début, j'ai répondu à ces commentaires pour demander aux calomniateurs d'arrêter de répandre leur venin, mais ça a eu l'effet inverse de celui escompté. Les gens ont continué les publications nauséabondes et les apostrophes, toutes très virulentes. Face au harcèlement, au début je me sentais vraiment abandonnée à mon propre sort derrière mon écran. À force de lire, je me suis même dit qu'ils avaient raison. J'étais résignée et complètement déprimée. Puis, j'ai suivi une thérapie. Je suis tombée sur des professionnels à l'écoute et bienveillants et, petit à petit, à force de parler, j'ai compris ! J'ai compris que j'étais une victime, que je ne méritais ni les commentaires malveillants ni d'être jetée en pâture sur les réseaux et que j'avais le droit d'être comme j'étais ou comme je voulais...

Piste 39

#Mais, ça va pas la tête !
Il faut vaincre tes terreurs !
Ça demande psychologie, doigté et souplesse.
J'hésite à penser...
Je pense que t'es un ouf, toi.
Ah je suis zinzin, je suis zinzin ahhh !!

- Bonjour, ravi de vous retrouver dans *Ça va pas la tête*. L'art de l'insulte, c'est notre thème ce matin. Elle nous démange, on la crache parfois avec plus ou moins d'élégance, le plus souvent vulgairement, elle nous soulage parce que ça fait du bien quand ça sort : l'insulte, une arme de destruction massive qui peut faire un mal fou. Humilier, rabaisser, blesser, et on peut le payer cher, utilisée dans un contexte inapproprié, franchement déconseillée avec son supérieur hiérarchique. Nous décortiquons ce matin ces paroles qui visent à outrager. Nous verrons que, contrairement à une idée reçue, qu'il faut beaucoup d'habileté, voire de talent façon Audiard, pour user et ne pas trop abuser de l'art de l'insulte.

#France Inter, Ali Rebeihi, *Ça va pas la tête* !
- Mais moi les dingues, je les soigne.
- Je suis le sergent d'armement Hartman et votre chef instructeur. À partir d'aujourd'hui vous ne parlerez que quand on vous parlera, et les premiers et derniers mots qui sortiront de votre sale gueule ce sera : « Chef », tas de punaises, est-ce que c'est bien clair ?
- Chef, oui, chef !
- Si vous survivez à mon instruction, vous deviendrez une arme, vous deviendrez un prêtre de la mort implorant la guerre, mais, en attendant ce moment-là, vous êtes du vomi, vous êtes le niveau zéro de la vie sur terre, vous n'êtes même pas humains, bande d'enfoirés ! Vous n'êtes que du branlomane végétatif, vous n'êtes qu'un paquet de merde d'amphibiens, de la chiasse ! Je suis vache, mais je suis réglo. Aucun sectarisme racial ici, je n'ai rien contre les négros, ritals, youpins ou métèques. Ici vous n'êtes tous que des vrais connards ! Et j'ai pour consigne de balancer toutes les couilles de loups qui n'ont pas la pointure pour servir ma chère unité. Tas de punaises, est-ce que c'est clair ?
- Chef, oui, chef !

- Un extrait de la scène culte de *Full metal jacket* de Stanley Kubrick en 1987. Bonjour Julienne Flory.
- ◦ Bonjour.
- Je suis ravi de vous accueillir très poliment, contrairement au sergent instructeur Hartman dans *Full metal jacket*. Alors, vous êtes philosophe et sociologue et vous publiez *Injuriez-vous, du bon usage de l'insulte* aux Éditions de la découverte. Injurier, insulter, c'est dévoiler une part de nous mêmes. On peut dire, là, que dans *Full metal jacket*, le sergent instructeur se dévoile beaucoup.
- ◦ Oui, c'est vrai, notamment, il tente d'humilier, qui est le but principal de l'insulte. Bon, l'insulte, vous l'avez dit, sert de béquille aussi au langage et elle nous permet de passer des situations qui sont relativement difficiles, tout comme le juron, mais la différence avec le juron, en fait, c'est qu'elle rentre dans une interaction, et son but c'est, justement, d'humilier ou de faire perdre la face à la personne à qui on envoie cette insulte.
- Le juron, c'est «merde», par exemple.
- ◦ Voilà, exactement. «Merde», «putain»...
- Qu'on s'adresse à soi-même.
- ◦ Qu'on s'adresse à soi-même, voilà, qui sont juste faits pour nous faire passer une situation qui reste difficile, mais qui n'entre pas du tout dans un cadre d'intéraction.
- ▪ Bonjour Emmanuel Pierrat.
- ◦ Bonjour Ali Rebeihi.
- Avocat à Paris, vous publiez la semaine prochaine à La Librairie Vuibert, *Plus grand que grand*, une histoire du culte de la personnalité. D'un point de vue juridique, justement, c'est la même chose l'insulte et l'injure ?
- ◦ Alors, on parle pas d'insulte en droit, on parle d'injure. Dans la loi, la fameuse loi du 29 juillet 1981, qui est celle qui parle de la diffamation notamment, c'est la loi dite « sur la presse » qui dit dans son article premier « tout est libre », et, à partir de l'article 2, la diffamation, l'injure, l'offense au chef de l'été, etc... Donc, on parle de l'injure et on parle de l'injure à titre, on va dire, individuel, lancée publiquement contre une personne, aussi de l'injure contre des corps constitués, des injures à caractère sexiste, raciste, homophobe. Voilà, il y a beaucoup d'injures en droit. C'est une chose qui nous intéresse depuis longtemps.
- Alors, vous recevez beaucoup de plaintes pour injure publique ou privée dans votre cabinet, surtout avec l'intrusion des réseaux sociaux dans l'espace public ?
- ▪ C'est un moyen d'attaque classique dans ce qu'on appelle le droit de la presse, c'est-à-dire, quand vous, comment dire... Vous étrillez sur quelqu'un dans un livre, dans un article, dans une biographie, dans... Peu importe, ou dans un réseau social ; et que cette personne vit mal les propos plus ou moins aimables que vous lui adressez, elle peut vous poursuivre soit pour diffamation, soit pour injure. Il y a une petite subtilité : la diffamation, c'est un fait précis qui porte atteinte à l'honneur ou la diffamation. Par exemple, vous avez tapé dans la caisse, il a tapé dans la caisse donc la victime peut se défendre en disant : « Je n'ai pas tapé dans la caisse et je vous prouve que je ne l'ai pas fait. » L'injure, en revanche, le tribunal considère que c'est quelque chose qui est imprécis et contre lequel vous pouvez pas vous défendre, vous pouvez pas rapporter la preuve. Par exemple : Vous êtes une ordure ! Un salaud, Ali Rebeihi ! Par exemple, je le dis.
- Merci beaucoup, vous êtes trop aimable.
- ▪ Voilà et vous pouvez vous défendre que parce que je vous aurais éventuellement injurié avant, nous nous serions injuriés, donc c'est une sorte de droit de réponse.
- On y reviendra tout à l'heure. Bonjour Éric Libiot.
- ♦ Bonjour Ali.
- Rédacteur en chef des pages culture de *L'Express* et directeur de Studio Ciné Live. Devoir sur table : l'insulte est-elle cinématographique ? Vous avez deux minutes.
- ♦ Oui, alors, elle l'est devenue beaucoup plus avec le cinéma parlant, ça marche moins dans le cinéma muet, voilà, ça c'est une première chose. Non, la grande particularité de l'injure au cinéma c'est qu'en fait, on est au spectacle. Le spectateur est au spectacle donc il regarde, il n'en est pas la victime, et puis c'est assez drôle. Il y a un côté spectaculaire et amusant, au cinéma, qu'on a sans doute pas dans la vraie vie.
- Rassurez-moi Éric Libiot, vous ne traitez pas vos troupes à *L'Express* comme le sergent instructeur Hartman ?
- ♦ C'est pire !
- Alors Julienne Flory, j'ai l'impression qu'on assiste à une extension du domaine de l'insulte dans tous les domaines de la vie, de la vie numérique, notamment, et sur Internet, bien sûr.
- ◦ Alors, sur Internet, oui, en fait les gens...
- Sur les réseaux sociaux en particulier.
- ◦ Sur les réseaux sociaux, les gens sont devant leur ordinateur et pensent que ils sont dans le domaine privé en fait, mais les réseaux sociaux sont publics, et du coup, il y a aussi le fait d'être derrière son ordinateur, dans une chambre par exemple, et de ne pas avoir peur de la réponse puisqu'elle n'est pas

immédiate, on risque pas de se prendre un coup de poing, ou, enfin, à la rigueur ça sera une réponse écrite, qui sera juste... Qui sera pas très importante. Mais du coup, les gens se lâchent plus facilement justement sur Internet parce que ils n'ont pas cette réponse immédiate.

• Quelle est votre position sur la politesse ? Alors, en vous lisant, pour vous, c'est accepter le jeu du langage dominant, pour parler comme Pierre Bourdieu.

◦ Oui, en soi, la politesse nous est quand même imposée. On nous apprend dès le plus jeune âge qu'il ne faut pas dire de gros mots, qu'il faut être poli pour vivre ensemble, en fait. Ce sont les termes très à la mode en ce moment : la bienveillance du vivre ensemble. Donc, c'est vrai que, du coup, les insultes, sont mis de côté, mises de côté. Mais ce qui est intéressant c'est que, justement, on continue de les utiliser. Et pourquoi on continue de les utiliser ? C'est que, justement, elles ont un rôle dans notre société et qu'lles nous permettent de faire passer un message.

• Alors, pour vous, accepter de ne pas être poli en toutes circonstances, c'est une manière, donc, de s'opposer au langage des dominants, mais on pourrait vous rétorquer que la politesse, c'est le plus petit dénominateur commun qui permet de survivre en société.

◦ Oui, mais il y a toujours eu des insultes de toute façon, quelles que soient les sociétés, donc je pense pas que les évincés, en fait, aboliraient, justement, tous types de domination.

• Et puis, pour aller dans votre sens, on peut dire les pires horreurs dans un langage ultra-policé.

◦ Tout à fait, oui, on peut tout à fait, même, être très dominant en utilisant un langage très poli.

• La politesse peut être dans ce cas très violente. Éric Libiot.

♦ Nan, ce que, l'idée que développe Julienne Flory, ce que j'aime bien, c'est de dire que la politesse n'est pas forcément bienveillante, elle peut être très hypocrite.

• Condescendante.

♦ Condescendante, tout à fait, et que, du coup, l'injure, par cette espèce de franc-parler peut être drôle, peut être directe, peut signifier plus de choses, est pas forcément blessante même si c'est la volonté première, mais, en tout cas, beaucoup plus franche et affirmée et du coup ça devient, ça devient presque positif, en fait on devrait parler qu'en injures.

Piste 40

a. Elle ne peut pas venir demain ?
b. Il a dit ça ? !
c. Tu as fait quoi ? !
d. Il est parti où ?
e. Vous voulez du vin maintenant ? !
f. Tu viens demain à quelle heure ? !
g. Vous allez faire ça ? !
h. Il était au centre commercial ?
i. Tu as déjà terminé de lire ? !
j. Elle dit que c'est facile ?

Piste 41

a. Je voudrais du pain, du riz, de la farine, des œufs et du lait.
b. Dans cette boîte, il y a des aiguilles, du fil, des boutons, des épingles, un dé à coudre et des ciseaux.
c. Si tu vas au marché, achète des poires, un melon, un kilo de cerises, des oranges, un ananas et des fraises.
d. Pendant notre voyage, nous allons visiter le Mexique, le Guatemala, le Costa Rica, le Panama, la Colombie, le Pérou et le Chili. Ce sera un beau voyage.
e. Pour la soirée, il faudra que j'achète du vin, de la bière, des assiettes en carton, des chips, des canapés, de la charcuterie et du fromage.
f. Les enfants sont allés au zoo et ils ont adoré les lions, les tigres, les singes, les aigles, les éléphants, les girafes et les ours.
g. Il adore les sports extrêmes. Il fait du kayak, du parachutisme, du rafting, du deltaplane, de l'escalade et de la varappe.
h. C'est une belle gerbe. Il y a des roses, des œillets, des marguerites, des arums, des violettes, des glaïeuls et des tournesols.

AUDIO - UNITÉ 7

Piste 42

« – On est pas là pour philosopher Carpentier.
– Quand même, c'est incroyable ! »

• Bonjour Anastasia.

◦ Bonjour Adèle, bonjour à tous. Aujourd'hui, j'aimerais revenir sur un petit moment de télé qui a eu lieu le week-end dernier dans l'émission *On est pas couché*. Alors que Zaz était reçue pour la sortie de son dernier album, et après seulement quelques minutes d'interview, c'est Laurent Ruquier secondé par sa chroniqueuse Christine Angot, qui s'est adressé à la chanteuse avec une question bien particulière.

▪ Pourquoi vous tutoyez aussi facilement ?

♦ Je sais pas, c'est...

◊ Est-ce que c'est un « on » ? J'ai l'impression que c'est un « on » votre « tu », non ? Quand vous dites « tu » c'est, vous dites « tu » ou vous dites « on » ?

◦ Assez dubitative face à l'interprétation d'Angot, Zaz a tout de même voulu donner quelques explications.

♦ « Tu » c'est, je sais pas, peut-être un peu direct. Au Québec, tu vois, je suis tranquille, tout le monde te tutoie, j'ai pas de problèmes, voilà, et je sais que ça peut être pris comme un manque de respect alors qu'en fait, c'est pas du tout le cas chez moi, c'est plutôt, c'est plutôt pour avoir quelque chose, on se parle vraiment, en fait. J'ai l'impression que le « vous », il y a un truc qui... on perd une accroche quoi, enfin chez moi, ça met une distance en fait, mais ce qui est important pour les gens, peut-être.

◦ Important pour les gens, peut-être, et surtout, apparemment pour l'autre chroniqueur de Laurent Ruquier, Charles Consigny.

‡ Moi, je tiens au vouvoiement. Le vouvoiement, c'est un hommage à la pluralité de l'autre. «Vous», être innombrable à qui je parle. C'est ça le vouvoiement. Le vouvoiement c'est la distance et je trouve que la distance, c'est la civilisation.

◦ « La distance, c'est la civilisation ». Voilà qui donne matière à réfléchir. Mais venons-en tout de même à ce qui nous occupe, à ce débat, tout sauf anodin, entre partisans du tutoiement et partisans du vouvoiement. D'ailleurs, avant toute chose, faut-il dire vouvoiement ou voussoiement ? Dans un billet, intitulé « Éloge du vouvoiement », datant de 2013, publié sur le site de l'Académie française, l'écrivain, critique et académicien Frédéric Vitoux considère que les deux se valent. Bien que le terme « voussoiement » soit plus ancien, le terme « vouvoiement » paraît plus euphonique et compréhensible et il est, par ailleurs, lui aussi, d'un usage très ancien. Frédéric Vitoux en profite également pour rappeler que l'invention du vouvoiement est souvent attribuée à l'époque du règne de l'empereur romain Dioclétien qui divisa l'Empire romain entre Orient et Occident, mettant à la tête de chaque un Auguste assisté lui-même d'un César. Ainsi, quand l'un des souverains prenait la parole, il ne le faisait pas qu'en son nom propre, mais aussi au nom des trois autres. Il disait donc « nous » et on lui répondait « vous ». Le médiéviste Philippe Wolff, lui, considère que le vouvoiement est antérieur, puisqu'il est déjà présent,

même si ça n'est que de manière épisodique, dans les lettres de Pline Le Jeune, au Ier siècle de notre ère, avant de devenir, de manière systématique cette fois, une politesse obligée à l'époque carolingienne. Bref ! Le vouvoiement a fini par s'imposer dans la langue française comme dans la majorité des langues indo-européennes, à l'exception de l'anglais moderne qui ne le connaît plus et quelques langues nordiques où il est tombé en désuétude. Le vouvoiement devient même rapidement l'une des manifestations les plus audibles de la politesse, qui marque le respect, la fameuse distance dont parle Charles Consigny, la séparation hiérarchique, la séparation générationnelle, la séparation, aussi, entre ceux que l'on connaît et ceux que l'on rencontre tout juste. Pourtant l'histoire du vouvoiement, au moins en France, n'a rien de linéaire, bien au contraire ! Dans son ouvrage *Dictionnaire nostalgique de la politesse*, dont je vous recommande vivement la lecture, Frédéric Rouvillois raconte le rejet, au moment de la Révolution française, des bonnes manières imposées par l'Ancien Régime. Le tutoiement devient obligatoire, le vouvoiement interdit. Ceux qui ne respectent pas cette règle apparaissent, dès 1791 et surtout 1792, comme suspects et peuvent être poursuivis, emprisonnés et, pourquoi pas, guillotinés. Du coup, la prudence est de rigueur. Il faudra attendre Napoléon Bonaparte pour que le vouvoiement soit restauré avec le passage d'une politesse aristocratique décontractée à une politesse bourgeoise beaucoup plus rigide. Mais le vouvoiement a connu d'autres crises. Il a, par exemple, fortement reculé, comme le rappelle Frédéric Vitoux, consécutivement à l'esprit de Mai 68, je le cite : « Quand on s'est efforcé de bannir toute hiérarchie, toute barrière entre les individus, leur âge, leur fonction, entre les élèves et les professeurs. » Roland Barthes ne dit pas autre chose, lorsqu'il écrit dans *Le Bruissement de la langue* : « Il arrive parfois, ruine de Mai, qu'un étudiant tutoie un professeur. C'est là un signe fort, un signe plein, qui renvoie au plus psychologique des signifiés : la volonté de contestation ou de copinage. » Fin de citation. Frédéric Rouvillois l'analyse et l'explique : « Dans notre histoire, la politesse connaît des hauts et des bas. » Il souligne d'ailleurs qu'après les années 60-70, période de forte contestation où les bonnes manières étaient perçues comme archaïques et ringardes, nous vivons aujourd'hui dans une période plus propice à la politesse. Pour le juriste, il y a un rapport certain entre la crise économique et sociale, la montée du chômage, le sentiment que la vie est de plus en plus difficile, et la prise de conscience de l'utilité de la politesse. C'est ce qu'il confiait il y a deux ans, dans un entretien au *Figaro*. Je le cite : « Quand tout va bien, la politesse est juste la cerise sur le gâteau. Quand les choses deviennent plus difficiles, elle reprend toute sa force et son utilité s'impose. Les gestes quotidiens de la politesse deviennent le liant de ce fameux vivre ensemble. » La messe est dite.
- Merci beaucoup Anastasia. Votre chronique est a réécouter en ligne sur le site du *Journal de la philo*.

Piste 43

Avez-vous remarqué comme les gens sont bienveillants depuis le début du confinement ? Mon voisin de balcon, que je ne connaissais même pas hier, me balance comme ça : « Prenez soin de vous ! » Ma chef, dans tous ses courriels : « Prenez soin de vous. » Même ma sœur me texte : « Prends soin de toi, Linda ». Nan mais dites-moi, est-ce que j'ai l'air malade ? Je vais bien, merci. Oui, je prends soin de moi, je fais attention, je me lave les dents. Je trouve ça stupéfiant de voir comme cette formule, à priori personnelle, a remplacé « Cordialement », « Bien à vous », même les bisous de fin de texto. C'est comme si d'un coup, on éprouvait le besoin d'être attentif à l'autre. On est tous dans le même bateau, c'est exceptionnel, moi je trouve ça passionnant mais c'est comme si le confinement, en nous éloignant les uns des autres, nous avait finalement rapproché humainement. Mais au fond, « prenez soin de vous » c'est quoi ? « Prenez soin de vous », c'est « restez chez vous » ; « n'attrapez pas cette cochonnerie, ne me mettez pas en danger ». « Prenez soin de vous », c'est « prenez soin de moi ». C'est drôle mais finalement, on change pas tant que ça durant le confinement. J'ai hâte de voir comment ça va être dehors. Allez, prenez soin de moi et de vous.

Piste 44

a. Tu ne veux pas que je téléphone à ta place ?
b. Il est extrêmement facile, ce problème !
c. Il faut que je vous rappelle que la réunion était à 11 heures ?
d. C'est maintenant que tu arrives ?
e. Elles sont extrêmement gentilles !
f. On le fera comme tu veux, tu as toujours raison !
g. Mais que vous êtes bien avec cette robe si moderne !
h. Ne vous en faites pas, je ne suis pas pressé.
i. C'est brillant, ce que vous dites !
j. Tu as très bien géré le problème !

Piste 45

a. Tu ne veux pas que je la fasse à ta place ?
b. C'est gentil de votre part !
c. Mais comment ! Il ne ment jamais !
d. Regarde, c'est facile comme bonjour !
e. Tu ne veux rien d'autre ?
f. Tu as eu une excellente idée, là !
g. Si vous voulez, vous pouvez encore monter le volume !
h. De toute façon, je n'en voulais pas !

Piste 46

a. Ils partent lundi à Lyon.
b. C'est un bon parfum.
c. Nous allons à Verdun.
d. Il est plutôt brun.
e. C'est mon humble opinion.
f. Un mois à Melun ?
g. Il est à jeun ?
h. Comme un lundi.

Piste 47

a. Il a deux enfants.
b. Du pain de seigle.
c. Un ballon de plage.
d. Il arrive lundi.
e. Ils vont à Lyon.
f. En France ou en Angleterre.
g. La bataille de Verdun.
h. Tu es impossible !

AUDIO - UNITÉ 8

Piste 48

Wendigo, Windigo, Wiindagoo ou Witiko : quel que soit le nom utilisé, c'est toujours la même créature qui fait trembler les autochtones d'Amérique du Nord. Mi-bête, mi-dieu, celle-ci peuplerait les forêts du Canada et la région des Grands Lacs, effrayant les bûcherons qui oseraient s'attaquer aux arbres. Selon les légendes, son cœur serait fait de glace et son corps d'écorce et de mousse végétale. Avec ses longs crocs jaunis, ses griffes surdimensionnées et ses yeux brillants, il ferait peur aux plus gros animaux des bois. On raconte qu'il émet un sifflement étrange et se déplace à la vitesse du vent, sans jamais s'enfoncer ni laisser de trace sur la neige ou sur l'eau, invisible... Sa force surhumaine lui permettrait d'abattre un arbre gigantesque à la seule puissance de ses bras. Jamais personne ne l'aurait vu, ou du moins, jamais personne ne lui aurait survécu pour pouvoir ensuite raconter cette rencontre. En effet, on l'aurait nommé Wendigo, soit « esprit maléfique et cannibale », car il se nourrirait autant de gibier pris dans les pièges des trappeurs que... de trappeurs. Les populations locales le craignent d'autant plus qu'il maîtriserait la magie noire et saurait ensorceler les êtres qui croisent son chemin. La forêt, elle, peut se rassurer : le mythe dit que c'est pour veiller sur elle que le Wendigo serait si impitoyable.

Piste 49

Jamais personne ne l'aurait vu, ou du moins, jamais personne ne lui aurait survécu pour pouvoir ensuite raconter cette rencontre. En effet, on l'aurait nommé Wendigo, soit « esprit maléfique et cannibale », car il se nourrirait autant de gibier pris dans les pièges des trappeurs que... de trappeurs. Les populations locales le craignent d'autant plus qu'il maîtriserait la magie noire et saurait ensorceler les êtres qui croisent son chemin. La forêt, elle, peut se rassurer : le mythe dit que c'est pour veiller sur elle que le Wendigo serait si impitoyable.

Piste 50

L'horoscope d'aujourd'hui, tout d'abord les Balance, pour qui les rapports affectifs ne seront pas plus simples qu'hier ; encore une fois, votre cher et tendre vous chuchote des mots doux et vous, et vous fuyez ! Essayez de faire face à vos responsabilités, comme vos actes ne sont pas sans conséquences. Même message concernant le travail : assumez vos erreurs et portez-vous volontaire, vos collègues vous en seront reconnaissants.
Les scorpion. Niveau amour : Vénus est dans votre signe, alors si vous êtes un cœur à prendre, soyez particulièrement réceptif aux autres. En couple ? N'hésitez pas à pimenter la routine, votre partenaire appréciera votre créativité.
Chanceux en amour, malheureux... en finances. Faites des économies et ne vous laissez pas tenter par tout ce qui brille. Jouer votre argent aux jeux de hasard aujourd'hui n'est sans doute pas la meilleure idée.
Les natifs de décembre maintenant : Sagittaire : dans le domaine professionnel sachez faire preuve de flexibilité et d'adaptation, ne soyez pas têtu. Vous pensiez pouvoir y arriver sans que personne ne vous aide, mais savoir demander de l'aide à temps, c'est aussi une réussite. Du côté de l'amour : vous risquez de croiser des personnes du passé et de vous sentir nostalgique. Acceptez cette vague de sentiments, n'essayez pas de la contrôler.
On continue avec les natifs de janvier...

Piste 51

- C'est personnel. Un bel animal. C'est un bon outil. C'est banal. C'est gentil. Tu veux du sel ? Je veux du miel.
- J'en ai cinq. En Iraq. Tu as changé de look. Il fait du kayak. Un kilo de bifteck. C'est mon anorak. Un coq.
- Il est long. Dans le goulag. C'est un iceberg. Une confiture de coing. Un petit bourg. Un hareng de la Baltique. Elle a un blog.
- Dans le forum. C'est du rhum. J'ai un bon parfum. Un referendum. Voilà l'album. Un item. Du thym.
- C'est un club. Chez le toubib. Elle est snob. Dans le Maghreb. C'est du plomb. Un baobab. Un site web.
- Quel beau canard ! Dans le sud. Il est rond. J'ai froid. Tout au fond. C'est grand ! Le second.
- Merci beaucoup. Stop ! C'est le top. Voilà un slip. C'est trop. Du sirop. Du sparadrap.
- C'est faux. Il est doux. Avec son époux. Un index. Il y en a deux. Quel est le prix ? Je vais à Aix.
- Vous mangez. C'est du riz. Tu en as assez. Il y a du gaz. Vous parlez. Elle a le nez cassé. Deux merguez.

Piste 52

Quel est le point commun entre le calmar géant, l'ornithorynque, le kraken, le yeti, le cœlacanthe, l'okapi, le monstre du Loch Ness et la bête du Gévaudan ?
Et bien tous ces animaux réels ou imaginaires relèvent ou ont relevé du domaine de la cryptozoologie. Et en cette journée d'Halloween, il nous a semblé juste et bon d'examiner le sort fait par la science à ces bêtes légendaires qui parfois sont bel et bien réelles. Qu'est-ce que le monstre du Loch Ness peut apprendre à la science ? C'est l'énoncé très monstrueux du problème qui va nous occuper dans l'heure qui vient. Bienvenue dans La Méthode scientifique. Et qui mieux pour parler de cryptozoologie que deux cryptozoologues ?

AUDIO - UNITÉ 9

Piste 53

- Bonjour Franck Thilliez.
- ◦ Bonjour.
- Auteur de thrillers à succès, vous avez notamment publié *La chambre des morts*, *L'anneau de Moebius*, *Pandemia* et dernièrement *Rêver*, publié chez Fleuve Noir, un thriller psychologique destiné à nous faire passer des nuits blanches, hein Frank Thilliez ?
- ◦ Oui, ça fait à peu près quinze ans que je passe mes journées à essayer de faire peur aux gens, c'est mon objectif.
- Frank Thilliez, vous prenez un plaisir un peu sadique à diffuser la peur, l'effroi, chez vos lecteurs ?
- ◦ Oui, alors pourquoi ? Parce que j'ai moi-même ressenti ça quand j'étais ado et que je lisais. J'étais fasciné, vraiment, par cette ambiguïté de prendre du plaisir à avoir peur, et je pense que c'est ce qui m'a donné envie de raconter des histoires, de faire la même chose, en fait, que ce que j'avais ressenti, de procurer ce sentiment à des gens que je ne connais pas, ni d'Ève ni d'Adam, et que j'imagine chez eux, confortablement installés et en train de frissonner par rapport aux histoires que j'écris. C'est vraiment ça qui m'a donné l'envie d'écrire.
- Alors, on y reviendra tout à l'heure, mais qu'avez-vous appris de votre maître Stephen King, l'auteur de *Shinning* ou de *Ça*, dans l'art de faire peur à vos lecteurs ?
- ◦ J'ai appris qu'il y avait un vrai pouvoir dans l'écriture, c'est-à-dire que l'écriture est capable de transmettre les plus grandes émotions, dont la peur. La peur, c'était... Elle me fascinait, vraiment. J'y pensais tout le temps. À l'époque où mes jeunes copains sortaient en boîte de nuit, moi j'étais enfermé chez moi avec mes livres. C'était l'époque où on diffusait des films d'horreur assez tard et j'allais me coucher et je me relevais pour voir ces films-là, donc c'était... Y avait vraiment une espèce d'obsession pour essayer de me faire peur, de me tester moi-même et de, voilà. Mais j'ai emmagasiné beaucoup d'images comme ça et je crois que j'ai eu besoin, à un moment donné, de les ressortir.
- Donc, le cinéma d'horreur a influencé votre écriture. D'ailleurs, dans votre dernier ouvrage, le méchant s'appelle Freddy.
- ◦ Voilà, bah, Freddy en hommage au personnage de Freddy Krueger de Wes Craven, que toutes les personnes qui ont, à peu près, une quarantaine d'années comme moi, doivent connaître.
- Je souscris.
- ◦ On a tous cauchemardé avec Freddy Krueger et voilà, comme je parle de sommeil et de cauchemards et de rêves, c'était un clin d'œil aussi à l'œuvre de Wes Craven.

• Vous regardez des films d'horreur depuis que vous avez onze-douze ans. Vous empruntiez au vidéo-club de votre quartier des cassettes VHS, des films de peur, comme on disait chez moi.
∘ Oui, c'était encore la bonne période des clubs vidéo avec les cassettes qu'on a tous connues.
• Pas les stagiaires en régie qui ont... Ils savent pas ce que c'est les cassettes VHS.
∘ Oui, c'est ça, ça fait partie du lointain passé. Nan, nan, vraiment j'avais cette passion. J'en prenais... Le maximum c'était quatre ou cinq.
• Qu'est-ce que vous louiez à l'époque ?
∘ Qu'est-ce que je louais ? Ben c'était vraiment l'époque de *L'exorciste*, un peu plus tard il y a eu *Seven*, *Huit millimètres*, ces films très très très sombres, tous les films de série B aussi, comme on dit, les films de zombis, de morts-vivants, alors, *Le retour des morts-vivants*, toutes ces séries-là qui étaient vraiment effrayantes, donc voilà, j'aimais bien ce genre de films, et aussi, quand même, les films où il y avait un scénario assez solide, quand même, où il y avait une intrigue, voilà, donc...
• Et ça produit quoi sur l'imaginaire de l'adolescent que vous étiez à onze, douze, treize ans ?
∘ Ça fait, avant tout, cauchemarder, vraiment. J'en avais peur d'aller me coucher. J'étais sous mes draps, j'avais peur du noir, ça m'effrayait vraiment mais y avait quand même cette envie d'y revenir parce que, en fait, je pense que quand on est adolescent on a envie de se tester, en fait, la peur est un moyen de, finalement, un peu comme quand on a six ans, on écoute les contes qu'on nous lit et...
• Oui, il y a ce plaisir d'enfance.
∘ Ce plaisir d'enfance qui revient à l'adolescence puisqu'il y a toutes ces comparaisons avec les copains : est-ce que t'as vu ce film ? Viens, on va aller voir ce film ! On va se faire très très peur. Et en fait, quand on est adulte, ça reste un peu tout ça, on a encore envie de se faire peur de temps en temps. C'est aussi un cinéma ou une littérature de la transgression, c'est-à-dire qu'on s'autorise finalement des choses qu'on a pas le droit de faire dans la société. Quand, voilà, on voit quelqu'un se faire tuer, on a accès à la violence, finalement, et la violence est interdite dans la société donc on transgresse quand on est dans ce genre-là. C'est loin et ça nous fait du bien, finalement, parce qu'on se dit : c'est pas nous, c'est l'auteur, c'est le réalisateur qui agit, c'est pas nous.
• Nous aimons nous faire peur au cinéma, hein, ou en lisant certains romans. On ressent des émotions très fortes, ce sont des sensations négatives, désagréables que nous évitons dans la vraie vie, mais pourquoi est-ce qu'on les recherche à travers le cinéma d'horreur ou à travers les thrillers, Frank Thilliez ?
∘ Oui, il y a aussi, faut pas oublier que la peur, finalement, c'est quelque chose qui... C'est un sentiment qui est enfoui en nous mais depuis l'aube des temps, depuis les premiers hommes. C'est l'émotion de la survie et du danger donc... À l'époque des hommes de Cro-Magnon, des Néandertals, cette émotion était nécessaire pour survivre. Aujourd'hui, en fait, on l'a encore en nous, mais on ne l'utilise plus comme avant, c'est-à-dire que on a peur du noir mais plus la même peur qu'avant, puisqu'avant la vraie peur du noir, le noir était synonyme de vrais dangers et donc, en fait, je pense que cette émotion a besoin de s'exprimer comme toutes les émotions, donc elle a besoin de ressortir à un moment donné et se faire peur en regardant des films ou en lisant des thrillers, et bien voilà, ça permet de la faire ressortir, surtout qu'en fait, c'est une peur contrôlée puisque on est tranquillement chez soi, on peut regarder un film, on peut s'arrêter quand on veut, on peut faire stop, c'est pas, ce n'est pas comme aller, je sais pas, passer une nuit dans le Bronx, où on aurait... Là, on aurait vraiment peur. Là, quand on lit un livre on sait qu'il n'y a aucun danger et c'est ça qui est assez jouissif.
• Vous êtes d'accord avec le fait que le film d'horreur satisfait nos pulsions sadomasochistes ? Inconscientes ?
∘ Oui, oui, c'est vrai, c'est un moyen, comme je le disais tout à l'heure, de transgresser en fait, finalement, tous ces éléments et quand on sort de... Finalement quand on sort d'un film d'horreur on a une sensation de bien-être, c'est-à-dire qu'on se dit : on a survécu à ça, en fait. Ça ne m'est pas arrivé, il y a pire que moi.
• Et finalement la vie, c'est pas si mal.
∘ Voilà, c'est pas si mal.

Piste 54

• *Ailleurs, dans le monde.*
∘ Bonjour à tous. Les temps sont durs, le Covid vous effraie, vous dormez mal, vous êtes anxieux ? Vous auriez dû regarder plus de films de zombis. C'est une étude très sérieuse qui nous explique ça. Elle a été menée aux États-Unis, à l'université de Chicago, par un chercheur spécialisé dans l'étude de la psychologie de l'horreur. Pour cette étude, 322 participants ont été interrogés et testés. Le point de départ de ce chercheur, c'est la ressemblance entre les films de zombis et la crise sanitaire actuelle : des personnes ordinaires sont contaminées, elles deviennent des morts-vivants, les autres vivent dans la peur d'être infectés, s'enferment, essayent de se protéger, le monde se paralyse, bref, tout le monde a peur. Et bien, parmi les 322 participants à cette étude, sachez que ceux qui ont regardé de nombreux films de zombis, disent, en général, qu'ils n'ont pas été pris par surprise par la crise, qu'ils sont moins irritables, moins insomniaques que les autres, ils ne passent pas leur temps à rechercher des informations sur la maladie, ils sont capables d'apprécier la vie quand même et ils ont même trouvé des points positifs ou du sens à cette crise mondiale. Alors, comment expliquer ça ? Et bien, le chercheur explique que les gens s'engagent dans des expériences effrayantes de fiction, parce qu'ils veulent vivre, par définition, des simulations d'expériences réelles. Ils recueillent des informations dans le film et ils modélisent des futurs possibles. Ils anticipent donc mieux et ils sont mieux préparés psychologiquement. Et puis, il y aussi un autre facteur : les amateurs de film d'horreur passent leur temps, au cours d'un film, à naviguer dans un flow de très nombreuses émotions. Ils passent de l'angoisse, au stress, à la tristesse, à la peur, etc... Or, gérer ses émotions, et bien, c'est apprendre à être plus résilient. Dernier enseignement : l'effet zombi marche aussi en sens inverse. Le Covid a fait que les gens se sont jetés sur les films apocalyptiques ou de zombis pour mieux comprendre ce qu'il se passait. Le film *Contagion* de Soderbergh, par exemple, a eu un regain de succès massif depuis le début du mois de mars dernier. Sachez, enfin, que l'éventail entier des genres préparateurs à la catastrophe, que ce soit les extra-terrestres, l'apocalypse, les vampires, les serials killers, marchent aussi. Ils vous permettent d'apprivoiser vos peurs. *L'exorciste*, *Les Dents de la mer*, *Chucky* ou *It follows*, n'hésitez pas, vous pouvez tous les regarder et apparemment, vous allez avoir le temps.

Piste 55

a.

• Brrrr ! Mais il fait froid ce matin !
∘ Ah oui, quand je suis partie de chez moi, le thermomètre affichait 2 degrés.
• Je suis frigorifiée. Je vais rentrer.

b.

• Hé ! Salut Théo ! Ben tu m'as pas vu ou quoi ? T'as l'air d'être sur un petit nuage.

◦ Oh pardon. C'est vrai que je suis sur un petit nuage... Je crois que je suis amoureux. Oh la la ! La voilà ! Regarde, c'est elle. Mais qu'elle est belle ! Et tellement intelligente ! Oh la la ! Qu'est-ce que je fais ? Je vais la voir ou pas ?

c.
• Ben qu'est-ce que tu as ? Tu es tout pâle !
◦ Oh je sais pas, mais je me sens vraiment pas bien... Je suis fatiguée et puis, je me sens faible. Je dois être malade. Je crois que j'ai de la fièvre.

d.
• Alors ce footing ?
◦ Oh je recommencerais plus ! J'aurais pas dû courir si longtemps. J'ai pas l'entraînement.
• Ah oui ! ça se voit !

e.
• Chéri, tu as écouté les infos ce matin ?
◦ Non. Pourquoi ?
• Il y a encore eu une agression homophobe très violente à Paris. La victime est hospitalisée dans un état grave.
◦ Non ! Encore ? C'est la troisième en même pas un mois. C'est sidérant !
• Oui, ça me met hors de moi ces agressions !

f.
• Oh mais qu'il fait chaud, c'est insupportable. Tu as écouté la météo pour les prochains jours ?
◦ Oui. Ils annoncent 42 degrés et la température ne va pas descendre à moins de 25 la nuit !
• Oh là là... Je n'en peux plus de cette canicule. Vivement l'hiver !

Piste 56
• Madame Pelet, c'est à vous. Comment ça se passe en histoire-géo ?
◦ Euh... pff. Ben, ça se passe pas très bien. J'ai les mêmes difficultés que Christelle Grivat en maths. Et avec les mêmes élèves. Sauf peut-être Baptiste qui vient presque jamais en cours alors il nous dérange moins souvent, mais avec les autres, c'est une catastrophe. Et rien n'y fait, hein. Dialogue, menace, sanction, j'ai tout essayé mais ça marche pas ! Y a rien qui marche. Ça devient vraiment très très lourd parce que le problème c'est que, quand ils se mettent à crier ou lancer des projectiles dans la classe ben, on peut pas travailler. Ils nous font perdre un temps énorme. On a pris du retard sur le programme et s'ils ne changent pas d'attitude, ben je vois pas comment je vais pouvoir le rattraper. Et bon, les autres, ça va. C'est vrai que dans l'ensemble ils sont gentils, intéressés et sérieux mais vraiment ces quatre-là, enfin cinq avec Baptiste, quand il vient, c'est vraiment un problème, pour tout le monde. Et moi, je sais plus quoi faire.
• Très bien. Bon, on finit le tour de table et on en reparle tout à l'heure. Pour le moment, on écoute... M. Crépin !
▪ Alors... moi je suis très étonné d'entendre Mme Pelet, Mme Grivat s'exprimer comme ça sur ces élèves. Non pas que je ne les crois pas, j'ai beaucoup d'estime pour tous mes collègues, mais j'ai pas du tout le même ressenti sur ces jeunes-là. Et même au contraire, ils sont charmants avec moi, presque mielleux et puis ils travaillent quoi, je veux dire. C'est surprenant. Vraiment. Bref. Donc pas de problème particulier. C'est une classe agréable, qui participe bien. Bon, il faudrait quand même qu'ils travaillent un peu plus régulièrement parce que je vois bien que... enfin, d'un cours sur l'autre, il y a pas mal de choses qu'il faut reprendre à chaque fois mais bon. Non je n'ai pas à m'en plaindre, hein. Pour moi, c'est une bonne classe.
• Je vous remercie M. Crépin. Et bien, pour finir, on écoute Mme Lupin.
♦ Ben je rejoins M. Crépin. Oui, c'est une bonne classe. Ils sont sympas. Pas toujours motivés mais bon, c'est vrai que quand les cours de sport qui commencent à 8 heures, c'est pas forcément l'idéal... C'est une classe agréable. Les résultats sont pas terribles, terribles mais bon, ça reste correct. J'ai pas prévu de les emmener aux Jeux Olympiques de toutes façons. Oui, le seul bémol, c'est peut-être Baptiste effectivement qui s'absente un cours sur deux ou sur trois. C'est dommage parce qu'en plus il est pas mauvais du tout, surtout en sport collectif, il a un vrai esprit d'équipe. Voilà.
• Très bien ! Merci à tous. Alors... Mme Fouillet et M. Poutou m'ont transmis leurs remarques. Ni l'un ni l'autre ne se plaignent du comportement des élèves, hein... hormis quelques bavardages pour M. Poutou. Ce qui ne l'empêche pas de trouver le groupe très agréable, donc rien de bien méchant. Alors, par contre, Mme Fouillet me disait que certains élèves avaient vraiment un retard important, en informatique en particulier. Bon. Elle suggérait de mettre en place des heures de soutien pour ces élèves-là, mais il faut que je voie comment ça pourrait s'organiser. C'est pas du tout évident. Je vous tiendrai informés, bien sûr. Bref ! Passons maintenant au cas par cas et le premier élève sur la liste, c'est...

Piste 57
a. Les onze étudiants de cette classe vont ensemble au cinéma.
b. Mes enfants sont allés à la campagne pour leur classe verte.
c. J'adore les homards et les écrevisses.
d. On se demande encore pourquoi on a aimé se faire peur.
e. À Rouen, il y a deux trains fantômes et deux maisons hantées.
f. Certains films provoquent une grande émotion chez les spectateurs
g. Agnès et Emma adorent les films d'horreur.
h. On a eu beau nous expliquer l'envers du décor, on trouve encore le moyen de hurler.
i. La société actuelle est une victime de ses croyances et de ses peurs.
j. Il y en a un en haut et un autre en bas

Piste 58
a. Qu'est-ce que tu fais ce week-end ?
b. Les gens aiment-ils avoir peur ?
c. Vous avez dormi dans une maison hantée ?
d. Quand est-ce que vous allez comprendre que les monstres existent ?
e. Vous êtes allés voir ce film de Stephen King ?
f. Pensez-vous que nous vivions une époque effrayante ?
g. Pourquoi vous aimez autant souffrir avec des films d'horreur ?
h. Tu veux venir avec nous voir un film de zombis ?
i. Qu'est-ce que vous préférez, le suspens ou l'horreur ?
j. Où se trouve cette célèbre maison hantée ?

AUDIO - UNITÉ 10

Piste 59
• 7 h 25 sur France Culture et comme tous les vendredis, c'est l'heure de *Hastag*, le reportage interactif de la rédaction. Cette semaine on parle de l'argent liquide, sonnant et trébuchant, mais aussi digital et sans contact, d'e-commerce, carte cadeau, nouvelle banque, paiement via le mobile... Les nouveaux usages poussent vers un monde sans cash. Bonjour Marie Viennot.
◦ Bonjour.

- Vous avez mis le nez dans nos porte-monnaies cette semaine et le cash fait encore de la résistance : sept transactions sur dix sont encore en espèces, en France.
- Oui, 68 % exactement. C'est moins que dans la zone euro ou 84 % des transactions sont en liquide, ce qui représente 50 % des transactions en valeur. Indéniablement, le paiement sans contact est devenu quotidien. De plus en plus de gens payent avec leur mobile. Les retraits de billets au guichet diminuent, et pourtant, paradoxe, chaque année, la zone euro produit bien plus de billets que son PIB ne croit. 8 % de plus dans la zone euro en 2019, plus 9 % en France. Alors, où partent tous ces billets ? Christophe Baud-Berthier, directeur des activités financières à la Banque de France.
- À la fois en France et, peut-être, plus généralement dans d'autres pays de la zone euro, des personnes conservent des espèces dans des lessiveuses, sous des matelas, dans leur jardin. Effectivement parce que, dans certains pays, le système bancaire n'est pas très solide, les gens n'ont pas confiance dans les banques et pour d'autres raisons, les gens préfèrent effectivement épargner sous cette forme.
- Alors, il y a actuellement 1300 milliards d'euros en circulation sous forme de billets ou de pièces et cette thésaurisation, c'est, selon la Banque centrale européenne, entre 40 et 57 % de ces 1300 milliards, c'est considérable. Autre raison pour laquelle le cash fait de la résistance : payer en liquide permet de ne pas être tracé. Vous avez été très nombreux à mettre cet argument en avant. Le cash, c'est la garantie que personne ne viendra mettre son nez dans la manière dont on gère notre pognon, nous dit-on. Dans un monde sans cash, tout sera contrôlé, enregistré, filmé, nous aurons une puce au lithium placée au niveau du bras ou du front, me dit une autre. L'économiste Bruno Théret, lui, le dit autrement : le cash, c'est la liberté frappée, dit-il, et c'est aussi plus écolo.
- Tout l'aspect de soutenabilité écologique de tous ces systèmes de paiement électronique qui requièrent de l'électricité, des Big data, etc... Le cash, c'est bien plus écologique. Il y a un autre argument, c'est qu'il nous faut le cash pour pouvoir développer la désobéissance civile et la résistance au gouvernement à distance, à la perte de nos libertés et renouer avec le fait que le cash, c'est de la liberté frappée.

Piste 60

- C'est quoi les différents types d'impôts et ça sert à quoi l'impôt ?
- Alors, en fait, l'impôt, c'est pas récent, c'est quelque chose que l'on trouve déjà chez les Égyptiens, c'est multimillénaire. L'impôt moderne, tel qu'on le connait, il est largement créé pendant et avant la Guerre de 14 et ensuite avec la Seconde Guerre mondiale, et juste après, à ce moment-là, c'est pour financer l'effort de guerre. Mais les gouvernements se rendent compte qu'en fait, ces nouvelles recettes, on peut les utiliser ensuite pour reconstruire et aussi pour financer ce qu'on appelle ensuite l'État social, c'est-à-dire l'éducation, la santé, la sécurité sociale. Au début du XXe siècle, les États, comme la France, les États-Unis, l'Angleterre...
- La Belgique...
- La Belgique, bien sûr, la Belgique toujours... Ne prélèvent qu'environ 5 % d'impôt par rapport au PIB, donc c'est faible.
- Le PIB, le revenu national.
- Voilà, le produit intérieur brut ou encore mieux, plus précisément, le revenu national qui est un peu plus précis que le PIB et qui correspond mieux à l'ensemble des revenus que gagnent les citoyens français ou les citoyens américains. Donc, cet impôt va augmenter en valeur nationale et passer de 5 % à 50 % dans un pays comme la France. De 5 % à 30 % dans un pays comme les États-Unis, mais ça veut dire que dans un cas comme dans l'autre, même s'il y a des visions très différentes sur le rôle, sur l'importance de l'impôt, on est quand même d'accord avec le fait qu'on va socialiser un montant extrêmement important de tout ce qu'on gagne, de tout ce qu'on produit.
- Et alors, il y a une différence à faire entre tous les pays dits pauvres et les pays dits riches à cet égard-là.
- Alors, absolument et une des différences fondamentales entre les pays riches et les pays pauvres, aujourd'hui dans le monde, c'est le poids de l'impôt et donc en fait, c'est ça qui fait dire à certains que l'impôt, c'est le prix à payer pour la civilisation, en tout cas pour le développement économique, puisque sans impôts on peut pas financer toutes ces choses qui sont essentielles à la croissance, au développement, etc...
- Donc il y a une moyenne pour les pays pauvres ?
- Oui, en fait dans les pays pauvres, on est aujourd'hui encore à peu près au niveau des pays riches il y a une centaine d'années, c'est-à-dire à peu près 5 % de l'impôt sur le total du revenu national.
- Et il y a aujourd'hui, donc en 2021, plusieurs types d'impôts.
- Oui, donc les premiers impôts ont une importance dans un pays comme la France ou de nombreux pays européens comme la Belgique notamment, et bien sûr ce sont, en fait, des prélèvements, ce sont des cotisations sociales, c'est ce qui va financer l'assurance maladie, l'assurance chômage, donc ça, c'est grosso modo la moitié de tous les impôts qui sont payés. Ensuite, viennent les impôts sur les consommations, là c'est la fameuse TVA, qui est en fait, en France, plus importante que l'impôt qu'on a plus directement en tête, qui est l'impôt sur le revenu, qui vient ensuite, par ordre d'importance et puis il y a aussi les impôts sur le capital, donc ça, c'est la taxe foncière dans un pays comme la France. C'est aussi l'impôt sur les bénéfices des sociétés auquel on va s'intéresser aujourd'hui.
- Alors, concrètement, est-ce que tu peux m'expliquer comment on fait, quels mécanismes on peut mettre en place pour ne pas payer ses impôts en France ou en tout cas, moins qu'il faudrait en France ou en Belgique.
- Alors, ce que va faire McDo c'est de dire à Bercy, donc au fisc français, qu'en plus de payer le serveur, la machine, le steak, le pain, les lumières, dans ses coûts de production, il y a aussi des royalties à payer à une autre enseigne McDonald's dans un autre pays et que ces royalties en fait, ça va être la recette du Big Mac ou ça va être, par exemple, le droit de propriété intellectuel sur le logo M ou sur la marque Happy Meal, par exemple. Et donc, qu'il s'agit de coûts de production supplémentaires qu'il faut intégrer au calcul des bénéfices et qui permettent de réduire les bénéfices à presque zéro dans un pays comme la France, et de les gonfler artificiellement, dans un pays comme le Luxembourg. Mais, une fois que McDonald's a délocalisé ses profits au Luxembourg, en fait il va pas s'arrêter là. La même opération va être faite vers d'autres pays, notamment les États-Unis mais aussi les Bermudes et donc, par ce jeu de délocalisation, pays par pays, on va réussir par payer presque zéro d'impôts sur des bénéfices qui, en fait, ont été réalisés dans des McDonald's en France et qui devraient être assujettis à l'impôt sur les sociétés françaises. Il faut mettre ça en comparaison avec ce que va payer un vendeur de sandwichs, un petit restaurant qui serait à côté de McDo, qui va être assujetti à l'impôt sur les bénéfices des sociétés, avec un taux, à l'époque, de 33 %. Il peut y avoir une réduction de ce taux pour, vraiment, si vous êtes un tout petit business qui fait moins de 38 000 euros de bénéfices par an, mais bon, c'est quand même relativement faible. Vous allez avoir un taux de 15 %. Toujours est-il que 15 % ou 33 %, ça reste

beaucoup plus élevé que les fameux 0,4 % qui vont être payés par McDo, donc là, on voit bien qu'il y a un problème dans cette organisation du système fiscal, c'est que le vendeur de sandwichs peut pas faire ces pratiques-là puisqu'il ne peut pas utiliser les enseignes dans d'autres parties du monde où la fiscalité est plus avantageuse sur les entreprises, pour réduire artificiellement le niveau de ses bénéfices.

Piste 61

• *Les pieds sur Terre*, Sonia Kronlund.

◦ Personne ne sait ce qu'il se passe aujourd'hui parce que personne ne veut qu'il se passe quelque chose.

▪ J'étais devant la télé, j'ai vu un numéro, je me suis dit bah ça va, tiens, j'en ai déjà un, ensuite un deuxième, un troisième oulala alors là... Et puis quand est arrivé le cinquième et le sixième, le complémentaire, alors là, c'est...

♦ Qu'est-ce qui se passe ?

▪ C'était... J'étais plutôt émue, j'avais mon cœur qui battait à tout rompre, là, c'était horrible, j'ai eu peur que mon cœur lâche d'ailleurs, alors je suis allée m'allonger une petite demi-heure.

◊ Quand on a vu le numéro sortir, on y croyait pas, quoi, on a regardé quatre fois la grille, quatre fois Internet, on s'est dit : est-ce qu'on est sur le bon site ? Est-ce qu'on nous fait une blague ? Est-ce que... Parce que y a plein de choses, est-ce qu'il y a une caméra cachée à la limite ? Parce qu'on se demande ce qu'il se passe, parce qu'on réalise pas et alors, même encore maintenant, ça fait à peine deux mois, on a du mal à réaliser, quoi. C'est... Je dirais, même, que c'est même honteux de dire que ça nous perturbe parce que ça devrait pas nous perturber, quoi, c'est un bonheur, mais on est pas habitués à certains vocabulaires. On était pas habitués à aller chez des fiscalistes, enfin, c'est... On entre dans un nouveau monde quand même.

• Ils entrent dans un monde où on emploie des tas de périphrases pour parler de l'argent, où un chat n'est plus un chat, où on dit plus d'un hôtel qu'il est luxueux mais qu'il est confortable. Un monde où l'argent est un fardeau aussi bien qu'une aubaine. Un monde où on a d'abord peur de les perdre, ses sous, tellement ils sont tombés du ciel. Alors, pour gérer le terrible choc du chèque à six chiffres et du reclassement social La Française des jeux, bientôt « feu » Française des jeux a organisé pendant des années une sorte de cellule de crise, une formation accélérée pour ces nouveaux millionnaires qui doivent apprendre tout un tas de nouveaux mots et de nouvelles attitudes. Un petit guide, poétiquement intitulé *Voyager entre deux mondes* les initie en douceur. Pas de panique, être riche, ça s'apprend ! Pour cela il y a des ateliers, des jeux de rôle, des QCM. Profiter de sa richesse sans se faire plumer, par exemple, est le sujet d'un atelier pédagogique. Il y a aussi un Trivial Pursuit géant sur la fiscalité où après avoir appris à ne pas donner d'argent à ses proches, on découvre pourquoi il faut payer le moins d'impôts possible. Leur prénom étiqueté sur la veste, les nouveaux millionnaires trouvent aussi là, une nouvelle famille, des gens comme eux avec des soucis qui leur ressemblent : choisir une voiture de luxe pas trop tape-à-l'œil, ne pas laisser dormir son argent, faire des bons placements. Bref, devenir riche. Heureusement, les gagnants du jour ont gardé la tête froide et le cœur en bonne place. Ils étaient boulangers, ouvriers, retraités, secrétaires, et plus que n'importe qui, ils ont mérité leurs millions.

Piste 62

a. Voilà le dé.
b. Il a peur.
c. Voilà du feu.
d. C'est mon frère.
e. C'est beau.
f. Dans le pré.
g. C'est ma sœur.
h. Un conte de fées.
i. Je veux du porc.
j. C'est faux.

Piste 63

a. Certains retraités doivent travailler pour arrondir les fins de mois.
b. Leurs patrons n'ont pas voulu les déclarer à la Sécurité sociale.
c. La meilleure manière de bien dormir est de ne pas avoir des dettes.
d. Elle a décidé de continuer à travailler pour mettre du beurre dans les épinards.
e. Nous devons tous payer des impôts.
f. Faire des économies est un bon moyen de se construire un futur.
g. En France, il ne faut jamais demander combien on gagne.
h. Je suis complètement fauché. Tu peux me prêter 100 balles ?

AUDIO - UNITÉ 11

Piste 64

• Je m'appelle Malaika et j'ai 21 ans. Franchement, ce n'est pas cool d'avoir 20 ans en 2020 ! Pendant longtemps, aux yeux des gens, les jeunes ont pris le rôle des méchants car soupçonnés d'être les vecteurs majeurs de la maladie. Dans la rue, on nous a montrés du doigt et évités. Moi, je me plie aux règles, alors j'aimerais qu'on me respecte et qu'on me considère aussi avec mes « petits problèmes de jeune ». Je ne vais peut-être pas mourir du virus, mais je ne sortirai probablement pas indemne du stress et de la déprime chronique que je ressens à cause du manque de perspectives professionnelles ou personnelles. J'ai entendu beaucoup de jeunes dire qu'ils avaient le moral dans les chaussettes avec le sentiment de passer à côté de leur vie. À 20 ans, on est censé avoir des projets, faire des rencontres, voyager, etc. Tout cela est réduit à néant.

◦ Je m'appelle Yves-André et j'habite dans un Ehpad. Avant le confinement, mes enfants me rendaient visite tous les jours. Aujourd'hui, je ne vois plus personne - même pas mon voisin de chambre ! Cet isolement et cette solitude, ce n'est pas une vie. Je ne suis pas du genre à me cantonner à regarder la télévision, j'ai besoin d'interactions sociales ! Oui, je comprends toutes les mesures prises mais c'est dur ! Tous les jours, je me vois mourir ici, seul, sans un dernier mot, un dernier câlin ou une dernière embrassade, avec l'animateur télé comme seul spectateur.

▪ Je m'appelle Ghislaine et j'ai 63 ans. Personnellement, ça ne me dérange pas d'être confinée si c'est pour sauver des vies. Et puis il vaut mieux être isolée chez soi qu'à l'hôpital, non ? Quand j'entends certains Français se plaindre, je trouve qu'ils manquent de résilience. Il fut une époque où les gens pleuraient, car ils devaient aller à la guerre, et nous, on râle de devoir rester chez nous ! Cette crise va passer. Il faut faire preuve de patience. Pour ma part, je garde le lien avec ma famille et mes amis grâce à des appels visio réguliers et je m'occupe en m'évadant dans les livres ou en tricotant. J'ai également tout le loisir de redécorer mon appartement et faire du tri dans mes placards.

♦ Je m'appelle Annie et mon mari, Habib. De notre côté, nous vivons assez bien le confinement. Nous avons pu déménager temporairement avec notre enfant dans notre maison de campagne. Mon mari et moi avons cette chance de pouvoir télétravailler. Bien sûr, ce n'est pas tous les jours facile de gérer l'école à la maison et nos responsabilités professionnelles respectives, mais on fait au mieux. Parfois, nous sentons notre fils s'inquiéter, alors nous le rassurons et lui disons : on est ensemble ! On va s'en sortir, devenir meilleurs ! Avec mon mari, nous avons décidé de porter un regard positif sur cette sombre période. Le confinement forcé, c'est l'occasion de laisser place à un renouveau dans notre quotidien, revoir nos priorités et profiter pleinement de notre famille.

Piste 65

En fait, la projection Mercator, c'est une projection qui avait été conçue pour naviguer. Sans rentrer dans les détails, l'objectif n'était pas vraiment de montrer les bonnes dimensions de tous les pays, mais surtout de conserver les angles et les formes des pays pour pouvoir naviguer à l'aide d'un compas, par exemple. Le problème, comme on vient de le voir, c'est que, du coup, ça modifie pas mal la taille des différents éléments de notre planète. Il y a un très bon outil qui permet de voir à quel point les cartes peuvent déformer la réalité : c'est l'indicatrice de Tissot. L'idée, c'est de poser sur la carte des cercles qui ont tous 500 km de rayon, autrement dit, qui ont tous la même taille. En posant les cercles sur la carte, les cercles vont se voir appliquer les mêmes déformations que les pays et on va donc voir comment la carte déforme la réalité.

Piste 66

a. L'Afrique est plus grand que le Groenland.
b. Vous avez du gâteau, j'en voudrais un peu plus.
c. Ce film est plus intéressant que celui que nous avons vu hier.
d. Je ne fume plus depuis trois ans. J'ai arrêté pour ma santé.
e. Il a faim, et en plus, il est fatigué.
f. Plus tu t'entêtes, plus il est difficile de réussir.
g. C'est Mireille qui travaille le plus dans ce bureau.
h. La situation est de plus en plus grave.

Piste 67

a. Il a inscrit dix étudiants dans ce groupe.
b. Des oncles et tantes, j'en ai plus de dix.
c. Avant les femmes avaient six enfants ou plus.
d. Je suis débordé, je dois lire dix livres pour la semaine prochaine.
e. Voilà vos mouchoirs. Il y en a six exactement.
f. Ils vont embaucher six secrétaires au total.
g. Cette chatte a eu dix chatons adorables !
h. Encore un chocolat ! Tu en as déjà pris six.
i. Il a un salaire de vingt-six mille euros par an.
j. Elle a épluché dix patates, il lui en reste six à faire.

AUDIO - UNITÉ 12

Piste 68

• Bonjour Tania de Montaigne.
◦ Bonjour.
• Alors, vous écrivez tout au début de ce livre, *L'assignation : les noirs n'existent pas*, que c'est un entretien avec une journaliste en 2016 qui vous a donné l'envie de l'écrire. Vous étiez interrogée en tant que femme noire. C'est ça qui vous a...
◦ Oui et bah, c'est-à-dire que, déjà la question avait l'air cruciale mais j'étais pas au courant, donc, parce qu'elle m'interrogeait, quand même, sur les cheveux d'une chanteuse américaine qui s'était fait des tresses que l'on dit africaines.
• Oui.
◦ Et donc elle supposait, enfin, son appel me faisait comprendre plein de choses. La première chose c'est que je comprenais à sa voix et aux guillemets qu'il y avait dans la voix, qu'elle était blanche et qu'elle voulait que je sache qu'elle comprenait bien que ce domaine ne pouvait être que le mien, puisqu'on parlait de tresses africaines, donc évidemment, puisque j'étais noire, j'avais un avis.
• Donc elle a demandé à une spécialiste.
◦ Voilà, je devais faire partie du comité des cheveux africains.
• Voilà.
◦ Et, donc il y avait cette idée-là, et que j'avais forcément un avis et que j'étais forcément au courant déjà, puisqu'elle m'a appelée comme si, vraiment, c'était une nouvelle énorme. Voilà. Et donc, je me suis dit, bah alors il y a quelque chose à essayer de travailler parce que je voyais bien que c'était une marque de profond respect de me parler en tant que noire, et j'entendais bien qu'il y avait une majuscule dans ce noire puisqu'il ne s'agissait pas de ma couleur de peau, mais il s'agissait d'un groupe dans lequel je serais censée être incluse et pour lequel je serais censée parler surtout.
• Et donc vous vous posez cette question, à plusieurs reprises d'ailleurs, dans ce livre : qu'est-ce qu'une noire ? Ça veut dire quoi être noire avec un N majuscule ?
◦ Ben en fait, ce qui m'intéressait c'est que la majuscule, parce que le défi du livre il est sur les majuscules, c'est-à-dire c'est les noirs et puis c'est tous les êtres qu'on met en majuscule donc jaune, femme, juif, musulman...
• Le juif, Le musulman, Les noirs.
◦ Voilà. Tootsie... enfin, c'est tous ces moments, en fait, où on créé une identité, donc on créé l'idée que quelqu'un fonctionne en fonction d'une typologie élaborée et donc vous n'avez plus besoin de rencontrer cette personne, il suffit juste qu'on vous dise de quel groupe elle est, hein vous savez, donc ça va plus vite.
• Quand il suffit de regarder quelqu'un pour savoir ou croire savoir qui il est et d'où il vient, c'est là que commence le racisme.
◦ Oui, mais c'est là, à la fois, qu'il commence et qu'il finit, c'est ça qui est particulier avec le racisme, c'est que, une fois que vous avez inventé une nature, parce que quand on dit...
• On créé la race avec un grand R et ça devient le noir avec...
◦ Oui, avec un grand ou un petit, de tout façon ce qu'on veut dire, c'est que, une personne, si je regarde une personne et elle est noire, et bien, elle fonctionne comme une noire parce que sa nature c'est d'être noire donc ça veut dire qu'elle n'a jamais de culture. C'est-à-dire que moi, par exemple, même si ça fait cinq siècles que je suis française, puisque je suis noire, et bien forcément, je suis africaine, mais on sait pas d'où, hein, parce que le principe du noir c'est l'Afrique en général, il y a pas de pays...
• Oui. On continue d'ailleurs, vous en parlez dans le livre, régulièrement vous vous demandez d'où vous venez...
◦ Toujours.
• Quelles sont vos origines...
◦ Mais oui et parfois c'est très positif les gens qui me demandent mes origines, ils sont très contents.
• Mais comment vous pouvez avoir un nom à consonance française, en plus Montaigne ?
◦ Oui, c'est sûr que là c'est provoquant, là on se dit : qu'est-ce qu'elle fait cette noire avec ce nom-là ?
• Alors vous parlez aussi des communautaristes, ceux qui tentent le repli sur la communauté, sur l'entre-soi. C'est un piège d'après vous ?
◦ Je pense que, en tout cas, puisque ça utilise le même vocabulaire qu'un nationaliste, c'est-à-dire que dans les deux cas, vous pensez qu'il y a des groupes existants, et donc, quand vous êtes communautariste, vous dites : « Et bien puisque vous me rejetez, moi en fait, je vais prendre ce que vous dites de mon groupe, parce qu'il faut bien le définir ce groupe, donc

je vais être avec mon groupe et en fait je serai le seul à pouvoir dire que ce groupe existe. Vous, vous n'avez pas le droit parce que vous n'en faites pas partie, et je vais me préserver de votre violence en créant un sanctuaire, en fait, avec des choses mais qui sont la même définition que, on pourrait dire, un esclavagiste si on parle des noirs ou un nazi si on parle des juifs, c'est-à-dire de définir un enclos dans lequel je serai le seul à pouvoir fonctionner.
• Mais est-ce que ceux-là ils seraient pas tenté de dire : « Mais en fait, Tania de Montaigne, en fait, elle voudrait être blanche » ?
◦ Bah non parce que...
• Elle rejette d'une certaine manière sa couleur noire ou sa...
◦ Ah non, parce que moi je dis que les noirs sans majuscule, ils existent. Moi, je sais très bien que j'ai une couleur de peau particulière. La seule chose que je dis, c'est que ma couleur de peau ne dit pas qui je suis et que, entre Michelle Obama et une migrante érythréenne, il n'y a aucun lien, si ce n'est la couleur. C'est pas la même chose, entre avoir de l'argent et ne pas en avoir, c'est pas la même chose, avoir des papiers, ne pas en avoir, c'est pas la même chose, parler la langue d'un pays ou ne pas la parler, c'est pas la même chose, et ça, ce n'est pas une histoire de couleur. Donc, je pense qu'il y a plus de liens entre un migrant syrien, un migrant érythréen, un migrant afghan, qu'entre Michelle Obama et une migrante érythréenne.

Piste 69
a. Excuse-moi, mais si tu ne faisais pas tout un cirque au plus petit rhume, on te prendrait plus au sérieux quand tu es vraiment malade.
b. Sur la notice, ils disent que si le patient souffre d'allergies chroniques, il ne faut pas prendre plus de deux cachets par jour.
c. Je ne comprends pas pourquoi tu n'as pas lu la notice de ce médicament. Toi qui es si précautionneux d'habitude.
d. Mon toubib écrit si mal que la pharmacienne n'a pas su déchiffrer l'ordonnance.
e. Ne t'étonne pas de ne pas aller mieux ! Si tu ne respectes pas la posologie de ton médecin, tu ne guériras jamais.

Piste 70
• Bonjour Anaïs Kien.
◦ Bonjour Xavier Mauduit, bonjour à tous et toutes.
• Alors, aujourd'hui, dans *Le journal de l'histoire*, les restitutions d'œuvres et de biens aux anciennes colonies, et bien voilà qui reste un sujet brûlant.
◦ Comment restituer les objets spoliés au cours des conquêtes et de la colonisation française sur le continent africain ? C'est à cette question qu'une loi en préparation à l'Assemblée nationale devrait apporter des réponses en ce qui concerne les biens culturels attribués au Bénin et au Sénégal, colonies françaises d'Afrique de l'Ouest jusqu'en 1960. Lors d'une visite à Ouagadougou en 2017, le président Emmanuel Macron s'était engagé à ces restitutions.
▪ « Je veux que d'ici cinq ans les conditions soient réunies pour des restitutions temporaires ou définitives du patrimoine africain en Afrique. »
◦ Le dossier était ouvert depuis longtemps, ou plutôt se remplissait de demandes de restitutions auxquelles on ne répondait que rarement, jusqu'à ce changement de doctrine présidentielle en la matière. La déclaration de 2017 s'est accompagnée de nombreux débats et de grandes frilosités mais aussi d'un rapport commandé pour établir le nombre des objets concernés, conservés par les musées français, histoire de comprendre de quoi il était question. Felwine Sarr et Bénédicte Savoy, les deux experts missionnés pour établir cette liste et formuler des recommandations ont établi que la présence de ces objets était loin d'être anecdotique : quatre-vingt dix mille œuvres d'art et objets d'origine africaine sont exposés ou entreposés dans des musées français et pourraient faire l'objet de réclamations. Un chiffre donc astronomique et un vent de panique qui a soufflé dans les musées nationaux mais aussi dans les grands établissements étrangers, craignant un antécédent français qui pourrait les priver d'une partie de leurs collections et de leur attractivité. En juillet, la France a officialisé la restitution de ces objets satisfaisant, ainsi, à une demande historique comme le soulignait alors Marie-Cécile Zinsou, historienne de l'art franco-béninoise.
♦ Ce projet de loi veut dire que les choses sont enfin concrètes. On quitte le stade des paroles et on rentre dans la législation, donc ça veut dire que ce combat nous mène enfin à un résultat. Depuis les années 60, de très nombreux pays africains demandent à avoir accès à leur patrimoine en Afrique et c'est la première fois que ça va être possible. Le Bénin a introduit une demande en 2016, nous sommes en 2020 et nous sommes à quelques minutes, quelques heures, quelques jours de la restitution possible, et ça, ça change tout.
◦ Si la question éminemment politique des restitutions reste tendue malgré quelques efforts, certaines solutions pérennes ou transitoires s'inventent, qui choisissent de faire circuler les objets au lieu de les aliéner à un lieu ou une institution donnée. Marion Bertin, dans la revue *Terrain*, fait le récit d'une de ces expériences, menée entre 1990 et 2014 entre la France et la Nouvelle Calédonie. Dans l'esprit des accords de Nouméa signés en 1998 qui inscrivaient un destin commun entre les communautés, on ne décida pas d'un retour définitif des œuvres kanak pour lui préférer une circulation facilitée, qui permettait à la fois au peuple kanak de profiter de son patrimoine dispersé et de maintenir une représentation des objets kanak à travers le monde. La responsabilité et le bénéfice de ces objets ambassadeurs restaient partagés avec la France, et des expositions fréquentes furent organisées pour valoriser ces collections. L'identité kanak s'en trouvait valorisée selon les vœux des autorités coutumières et les collections des musées métropolitains se trouvaient impliquées directement dans une géopolitique mondiale post-coloniale. Une expérience fructueuse, donc, mais fragile, qui a montré ses limites lorsqu'elle a pris fin avec l'arrêt, tout simplement, de son financement en 2014. Les débats sur les restitutions, leurs méthodes et leurs applications restent toujours d'actualité.
• Effectivement Anaïs Kein, un sujet brûlant, merci beaucoup, on retrouve *Le journal de l'histoire*, et tous les liens des titres sur notre site internet franceculture.fr.

Piste 71
• Rendez-nous nos œuvres ! Rendez-nous nos œuvres !
◦ Ambiance mouvementée au tribunal de Paris. Ils sont une dizaine à être venus soutenir l'activiste congolais Emery Mwazulu Diyabanza. Ce mercredi, le ministère public a requis 1 000 euros d'amende contre lui. En juin, il avait tenté de s'emparer d'un poteau funéraire tchadien du XIXe siècle au musée du quai Branly. À travers ce geste, il réclame la restitution en Afrique de toutes les œuvres d'art du continent qui ont été envoyées en Europe, notamment à l'époque de la colonisation.
▪ Quelqu'un peut-il vraiment nous démontrer noir sur blanc que ces œuvres-là appartiennent au musée du quai Branly ? Alors que le président français, de par lui-même, reconnait qu'il a volé, à Ouagadougou, il l'a reconnu. Donc, on voit aisément dans quel camp les citoyens du monde doivent s'y trouver, parce que ce sont des valeurs de justice.

◦ Lors d'un déplacement à Ouagadougou il y a trois ans, Emmanuel Macron avait abordé la question de la restitution des œuvres d'art africaines.
♦ Je ne peux pas accepter qu'une large part du patrimoine culturel de plusieurs pays africains soit en France. Il y a des explications historiques à cela, mais il n'y a pas de justifications valables, durables et inconditionnelles.
▪ Pour l'heure, la France est engagée à rendre dans les prochains mois un sabre historique au Sénégal et 26 objets pillés par des troupes coloniales françaises au Bénin en 1892. Les avocats de l'activiste congolais estiment que c'est trop peu. Selon eux, les musées français possèdent plus de 100 000 œuvres qui auraient été volées en Afrique.

Piste 72

a. Il a été très bien ce film. Il m'a beaucoup plu.
b. Moi, je dois vous dire que cette semaine je n'ai pas beaucoup travaillé.
c. Quand il fait beau, je préfère déjeuner à la terrasse.
d. J'adore le parfum de la lavande au printemps.
e. Je n'aime pas tous ces endroits pleins de touristes, ils sont trop bruyants.
f. Tu viens ce soir à la fête de Laura ?
g. Nous ne sommes pas venus hier, car il a neigé toute la nuit.
h. Maintenant, il faut que vous m'expliquiez ce que ça veut dire.
i. Je n'ai pas envie d'aller dans un musée plein de touristes.
j. Nous devons donner une explication claire aux enfants.

AUDIO - DALF

Piste 73

• Et dans l'actualité des idées aujourd'hui : fausses nouvelles et théories du complot, la guerre des récits. On va prendre un cas d'école, un cas pratique puisqu'il est dans l'actualité, celui de ce film documentaire intitulé *Hold up*. France Culture, on est ensemble jusqu'à 14 h 30. Pour l'heure, il est 13 h 12.
◦ France Culture, *La grande table*, Olivia Gesbert.
▪ Ce sont des stratégies criminelles. Dès qu'un dirigeant utilise des métaphores guerrières, ça devrait vraiment nous mettre la puce à l'oreille parce que c'est systématiquement annonciateur d'un abus d'autorité.
♦ Le monde médical et scientifique a perdu une certaine crédibilité parce que ce débat est clôturé.
◊ Aujourd'hui qu'il n'y a plus de mortalité, on parle des cas mais des cas c'est pas des gens malades. Une épidémie sans malades, ça n'existe pas, en tout cas, c'est un scoop, c'est une nouveauté.
• Voilà, extrait de la bande-annonce du film *Hold up* visible, payant, sur les plateformes, avant d'avoir été téléchargé, piraté et, du coup, de circuler aujourd'hui sur Internet. C'est un exemple dans l'actualité, donc, de ce film *Hold up*, qui n'est pas une œuvre de fiction mais un documentaire avec des vrais gens qui témoignent, des experts scientifiques, des dits «rescapés», des intervenants sous couvert d'anonymat, des députés, des sociologues aussi comme Monique Pinçon-Charlot et puis même, des hommes politiques comme Philippe Doust Blazy qui s'est, depuis, désolidarisé. Selon le film, le coronavirus est une épidémie, un virus fabriqué par l'homme, porté par des intérêts politico-médiatiques pour soumettre l'humanité. Avec vous, Thomas Huchon, tenter de comprendre. Vous nous disiez à l'instant autour des fake news : « Ce n'est pas un documentaire, c'est un "documenteur" .» En quoi ? Quelles différences ? Pourquoi ?
‡ Bah, écoutez, je crois que c'est... Pierre Bayard a parlé, effectivement, de bric-à-brac, de mélanges. Juste en écoutant la bande-annonce on a déjà un bel exemple. Je crois qu'il faut comprendre quelque chose, c'est que ce film qui dure près de trois heures porte en lui-même un certain nombre de contradictions qui empêche la thèse de tenir. La première heure est quand même passée à nous expliquer que le coronavirus n'existe pas, que c'est une maladie qui ne fait pas de malades ni de morts, et la dernière heure du film sert à nous expliquer que le coronavirus est un plan concerté des riches pour éliminer 3 milliards et demi d'êtres humains sur la planète. Je crois qu'il y a une espèce de contradiction un petit peu loufoque à ce qu'une maladie qui n'existe pas soit un plan d'extermination des êtres humains. Mais, au delà de ça, c'est un film qui va utiliser une technique bien connue des spécialistes des théories du complot, qu'on appelle le « mille-feuille argumentatif », c'est-à-dire que ça va compiler, je suis désolé, mon fils pleure un petit peu pendant l'interview mais...
• Mais non, c'est la vie.
‡ Je suis jeune papa et voilà, c'est la vie. Ce sont les aléas du direct comme on dit. Donc le « mille-feuille argumentatif » c'est une technique argumentative qui permet d'empiler les uns sur les autres tout un tas d'arguments qui n'ont ni queue ni tête, qui n'ont aucun sens et qui n'ont parfois même pas de liens les uns avec les autres, mais qui va créer une espèce d'impression d'unité, de cohérence, qui va nous faire penser que, finalement, il n'y a pas de fumée sans feu, et qui va commencer, comme vous l'avez dit Pierre Bayard, à nous faire croire des choses, finalement, parce qu'on a un petit peu besoin de croire à tout ça. Pourquoi ? Et bien, parce qu'une pandémie comme celle que nous traversons, on a du mal à l'expliquer. Quand on arrive pas à expliquer les choses et que ça nous fait peur, on cherche des explications, on cherche des raisons à tout cela et, surtout, on va chercher des responsables. Ce « documenteur » amène, effectivement, une réponse très simple a un problème très compliqué et il vient surtout faire une espèce de... Il soulage ceux qui y croient, puisque s'il y a un plan concerté de la part des puissants pour éliminer une partie des êtres humains, et bien, en éliminant ces puissants, on se débarrasse du problème, on se débarrasse de la pandémie et donc, il n'y a pas seulement un problème, il y a surtout une solution. Il y a quelque chose à cela de très perturbant mais, vous l'avez rappelé monsieur Bayard, tout ça n'est absolument pas nouveau. Je voudrais juste vous citer une petite phrase de Voltaire, donc c'est quelque chose qui ne date pas d'hier. Voltaire disait : « Les honnêtes gens qui pensent sont critiques, les malins sont satiriques, les pervers font des libelles. » Les libelles étaient des textes écrits sous une fausse identité afin de décrédibiliser la royauté de l'époque, notamment Marie-Antoinette, dont, dans les libelles on disait « pis que pendre ». Je crois qu'effectivement, nous sommes dans une période où il y a à la fois des producteurs de mensonges qui ont un intérêt parfois politique, parfois d'influence, parfois économique, parfois un petit peu les trois et, et bien, des récepteurs. J'aime beaucoup le terme que vous avez utilisé de « faribole » que je ne connaissais pas, de balivernes effectivement, et bien, c'est ça le problème, c'est que ces fameuses fariboles que vous avez qualifiées, monsieur Bayard, c'est qu'il y a toujours quelqu'un qui finit par les croire. Et le problème aujourd'hui, c'est que les moyens d'accès à l'information de nos concitoyens font qu'ils vont être confrontés à ce produit cognitif, à ce film comme s'il était vrai, comme si c'était la vérité.
• Mais parce qu'il joue aussi avec toutes les formes ou tous les codes du vrai, en tout cas du documentaire télévisé. Il a d'ailleurs été réalisé par un ancien journaliste télé. C'est un film

qui est plutôt bien fait sur la forme dans le montage, archives, voix-off, experts, ça ressemble.
◦ Je suis pas du tout d'accord. Écoutez, franchement, n'importe quel professionnel du documentaire vous dirait qu'il y a quand même un certain nombre de problèmes : il y a un problème d'étalonnage incroyable sur les interviews, il y a un problème de coordination des images, de concordance de tout ça...
• Oui mais n'importe quel professionnel, avez-vous dit.

Piste 74

• Chez les plus jeunes, particulièrement chez les femmes, donc, par mesure préventive, parce qu'on a pas recensé d'effets secondaire au Canada, il faut le mentionner, on décide quand même de recommander la suspension du vaccin pour les 55 ans et moins, momentanément, le temps d'évaluer les risques et les bénéfices. On peut écouter l'immunologiste André Veillette.
◦ Pour un bénéfice qui est peut-être plus limité dans ce groupe d'âge-là, je pense que c'est tout à fait raisonnable d'attendre et puis d'évaluer la situation avant de continuer, avant de décider ou non si on continue la vaccination de ce groupe d'âge-là.
• Voilà, on comprend que la logique derrière tout ça, c'est que, comme les personnes de 55 ans et moins sont peut-être moins à risque de développer, pour le moment, des complications de la Covid 19, on peut suspendre le vaccin pour une certaine période de temps. Cela presse moins que la vaccination pour des personnes un peu plus âgées. Reste que Santé Canada va devoir revoir l'évaluation complète des risques et des bénéfices. On va se baser sur des études mais aussi sur le fabricant qui va avoir des comptes à rendre, quand même.
▪ Ça fait beaucoup là, parce que les États-Unis l'ont toujours pas approuvé ce fameux vaccin. Bon, reste que ça change la donne tout ça, concernant la campagne de vaccination, on peut certainement s'attendre à des retards ou, du moins, à ce qu'on revoit le calendrier ou la logistique en tout cas, là.
• Oui, c'est ce qu'a mentionné hier, au Québec du moins, le directeur national de santé public, Horacio Arruda. On peut l'écouter.
♦ C'est un retard un peu, une certaine clientèle qu'on voulait vacciner un peu plus tôt. On est en train d'évaluer ça, on est en train de voir quelles seraient aussi les autres alternatives en termes de vaccin qui pourraient rentrer plus tôt.
• Faudra voir ce que les autres provinces vont décider par rapport à ce vaccin et comment ça va changer leur campagne de vaccination. Ce qu'on sait, c'est que c'est la troisième vague pas mal partout, en tout cas le nombre de cas explose dans les provinces, et ce que ça change au Québec aussi, ça faut le mentionner : c'est que les personnes de 55 ans et plus vont pouvoir choisir de recevoir ou pas le vaccin. On peut comprendre qu'à l'heure actuelle, tout ça, toute la situation pose beaucoup de questions par rapport à la sécurité, à l'efficacité du vaccin. On peut écouter quelques citoyens.
◊ On va prendre ce qu'ils vont nous donner.
‡ On n'a pas le choix, on va prendre une chance et puis...
◗ Ce qui fait ma petite inquiétude c'est que moi, personnellement, j'ai déjà fait des embolies pulmonaires multiples.
• Voilà, alors les personnes qui vont choisir de ne pas recevoir le vaccin vont simplement prendre rendez-vous pour recevoir un autre type de vaccin, ultérieurement.
◦ Oui, tout à fait, mais reste que les livraisons, elles, d'Astra Zeneca, ne seront pas suspendues. On attend cette semaine 1 million et demi de doses partout, dans toutes les provinces, qui vont devoir être inoculées dans un délai de soixante jours.

Piste 75

• France Inter, *La terre au carré*.
◦ 14 h 30, Camille passe au vert, et bon appétit, aujourd'hui, puisqu'on mange du poulet artificiel, miam miam miam !
▪ Oui, des nuggets sortis tout droit d'un laboratoire. Ça s'est passé samedi dernier dans un restaurant de Singapour où ils ont été servis à quatre jeunes âgés de 14 ans à 18 ans, qui, à part un tout petit « interesting », intéressant, n'ont pas été interviewés pour qu'on sache, au moins, si c'est bon ou pas, mais voilà ce qu'a dit le propriétaire du restaurant...
♦ Quand j'ai goûté samedi, ça a largement dépassé mon attente. Je parirais que, dans un test de dégustation à l'aveugle, je ne ferais pas la différence. La façon dont il a été cuit, la façon dont il a été servi, si vous m'aviez dit que c'était un vrai poulet, je l'aurais cru à fond et je l'aurais apprécié.
▪ Voilà bon, en même temps, vu la pub que ça fait pour son resto, il pouvait difficilement dire que c'était mauvais. Évènement qualifié de première mondiale, très médiatisé, puisque la viande *in vitro*, la viande artificielle, est une technologie qui soulève beaucoup de questions. D'ailleurs, que tweetait le ministre de l'Agriculture, Julien de Normandie, le 2 décembre dernier au moment où les autorités de Singapour autorisaient la vente de viande artificielle ?
◦ Est-ce vraiment cela la société que nous voulons pour nos enfants ? Moi, non, je le dis clairement, la viande vient du vivant, pas des laboratoires. Comptez sur moi pour qu'en France, la viande reste naturelle et jamais artificielle.
▪ Petit message aux éleveurs qu'il n'a pas intérêt à se mettre à dos, de toute façon, et qui regardent avec méfiance, c'est peu de le dire, ces startupers partout dans le monde qui nous fabriquent, donc, de l'escalope ou du steak à partir de cellules souches prélevées, pour revenir à nos nuggets de poulet, sur une plume par exemple, comme le raconte le développeur du produit chez Eat Just, le chef Zachary Tyndall.
◊ Nous avons simplement prélevé un échantillon très simple d'une de ces plumes. Sa ligné cellulaire actuelle a été prélevée sur un poulet nommé Yann, qui vit en Californie, il vit encore, d'ailleurs, à ce jour. Nous n'avons pas eu besoin de tuer d'animaux pour produire ce «nugget».
▪ Et son entreprise a de grandes ambitions.
◊ Nous voulons être en mesure de fournir le monde. Je pense que c'est un excellent point de départ pour beaucoup d'autres entreprises qui vont pouvoir également se lancer dans la production. C'est vraiment passionnant parce que c'est le début et je pense que cela va vraiment décoller assez rapidement.
▪ Car, même si les appels se font nombreux à réduire notre consommation de viande, dont l'empreinte carbone est mauvaise, vous le savez, 14 % des émissions de gaz à effet de serre viennent de l'élevage, sans parler de la déforestation engendrée par l'élevage intensif. Elle devrait augmenter, cette consommation, de 70 % dans le monde d'ici 2050, puisque nous serons 10 milliards d'humains. Pour info, on en mange 86,2 kilos par an et par personne aujourd'hui en France, en moyenne. La viande *in vitro* est donc présentée comme la solution. D'ailleurs, les hommes les plus riches du monde ont investi des millions dans la viande artificielle : Jeff Bezos, Richard Branson ou Bill Gates qui, il y a deux ans déjà, vantait ses mérites en expliquant que c'est meilleur pour la santé avec moins de cholestérol, que ça réduit, bien sûr, considérablement, les émissions de méthane, la maltraitante animale, la gestion du fumier et la pression de l'élevage sur les terres. Voilà, sauf que le tableau ne serait pas aussi idyllique, rapport datant de 2013, puisque les labos travaillent

depuis 2010 sur la viande *in vitro*. Pointées, je cite, de fortes limitations techniques, économiques, environnementales et sociales. Études dirigées par Jean-François Hocquette, directeur de recherche à l'INRAE, spécialiste de biologie musculaire, qui tempère l'appellation même de viande.

‡ On est très loin de la structure de la vraie viande. On a des cellules qu'on appelle des néoblastes qui se multiplient un très grand nombre de fois pour produire de grandes quantités de fibres musculaires, qui restent dans cet incubateur géant et qui ne retrouvent pas complètement la structure du tissu musculaire de l'animal. Le muscle, c'est pas de la viande.

▪ Et en ce qui concerne l'aspect nutrition, là encore…

‡ Il n'existe à ce jour aucunes données publiques précises et accessibles pour une évaluation indépendante de la qualité nutritionnelle de cette viande ou de ce muscle en culture.

▪ Et pas de données non plus, juste des hypothèses sur les impacts écologiques réels de ces « frankensteacks », comme les appelle les détracteurs, qui coûtent une fortune, d'ailleurs, c'est aussi l'un des freins encore aujourd'hui : 250 000 euros pour fabriquer le tout premier steack, c'était en 2013. Mais là aussi, les fabricants progressent quand même, puisqu'on est à 800 euros désormais, ça baisse. En France, l'une de ces start-up est en train de travailler sur un foie gras de synthèse qu'elle promet pour 2022. Joyeux Noël !

◦ Oui, merci beaucoup Camille Crosnier. On peut réécouter votre chronique à la page de *La terre au carré*, bien sûr.

NOTES